SELMA ET MOI

par Mike Brett

Je suis assis dans ma chambre et je m'occupe de
mes affaires, ce qui ne me mène pas très loin car
en ce moment je suis en chômage. Mais, comme
dit mon ami Hot Rod Washburne, qui est très
cultivé : « Ça n'a rien de catastrophique ; il y a
toujours eu des gens en chômage. » Hot Rod dit
qu'il y a parfois de grands directeurs qui restent
cinq ou six mois sans trouver de situation. Alors,
pourquoi s'en faire ? Tôt ou tard, il faudra bien que
quelque chose se présente. De toutes façons, c'est
ce que dit Hot Rod, et quand il dit quelque chose,
je l'écoute parce que ce type-là est vraiment intelligent. Il a trente-huit ans et je ne l'ai jamais vu
travailler.

Et ça, on a beau dire, ce n'est pas facile. On peut
se passer de travailler si on est né bien pourvu en
espèces sonnantes et trébuchantes mais, d'après ce
que j'ai entendu dire, la plupart des gens n'ont pas
cette chance. Je crois que Lincoln a, lui aussi,
évoqué ce problème.

Alors je me dis : « Pourquoi m'en faire ? » Tout ce

qu'on récolte, ce sont des cheveux blancs, et moi, je n'en ai pas besoin. Je suis beau, jeune, très intelligent, et en plus de ça, je suis un type bien. Alors, dans un sens, ça n'est pas très logique que je ne trouve pas de travail. La vraie cause, c'est peut-être que j'ai été renvoyé de la marine pour une raison pas très honorable. Pas non plus vraiment déshonorante. C'est une de ces nouvelles classifications secrètes signifiant que la marine américaine et moi ne nous sommes pas séparés dans les meilleurs termes.

Comme ils disent, c'est une fille qui est à l'origine de tous mes ennuis. Dans mon cas, c'est Selma Litts ; elle était enrôlée dans la marine. Je me souviens de toute cette histoire comme si c'était arrivé hier.

La première fois que j'ai rencontré Selma, c'était en Floride, où nous étions en garnison. Au premier coup d'œil que j'ai jeté sur cette grande poupée blonde j'ai su que nous étions faits l'un pour l'autre.

C'est aussi son avis, parce que, quand je l'embrasse, elle se met à trembler et ça, c'est la preuve indubitable qu'elle est folle de moi. Nous sommes tous les deux très beaux. Je suis bien fait et intelligent ; elle est splendide et remplit agréablement son uniforme ; et nous avons l'un pour l'autre une attirance animale.

Je suis bien mordu et je me rends compte, après deux rendez-vous, qu'elle tremble encore plus fort qu'avant. J'ai beaucoup de mal à rester dans mon casernement la nuit alors qu'elle se trouve dans le bâtiment réservé aux femmes ; alors une nuit, je sors tout doucement et j'arrive à tromper la vigilance de la sentinelle qui garde l'entrée de son bâtiment. Je retrouve Selma aux lavabos, à trois heures du matin, et nous commençons à nous embrasser. Une heure après je rentre discrètement au dortoir, comme un voleur, mais vraiment, ça valait la peine. Elle tremblait tellement qu'elle me faisait trembler aussi.

C'est quand je rentre que les ennuis commencent. C'est bien ma veine : l'officier a décidé de procéder à un appel. Naturellement il ne me trouve pas puisque je ne suis pas là. Je récolte dix heures de corvée ; mais Selma qui tremblait, et tout, ça valait bien ça.

La nuit suivante je retourne au bâtiment des femmes, et ma rencontre avec Selma n'est pas de tout repos. Elle tremble, je tremble, et nous ne pouvons pas continuer comme ça. Déjà, je me rends compte que je l'aime, et je lui demande de m'épouser.

Il faut l'avoir vue pour comprendre. On ne l'a pas plutôt aperçue qu'on tombe amoureux de Selma Litts. Je m'imagine qu'avec sa façon de trembler et de frissonner, elle va sauter sur mon offre.

Elle pose sa main sur mon épaule et me dit :

— Combien de temps avez-vous été dans la Marine, Harold ?

— Presque six ans. Je réponds. Très vite, car j'ai une bonne notion du temps.

— Vous n'êtes encore qu'un marin, Harold. Comment pourrais-je épouser un homme qui a un grade moins élevé que le mien ?

— Mais, ce sont des choses qui arrivent, je lui dis. J'étais mécanicien de première classe, dans l'aviation...

— Peu importe ce que vous avez été. J'ai entendu dire que vous teniez une distillerie clandestine à Johnston Island, que vous avez été cassé et que vous êtes redevenu simple marin. Tout le monde ici connaît vos antécédents. L'homme que j'épouserai doit être solide comme le roc. Je veux une maison, des enfants, et donc, pour me marier, je veux de l'argent.

— Combien d'argent voulez-vous ? Est-ce que 10 000 dollars vous suffiraient ? Je peux monter une petite opération ici-même et j'aurai l'argent en un rien de temps.

— Voilà que vous recommencez à essayer de prendre des raccourcis. D'abord, je veux plus de 10 000 dollars. Avant, j'en voulais seulement 10 000, mais la vie augmente et les terrains sont horriblement chers. Il me faut 15 000 dollars. Mon contrat sera bientôt terminé et si nous avons 15 000 dollars, nous pourrons nous marier.

Voilà où nous en étions de notre discussion dans les lavabos des femmes ; elle était dans mes bras ; et elle tremblait ; et elle me disait : « Arrêtez, Harold, vous n'avez pas le droit. »

C'est ce qu'elle pensait. Mais j'allais l'épouser et j'estimais que cela me donnait certains droits.

Mais j'entends venir quelqu'un dans le bâtiment et quand j'entr'ouvre la porte des lavabos pour regarder ce qui se passe, je vois deux femmes-officiers. C'est ainsi que j'apprends à quel point la Marine fait les choses par en-dessous. Envoyer des officiers pour faire des vérifications chez les femmes ! C'est vraiment le summum de la fourberie. Je comprends que l'on vérifie chez nous. Mais chez elles ? C'est vraiment aller trop loin ! C'est s'immiscer dans la vie privée, voilà.

Mais je ne suis pas idiot. J'ai déjà dit que j'étais intelligent. Aussitôt que je les vois, je me précipite dans un lit vide et je tire la couverture jusque sur ma tête.

Selma reste où elle est, dans les lavabos. Pourquoi pas ? Elle a le droit de s'y trouver.

Mais ne me parlez pas de ces femmes-officiers de la Marine ! Non seulement elles font une vérification

des lits, mais elles ont aussi compté Selm... Ça, c'e...
frapper sous la ceinture ! Il devrait y avoir 24 ...
dans la chambrée. Elles en trouvent 25, et che...
femmes, en trouver une de plus est bien pire qu...
d'en trouver une de moins.

Alors l'une des femmes-officiers siffle l'alerte. Quelque chose du genre : « Ordre de bataille ! » « Tout le monde sur le pont ! » ou « Ennemie en vue ! »

Toutes les filles sautent à bas de leur lit et se mettent au garde-à-vous, mais je reste sous ma couverture, comme si j'avais froid, jusqu'à ce qu'un des officiers me découvre. Je ne prends pas même la peine de saluer et je pars en courant. Il faut dire qu'à Hialeah, j'avais un méchant départ dans l'équipe de base-ball.

J'entends crier derrière moi, et quelqu'un hurle : « Arrêtez, arrêtez ! »

Mais je n'obéis pas. J'avais l'intention de traverser en courant tout le terrain d'exercice qui me séparait de mon bâtiment, et de courir si vite que personne ne pourrait me voir ; on arriverait seulement à distinguer une forme floue fendant l'ombre.

Je passe la porte et je tombe sur la sentinelle. Le type n'est pas très grand, mais il est armé d'un Garand de 40, et il le braque sur moi. Lorsqu'il crie : « Halte ! » j'ai l'impression qu'il mesure dans les dix mètres et, je vous le jure, je m'arrête pile.

Je me mets à rire, je lève les bras et je lui dis :

— Allons, vieux, laisse-moi filer, veux-tu ? On est copains.. !

Je n'ai jamais su ce qu'il aurait fait, parce que, juste à ce moment-là, les officiers sont sortis en courant suivis de quelques filles en tenue de nuit. A la vue de ces filles qui couraient en sous-vêtements, la sentinelle a dû s'émouvoir, car elle a tiré.

J'ai entendu une balle siffler à mon oreille et frapper le mur, derrière moi.

Aussitôt c'est le cirque. Trois filles s'évanouissent. Des projecteurs fouillent tout le camp. C'est toujours ce qui se produit lorsqu'il se passe quelque chose dans le bâtiment des filles. En fait, je crois que l'Amiral est prévenu aussitôt qu'il s'y passe quelque chose. En général, lorsque quelque chose ne va pas, chez nous, l'officier s'en occupe. Il arrive en jeep avec deux autres types, comme une personne civilisée ; mais, pour les filles, c'est un autre tabac. Il y a tout de suite six jeeps qui arrivent sur les chapeaux de roues et des gradés comme s'il en pleuvait.

Je n'ai besoin de personne pour me rendre compte que je suis dans une situation difficile.

Je passe en cour martiale et rien que les accusations remplissent cinq pages. On déclare que j'ai été découvert dans le bâtiment réservé aux Waves, que l'on m'a trouvé hors des limites autorisées, que j'ai fui le lieu du crime, peu importe ce que tout ça veut dire. Je prends un avocat de la Marine et il me dit que les officiers veulent bien me faire une proposition.

Je n'ai qu'à leur donner le nom de la fille que j'allais voir et ils fermeront les yeux sur quelques accusations. On dirait que, dans le remue-ménage, pendant que tout le monde criait, hurlait et s'évanouissait, Selma Litts a réussi à passer inaperçue et à rentrer dans son lit ; et dans la confusion, on n'a jamais été capable de se souvenir dans quel lit j'étais.

Vous me connaissez, jamais je n'irais dénoncer une femme, surtout celle que je vais épouser. J'ai toujours été un gentleman, et en plus, je me demande bien pourquoi ils veulent tous savoir son nom.

Je passe deux mois en prison et, lorsque j'en sors,

Selma me dit que j'ai été très galant de ne pas donner son nom, mais que ce qu'elle a dit avant reste valable. Elle veut toujours de l'argent, et d'autant plus, maintenant, que je ne suis plus qu'un ex-marin. La Marine me donne mon avis de licenciement et je me trouve sur le point d'affronter le monde.

Je suis intelligent on le sait, et on aurait pu penser que de nombreuses entreprises chercheraient à m'engager. Je vois dans le journal qu'on demande beaucoup d'ingénieurs pour faire de la recherche, des ingénieurs ayant l'esprit inventif. Je suis donc tout surpris de voir ma candidature refusée pour la simple raison que je ne suis pas ingénieur ou que je ne suis pas spécialisé dans la recherche. Ce que ces entreprises ne savent pas c'est que j'ai de l'imagination et un esprit vachement inventif.

A présent, je repense à tout ce qui m'est arrivé ; je suis là, assis, et je regarde par la fenêtre, contemplant la vue qui m'est échue avec ma petite chambre bon marché. On ne peut pas dire qu'elle soit magnifique. Je suis au deuxième étage et ma chambre donne sur une petite cour aux murs de briques sales et sur la porte de service de la National Chemical Farmers Bank. Cette porte n'est pas utilisée par la banque car elle donne sur ce passage sordide, et elle reste toujours fermée.

En bas, il y a quelques moellons, des boîtes de conserve rouillées, de vieilles chaussures, des journaux, et d'autres ordures ; il y a aussi deux chats de gouttière qui font le gros dos quand ils se rencontrent. Pour moi, c'est une triste journée. Je n'ai pas de travail, je ne possède pas 15 000 dollars et je ne peux donc pas épouser Selma Litts, et puis, la vue de toutes ces ordures dans la cour, ça ne me remonte pas le moral.

Soudain, la porte de service de la banque s'ouvre

et deux types armés sortent en courant. L'un d'eux est vêtu d'un blouson ; il a une tête comme un bloc de ciment. Aussitôt une grande agitation se produit. La sonnette d'alarme de la banque se déclenche et deux autres types, qui portent des serviettes, sortent en courant de l'établissement. Moins d'une seconde après, un des gardiens de la banque sort à son tour dans la cour et tire sur les voleurs. Les balles fusent en sifflant. L'un des gars qui tient une serviette s'écroule, le crâne en bouillie.

Un des autres voleurs se met à genoux et commence aussi à tirer. Il atteint le gardien en pleine poitrine ; le gardien s'écroule sur des boîtes de conserve. L'homme au pistolet veut récupérer la serviette que son copain a abandonnée, mais le gardien n'est pas hors de combat. Il est tombé à plat ventre, il tire deux fois, et il manque. Mais ça décourage le voleur qui s'enfuit en abandonnant la serviette.

Moi, j'observe tout cela, dans un brouillard, un peu comme dans un rêve. Et puis, tout devient clair. Il y a eu un hold-up. Quatre hommes sont sortis de la banque en courant. Le gardien de la banque en a tué un, a lui-même été blessé à la poitrine et, en bas, il y a une serviette pleine d'argent et que personne ne surveille.

C'est assez pour moi. Je descends en courant et je pousse la porte qui donne sur la cour. La serviette n'est qu'à quelques mètres de moi. Le gardien est étendu, la figure cachée dans un tas de moellons. Tout en m'emparant de la serviette je ne cesse de l'observer, et il ne lève pas la tête une seule fois. Le type qu'il a atteint est mort.

Je saisis la serviette et reviens en courant vers la porte de service de mon immeuble ; soudain, deux balles ricochent contre le mur, tout près de ma tête. Je jette un coup d'œil. C'est le type au blouson, et je rentre précipitamment dans la maison tandis qu'il continue à tirer dans ma direction.

Par la vitre de la porte, je vois l'un des employés de la banque sortir et tirer sur l'homme au blouson. Je ne m'attarde pas pour savoir comment tout cela se terminera. Arrivé à l'escalier, j'entends un moteur et un grand coup de frein. Je me précipite dans ma chambre, jette la serviette sur mon lit et regarde par la fenêtre.

Maintenant, il y a des gens en bas ; ils sont penchés sur le gardien. Quelqu'un crie : « Appelez une ambulance ! » Le corps du voleur mort est toujours là et l'homme au blouson a disparu.

Je descends doucement dans le hall et, de là, je me faufile dans un débarras où s'entassent de vieux matelas pleins de suie et des lits en pièces détachées. Je fourre la serviette derrière un matelas et je regagne ma chambre.

En bas, il y a maintenant une véritable armée de flics et le brigadier parle avec le vieux Snelska, le propriétaire. Snelska lui montre ma fenêtre et c'est assez pour me faire dresser les cheveux sur la tête ; et puis, tout à coup, je le vois se diriger avec le brigadier et deux flics vers la porte de l'immeuble.

Alors, j'ai une idée. Je ferme ma porte à clef, je me déshabille et mets mon pyjama. Je bois un verre de whisky, m'en verse un peu dans les mains et me frictionne la tête avec pour bien me décoiffer. Et puis je me mets au lit.

Quelques secondes après, les flics frappent à ma porte et l'un d'entre eux crie : « Police ! Ouvrez ! »

Je prends mon temps pour répondre, et puis je vais ouvrir la porte comme un type un peu soûl qu'on tire du lit en pleine nuit. Il y a le brigadier, tout rouge et furieux, deux flics et le vieux Snelska, sur le palier.

— Qu'est-ce qui se passe ? Pourquoi est-ce que vous frappez à ma porte, comme ça ?

Je dis ça comme si j'étais un peu inconscient, mais au-dedans de moi, mon sang circule plutôt vite.

— On a dévalisé la banque, dit le vieux Snelska.

— C'est pas vrai ? C'est une blague !

— Mais pas du tout ! Il y a un mort dans la cour et la banque a perdu 50 000 dollars, dit Snelska, tout excité.

— Votre fenêtre donne sur la cour. Avez-vous vu quelque chose ? dit le brigadier en reniflant autour de moi une odeur de whisky.

— Rien. Je dormais ; je n'ai rien entendu.

L'un des flics sourit. Le brigadier marmonne quelque chose dans sa barbe et me dit :

— Allez, retournez vous coucher, et cuvez ça.

— Merci, lui dis-je quand il s'en va. Mais enfin, personne ne vous avait demandé de venir me réveiller, hein ?

Je claque la porte et la ferme à clef.

Puis je me rhabille, je vais dans le débarras et je compte l'argent. Il y a 30 000 dollars. Je remets les billets en place, enfouis la serviette derrière le matelas et retourne dans ma chambre. Tout est bien clair dans mon esprit. J'ai plus d'argent qu'il n'en faut pour épouser Selma. Elle voulait 15 000 dollars, j'en ai 30 000. Ça, c'est de l'initiative !

L'un des voleurs m'a repéré, mais je suis persuadé que, pendant un certain temps, il va être plutôt occupé à essayer de sauver sa peau. Je me remets au lit, mets mes mains derrière la tête, et je ris pendant cinq minutes. C'est dans la poche. Selma sera libre dans deux mois. La vie va être belle.

J'ai essayé de l'appeler, je n'ai pas pu la joindre, mais j'ai quand même nagé dans le bonheur le reste de la journée. Le soir, je prends 100 dollars dans la serviette et je vais faire un bon dîner de crustacés.

Mais le rêve prend fin lorsque je rentre chez moi. Il y a une voiture garée de l'autre côté de la rue, et dedans, trois hommes qui surveillent l'entrée de mon immeuble. Je reconnais l'homme qui portait un blouson ; il n'a plus son blouson, maintenant, mais je reconnais sa figure.

Je suis presque pris de panique et j'ai envie de courir, mais je me force à tourner le coin de la rue lentement. Et puis j'entre dans la cour et je pénètre dans l'hôtel par la porte de derrière. Je monte dans ma chambre. Je m'enferme, et je reste là, dans le noir, tout tremblant. Je n'ai maintenant plus qu'une envie, c'est de prendre l'argent et de filer. J'ai assez pour m'acheter une voiture rapide ou un billet d'avion, mais il faut que j'agisse vite.

Au moment de tourner la clef, j'entends frapper à ma porte et la peur me prend. Je vois déjà l'homme au blouson, debout sur le palier, et attendant un pistolet à la main, que je sorte pour m'abattre. C'est un vrai cauchemar. Je suis pétrifié.

— Harold, appelle une voix, de l'autre côté de la porte. Je vous ai entendu monter, Harold. C'est Snelska, le propriétaire, mais je sursaute quand même.

J'allume la lumière et j'ouvre la porte.

Cela fait cligner des yeux.

— Qu'est-ce qui se passe ? demande Snelska. Pourquoi restez-vous dans le noir ? Un homme est venu pour vous voir. Il ne connaissait pas votre nom, mais il vous a décrit, et il a dit qu'il avait du travail pour vous.

J'en suis malade.

— Vous lui avez donné mon nom ?

— Bien sûr. Je sais que vous cherchez du travail.

— Merci, merci beaucoup, je réponds et je referme la porte.

Maintenant, je sais que je suis vraiment dans le pétrin. Ce n'est pas seulement à l'argent qu'ils en veulent. J'ai été témoin de leur crime ; le gardien est à l'hôpital, dans un état critique ; je suis sûr que ces types qui sont dans la rue veulent me faire disparaître au plus tôt.

Comme je vous l'ai déjà dit, je suis beau et intelligent, mais je commence à penser que j'ai besoin de conseils. Pour ça, j'ai besoin d'un type intelligent, et je pense tout de suite à Hot Rod Washburne.

Je descends tout doucement dans l'entrée et, de la cabine téléphonique qui s'y trouve, je lui passe un coup de fil pour lui dire que j'ai des ennuis. Je le connais depuis longtemps et c'est un ami, alors je lui raconte tout. Il est tellement silencieux, pendant que je parle, que je crois qu'il a raccroché, mais pas du tout. Il m'écoute et il réfléchit.

Je lui dis :

— Washburne, tu es là ? »

— Mais oui, continue, idiot !

Alors je continue et je lui dis que les voleurs sont garés juste de l'autre côté de la rue dans une grosse voiture.

— Ils sont trois, prêts à me tuer.

— Combien y a-t-il dans la serviette ?

— Trente mille.

— Bon... je veux bien t'extraire de cet imbroglio mais ma modeste commission se montera à quelque 15 000 dollars.

Hot Rod parle de façon fantaisiste, mais j'ai bien entendu : *quinze mille dollars*. C'est la moitié de trente mille. Ma division est exacte.

— Ça fait la moitié ! je lui dis.

— C'est comme tu voudras, mon vieux, me dit Hot Rod. Quinze mille dollars ou la mort.

Vu sous cet angle, je n'ai vraiment pas le choix.

— D'accord.

— J'ai déjà mon plan. Il ne peut rater si tu m'obéis à la lettre. D'abord, tu regardes par la fenêtre jusqu'à ce que tu me voies garer en double file en face de chez toi. A ce moment-là tu prends la serviette, tu descends et tu sautes dans ma voiture. Je m'occupe du reste.

— Mais tu ne comprends pas, Hot Rod. Ces types sont armés jusqu'aux dents, et ils attendent de l'autre côté de la rue pour m'abattre.

— Vraiment, tu me fatigues, dit Hot Rod. Pourquoi suis-je toujours obligé de me bagarrer avec des gens qui ne me font pas confiance. J'en ai marre ! Veux-tu, ou ne veux-tu pas t'en sortir vivant, et avec 15 000 dollars ? Je méprise ceux qui n'ont pas confiance.

Quand il commence à parler comme ça, je me sens tout de suite beaucoup mieux. Vous pouvez me croire, Hot Rod est un gars intelligent.

— D'accord, dis-je ; je t'attendrai.

— Bon, dans un quart d'heure, gros malin, dit-il, avant de raccrocher.

Le quart d'heure me paraît vraiment long, et puis je vois la petite voiture de sport rouge se garer devant l'hôtel. Mais je vois aussi les bandits, de l'autre côté de la rue, et j'ai presque envie de tout laisser tomber, mais je sais qu'il est trop tard. De plus, Hot Rod Washburne représente mon idéal, trente-huit ans et pas une journée de travail. Et il faut faire confiance aux gens, non ? Je prends la serviette et je descends.

Quand Hot Rod me voit arriver, il m'ouvre la porte de sa voiture, je cours et je saute dedans. De l'autre côté de la rue, je vois les bandits, dans leur voiture, qui me désignent du doigt, l'air très surpris.

Alors, Hot Rod me dit :

— Maintenant, fais-leur un grand sourire et dis-leur au revoir, comme à de bons amis.

J'ai l'impression qu'Hot Rod ne va pas très bien, mais je n'ai pas le choix, alors je leur fais un grand sourire et je leur dis au revoir de la main. Ils sont tout décontenancés et on dirait qu'ils discutent. Alors, Hot Rod met ses grosses lunettes de la guerre de 14, emballe le moteur, et nous partons.

J'ai l'impression que, pour moi, c'est la fin quand je vois les bandits se mettre à notre poursuite. Ils sont assez près pour que je puisse les voir, et j'ai l'impression qu'ils montrent les dents. C'est mal parti.

Nous sortons de la ville et ils nous suivent de près ; Hot Rod s'engage sur l'autoroute. Les bandits se rapprochent, mais Hot Rod regarde dans son rétroviseur et ne semble pas s'inquiéter. En fait, il chantonne joyeusement comme s'il était déjà en train de compter ses 15 000 dollars.

Nous grimpons au flanc d'une montagne et les bandits restent à la même distance.

— Dis-moi, Harold, t'ai-je jamais dit que j'avais suivi des cours à l'université ? me demande Hot Rod. C'est la seule fois que j'ai fait quelque chose ressemblant à un travail. Une expérience épouvantable !

— Oui, j'ai su que tu étais parti quelque temps.

— Eh bien, c'est là que j'étais. J'étudiais dans l'une de ces institutions où l'on dispense un enseignement supérieur.

— C'est vrai ?

— Mais oui. A l'université il y avait un cours où l'on nous expliquait pourquoi tant de bons citoyens ont des accidents de voiture.

18

Maintenant, nous approchons du sommet de la montagne, et je deviens un peu nerveux.

— Hot Rod, ils se rapprochent !

— Très juste, dit-il, alors que nous arrivons en haut.

Il y a une pancarte : *Poids lourds, descendez cette pente en première.* Hot Rod fait rugir le moteur et nous descendons.

Je lui dis :

— Hot Rod, l'un des types est à moitié sorti de la voiture. Il nous vise avec son pistolet.

Il soupire, comme s'il était fatigué.

— Les idiots ! Il va falloir les semer, c'est tout. Et il accélère.

Je me rends compte que nous allons très vite ; nous volons littéralement au flanc de la montagne. Au-dessous de nous il n'y a rien ; de l'ombre et des rochers, c'est tout. Maintenant, nous prenons les tournants à toute vitesse.

— Dis donc, Hot Rod, on devrait peut-être semer ces gars à un autre endroit.

Je jette un coup d'œil derrière et je vois qu'ils sont sur nos talons. Une balle passe en sifflant.

— Ils exagèrent, dit Hot Rod en accélérant encore.

Moi, je pense : *Adieu, toi, adieu, quinze mille dollars, et adieu, Hot Rod.* Et je dis :

— Hot Rod, ne t'emballe pas, il y a un mauvais tournant un peu plus loin.

— Ah, tu as vu ça, gros malin ?

Et quand nous abordons le tournant il redescend en première et accélère au maximum. On dirait que le moteur va exploser, et que la voiture va se retourner. Mais elle s'accroche à la route. Les pneus arrière s'agrippent avec toute la puissance qu'Hot Rod envoie dans les roues ; puis il freine à fond et nous regardons ce qui se passe derrière.

La grosse voiture aborde le tournant à toute

vitesse, freine à mort, et ses roues avant sont tournées à droite. Mais elle ne va pas à droite. Elle continue tout droit, et les voleurs sont encore en train de discuter. Ils franchissent le grillage d'acier comme s'il n'existait pas. Je compte jusqu'à 5 et j'entends un grand boum en bas de la montagne. Le ciel s'éclaircit un peu quand la voiture se met à brûler.

Hot Rod débraie et nous descendons doucement la montagne.

— Ce n'est qu'une question de force centrifuge, tu vois, m'explique Hot Rod. Il suffit de se mettre en première au bon moment lorsqu'on aborde le tournant ; il ne faut pas freiner : ça ne diminue en rien la force centrifuge.

Je ne comprends pas ce qu'il dit, mais ça n'a pas d'importance. Je lui donne ses 15 000 dollars et j'appelle Selma au camp.

La standardiste me dit qu'elle n'est plus là et qu'elle s'est mariée avec un cuisinier de la Marine.

On ne sait jamais comment les choses vont se passer. Moi je suis là, avec mes 15 000 dollars tout prêts. Elle a dû se lasser d'attendre.

Crooks, satchels and Selma.
Traduction de A. Decloux.

UNE CHANCE SUR UN MILLION

par Charles Einstein

L'accident qui a récemment causé la mort de Sir Archibald Mosley, le brillant diplomate britannique, a été décrit comme un hasard d'une chance sur un million, pour autant que cela puisse être possible. Sir Archibald a été frappé par la foudre.

Naturellement, ceux d'entre nous qui le connaissaient furent très affectés par sa mort ; au Club de la Presse d'Outremer, à New York, nous parlions l'autre jour de lui et de la façon dont les hommes meurent.

— Je suppose que ça n'a pas beaucoup d'intérêt de vous raconter l'histoire maintenant, déclara le vieux Bert Hennessy du *Global News*, mais j'ai en fait sauvé la vie de Sir Archibald, autrefois, il y a peut-être une douzaine d'années.

Quelqu'un remarqua :

— Je n'ai jamais su que la vie de Sir Archibald avait été en danger.

— Oh, répondit Hennessy. Mais elle l'a été...

— En danger de quoi ?

— Il avait une chance sur un million. Comme l'éclair qui l'a finalement tué. (Hennessy bourra sa pipe.) En fait, ça m'a coûté cent dollars. S'il n'avait pas été un aussi futé vieux singe...

Il s'arrêta pensivement, mais personne ne voulut qu'il en reste là. Aussi il hocha la tête et nous raconta l'histoire.

*
* *

Vous vous rappelez qu'en ce temps-là, juste après la guerre, j'étais marié à une dame du monde bourrée de fric. Elle payait le loyer d'un appartement de Park Avenue, elle gaspillait en soirées sa fortune et je la suivais. Bien. A cette époque-là, Sir Archibald était célèbre, principalement à cause du livre qu'il avait écrit sur les médiums et les séances de spiritisme et de divination. Vous vous en souvenez peut-être. A l'époque, cela avait fait du bruit. Il disait que toutes ces affaires étaient des supercheries et, en tant que chef d'un mouvement mondial pour les dénoncer, il était très connu. A l'époque, il venait de commencer sa carrière avec la délégation britannique aux Nations Unies.

En tout cas, un soir, il avait été invité à l'une de nos soirées et il prêchait à nouveau sur les cinglés que sont ces mystiques. Pendant qu'il parlait, le téléphone sonna. Je le décrochai dans la salle de séjour, mais ce n'était rien d'autre qu'un faux numéro. Cela nous amena sur le sujet des téléphones et, finalement, je déclarai :

— Sir Archibald, j'aimerais vous faire une proposition. Je vous parie cent dollars que vous pouvez choisir n'importe quel objet dans cette pièce, puis appeler n'importe quel numéro de téléphone que vous voudrez dans l'annuaire de Manhattan, et quiconque répondra vous dira l'objet que vous avez choisi.

Tout d'abord, naturellement, il ne crut pas que je parlais sérieusement. Mais je lui affirmai que si et je demandai à ma femme d'aller chercher cent dollars dans la chambre à coucher (dans *son* sac, bien sûr, bien que je n'aie pas insisté là-dessus) ; elle le fit et Sir Archibald fut en somme forcé de marcher, après tous les discours qu'il avait faits.

— Le tableau là, au-dessus de la cheminée, dit-il.

Je répondis que ce serait parfait. Il alla ensuite prendre l'annuaire et choisit un numéro de téléphone. Je me le rappelle toujours : Edward R. Davis, MAin 6-9804.

— Ça va, dis-je et je décrochai le récepteur.

— Vous êtes sûr, lui demandai-je, que c'est le tableau au-dessus de la cheminée que vous voulez ?

— Exactement, répondit-il, et je veux aussi vous observer pendant que vous appelez ce numéro.

Je vous ai dit qu'il était futé. Il se tint derrière moi pendant que j'appelais ; quand une voix d'homme répondit, je dis simplement : « Une minute », et tendis le récepteur à Sir Archibald.

— Il demanda dans l'appareil : Qu'ai-je choisi, Monsieur Davis ?

Je pouvais deviner à son expression que la réponse qu'il avait eue était : « Le tableau au-dessus de la cheminée. » Il laissa tomber le récepteur, devint complètement blanc, étreignit sa gorge, ferma les yeux et s'effondra sur le sol.

Pendant un instant, affolé, je ne sus pas ce que j'avais fait. Mais il respirait, heureusement. Il fallut lui frictionner les poignets et faire passer de force du cognac entre ses lèvres ; quelques instants après, il revint à lui. Il s'assit sur le canapé, me regarda et se mit à rire.

— Très bon, me dit-il. Très bon vraiment !

Visiblement, il réfléchissait.

— Je ne désire pas vraiment les cent dollars, lui dis-je (et, pourtant, croyez-moi, j'en aurais eu l'utilisation).

23

— Ah, répondit-il, mais vous les aurez — après que nous aurons fait un simple test.

— Un test ? Mais qu'est-ce que ça donnera de plus ?

Il leva une main.

— Laissez-moi énoncer une théorie, dit-il. Je vous déclare qu'il y a plusieurs minutes, le téléphone a sonné. Vous l'avez décroché et vous avez dit que c'était un faux numéro, puis vous avez raccroché. Je vous déclare que la personne au bout de la ligne, qui avait appelé votre numéro, n'avait pas fait du tout un faux numéro mais était en fait l'un de vos amis. Quand vous avez raccroché le récepteur, votre ami, lui, n'a pas raccroché de son côté. Il est resté au téléphone. Par conséquent, la communication *n'a pas été coupée*. La fois suivante, quand vous avez décroché, vous parliez toujours à votre ami !

— Maintenant, continua Sir Archibald, le reste est simple. J'ai choisi un objet, puis un numéro de téléphone dans l'annuaire. Vous avez décroché. En le faisant, vous m'avez répété le nom de l'objet que j'avais choisi — pour que votre ami à l'autre bout du fil puisse l'entendre. Vous m'avez laissé observer votre appel afin que je sois sûr que vous appeliez bien Edward R. Davis MAin 6-9804 ; mais l'important est que vous ayez gardé le récepteur à votre propre oreille, pour que je n'entende pas qu'il n'y avait pas de tonalité. Le fait de composer un numéro produit un certain nombre de cliquetis, dans votre oreille, mais ne coupe pas la communication. Ensuite vous avez attendu que « M. Davis » vienne « répondre » et vous m'avez passé le récepteur.

Je l'avais écouté jusqu'au bout. Je dis alors :

— Parfait — en théorie. Mais, pourriez-vous le prouver ?

— Simplement, répliqua-t-il, en décrochant maintenant encore une fois le téléphone, maintenant

24

que votre ami a raccroché en appelant le même numéro et en demandant à parler au véritable M. Davis que j'avais choisi.

J'étais battu et je le savais.

— Sir Archibald, dis-je, vous avez gagné.

Et je lui donnai les cent dollars.

Pouvez-vous imaginer que ce vieux type ait été assez futé pour piger un tour comme celui-là? C'était stupéfiant.

*
* *

Bert Hennessy s'adossa pensivement et tira sur sa pipe.

Quelqu'un remarqua :

— Oui, mais ça nous dit seulement comment tu as perdu cent dollars avec Sir Archibald, et non comment tu lui as sauvé la vie.

— En le payant avant qu'il n'appelle Edward R. Davis, MAin 6-9804, répondit Hennessy. L'unique chance sur un million était que ce nom et ce nombre, que Sir Archibald lui-même avait choisis dans l'annuaire de Manhattan, appartenaient bien à mon ami à l'autre bout du fil. Coïncidence inouïe peut-être, mais pas plus que d'être frappé par la foudre. Mon ami — celui qui était dans le coup avec moi et qui avait demandé mon numéro pour commencer — *était* justement Edward R. Davis, MAin 6-9804.

Sir Archibald aurait appelé Davis, Davis lui aurait répondu « le tableau au-dessus de la cheminée », comme il avait fait la première fois, et cette fois le choc aurait tué le vieux zig.

One in a million.
Traduction d'Alain Garsault.

JUSTICE LOCALE

par Leo R. Ellis

Les gommiers bordaient la nationale à deux voies, sauf lorsque par endroits ils cédaient la place à un bosquet de cyprès, là où la route plongeait dans un terrain marécageux. La surface bitumée était mal entretenue, et Eddie McCade était souvent obligé de contourner les nids-de-poule avec sa vieille berline. Il opérait cette manœuvre d'une seule main sur le volant ; il n'y avait pas de raison de se presser, car il n'avait vu aucune voiture sur les quinze derniers kilomètres.

Eddie s'étira avec toute l'exubérance de la jeunesse, ses bras nus et bronzés tendus sur le volant. Il se mit à siffloter des notes sans suite, mais s'interrompit tout à coup. Il avait les yeux fixés sur le tableau de bord, les lèvres encore plissées. L'aiguille du radiateur était entrée dans la zone rouge et butait contre l'ergot.

La voiture dépassa sur sa lancée un cottage à droite de la route et s'arrêta sur l'accotement. Eddie resta un moment à écouter le moteur bouillonner avant de hausser les épaules. « Bon Dieu, dit-il, j'ai vraiment l'impression qu'il n'y a plus une goutte d'eau. »

La banquette arrière de la voiture était encombrée d'attirail de pêche et de matériel de camping. Eddie fouilla là-dedans jusqu'à ce qu'il déniche un seau en plastique, et sans se soucier de remettre en place ce qu'il avait jeté à bas du siège, il partit en remontant la route.

Le cottage était presque de la taille d'une maison de poupée. Il était situé derrière des magnolias jumeaux, impeccablement taillés, plantés chacun à sa place précise derrière une palissade blanche. Eddie frappa à la porte. Cela ne fit que déclencher un concert d'aboiements derrière la maison, mais personne ne répondit. Il fit le tour de la maison et s'arrêta quand il vit derrière une clôture grillagée deux chiens prêts à lui sauter dessus. « O.K., fit Eddie en balançant le seau dans leur direction, pas la peine d'être aussi grincheux. Je vais aller chercher de l'eau ailleurs. »

De retour à la voiture, Eddie regarda dans la direction opposée. Il y avait une haie de l'autre côté de la route. La végétation était si haute et si luxuriante qu'on ne voyait absolument pas ce qu'il y avait au-delà. Eddie marcha le long de la route et découvrit une ouverture dans la haie, laquelle était flanquée de piliers carrés en pierre.

Eddie se trouvait devant ce qui semblait avoir été jadis un portail, par-delà lequel il aperçut un vaste terrain. Il n'y avait plus d'allée d'accès à proprement parler, mais seulement un vague chemin qui montait en une courbe gracieuse. Ce chemin finissait devant la spacieuse véranda d'une vieille et imposante demeure, de la même pierre que les piliers du portail. Même de loin, la maison avait l'air de tomber en ruine. Seul un mince filet de fumée s'échappant d'une cheminée prouvait qu'elle n'était apparemment pas tout à fait inhabitée.

A mi-chemin, un cerf en fer se dressait jusqu'à l'arrrière-train au milieu de la végétation folle, là où autrefois s'étendait une pelouse. Eddie brandit une carabine imaginaire et visa le cerf.

« Pan », fit-il, et il eut un grand sourire lorsque l'animal décoratif refusa de s'écrouler.

Le chèvrefeuille avait envahi la véranda sur le devant. Eddie contourna la maison en empruntant un chemin de gravier et s'arrêta quand il eut atteint le coin à l'arrière. Le terrain qui s'étendait derrière était aussi mal entretenu que celui sur le devant. Et il lui parut tout aussi désert, jusqu'à ce qu'il aperçoive un homme grand et mince qui venait dans sa direction en traversant un verger. Il ne levait pas les yeux, mais marchait la tête baissée pour se frayer un chemin parmi l'épaisse végétation de ronces et de plantes grimpantes. Lorsqu'il vit Eddie, il s'arrêta. Dans le silence absolu, le bruit d'un objet métallique heurtant la pierre résonna distinctement.

L'homme resta planté là, les yeux écarquillés et la bouche grande ouverte, avant de se ressaisir. Il s'approcha d'Eddie, se faufilant rapidement entre les arbres, levant haut ses bras nus pour éviter de les écorcher sur les plantes. Ses bras sous les manches retroussées, ainsi que la peau derrière son col ouvert, avaient la blancheur malsaine d'un ventre de poisson. Son visage était en sueur, et de longues mèches de cheveux gris étaient plaquées sur son front humide.

— Fichez le camp de ma propriété, ordonna-t-il alors qu'il sortait du verger.

Eddie leva son seau.

— Je n'ai plus d'eau dans le radiateur de ma voiture, expliqua-t-il. Il m'en faut pour aller jusqu'à la ville.

La bouche de l'homme remua avant qu'il ne parle. Il tendit un doigt tremblant vers la route. Soudain son bras retomba le long de son corps.

— Il y a une pompe de l'autre côté du pavillon, marmotta-t-il, et il tourna brusquement le dos à Eddie pour gagner la maison.

— Merci, dit Eddie. J'aurais seulement besoin...

Il s'interrompit et haussa les épaules au moment où claquait la porte de derrière.

Eddie vida le seau d'eau dans le radiateur. Il se redressa et considéra celui-ci d'un air songeur. Il reporta les yeux vers la maison, haussa les épaules et jeta le seau sur la banquette arrière. Il reprit la route, et, à peine un kilomètre et demi plus loin, aperçut un panneau.

ARRÊTEZ-VOUS A MILLVALE
La Cité Accueillante
Pop. 4 000

« Je m'accommoderais volontiers d'un accueil chaleureux », dit-il avec un sourire empreint d'une ironie désabusée. « Les paysans du coin n'ont pas vraiment l'air de pratiquer la chose. »

A la première station-service, il dépassa les pompes à essence et stoppa devant un atelier sur l'arrière. Il descendit de voiture tandis que s'approchait un jeune homme vêtu d'une salopette graisseuse, à la mine renfrognée. Eddie expliqua son problème et le mécanicien souleva le capot.

— C'est votre pompe à eau, annonça-t-il après inspection. (Il dirigea vers Eddie un regard dénué d'aménité.) Je suppose que vous êtes vachement pressé, comme tous ceux qui passent ici.

Eddie sourit.

— Pas spécialement.

— N'essayez pas de me bousculer, c'est tout. Il

est midi, et je vais prendre le temps de manger avant même de toucher à votre voiture.

— O.K.

— Y a aucun endroit ici où attendre.

— Pas d'importance, fit Eddie. Je vais me balader et manger un morceau.

Après un sandwich, Eddie tua le temps en se promenant dans le centre de Millvale. Une heure et demie plus tard, il retourna au garage et attendit que le mécanicien eût refermé le capot.

— Vous pouvez verser de l'eau à l'avant, annonça ce dernier. (Il tendit la main.) Ça fait vingt-huit dollars et demi.

— Ce n'est pas donné, observa Eddie en fronçant les sourcils.

Le mécanicien s'avança.

— Vous avez l'argent, oui ou non ?

— Oui, répondit Eddie, mais là n'est pas la question.

— Pour moi la question s'arrête là. (L'homme serra le poing droit.) Vous allez faire des histoires, mon pote ?

— Je ne vais pas faire d'histoires. D'ailleurs c'est ma faute. J'aurais dû vous demander combien vous alliez me prendre avant que vous ne commenciez.

— Ç'aurait rien changé. Vous pouvez pas rouler sans eau. Maintenant aboulez le fric.

Au moment où Eddie sortait son portefeuille, une voiture arriva à leur hauteur et s'arrêta. Eddie paya, se tourna et vit un petit bonhomme trapu mettre pied à terre. Le type ne portait pas de veste, et l'automatique dans l'étui d'épaule était bien visible. Sa petite figure affichant un air renfrogné, il s'approcha pour considérer Eddie de sous ses sourcils blond roux.

— C'est ta voiture, mon gars ?

Eddie hocha la tête.

Le mécanicien s'avança.

— Ce type a fait des difficultés pour payer, chef, dit-il.

— C'est vrai ? questionna doucement le petit bonhomme.

— Je trouvais la note un peu salée, voilà tout, répondit Eddie. Il y a quelque chose qui ne va pas ?

— Peut-être, repartit le bonhomme. Ça te dérangerait de venir avec moi au poste ?

Eddie recula, et, devant son mouvement, le mécanicien se baissa vivement pour saisir un démonte-pneu. Eddie lui lança un regard noir, puis reporta les yeux sur le petit bonhomme.

— Je suppose que vous êtes de la police, rétorqua-t-il.

— C'est le chef de la police, grogna le mécanicien.

— Et ma voiture ?

— On va s'en occuper, dit le chef avant de regagner sa propre voiture.

Lorsque Eddie s'était promené en ville, il avait vu le bâtiment de brique massif avec des barreaux aux fenêtres. Celui-ci était situé au coin de la place, et c'est là que s'arrêta le chef. Juste après la porte, on tombait sur un bureau de réception, mais la bâtisse était déserte et sentait le renfermé.

Le chef conduisit Eddie dans un bureau où l'air empestait la fumée de cigares refroidie. Le chef attrapa une chaise à dossier droit et la propulsa d'un coup de pied devant un bureau plat.

— Vide tes poches, mon gars. Voyons un peu ce que tu as.

Eddie sortit tous ses objets de valeur et les posa sur le bureau.

— C'est tout ce que j'ai, annonça-t-il.

Le chef fit faire le tour du bureau au portefeuille

et aux clefs de voiture. Il s'assit dans le fauteuil pivotant et se laissa aller en arrière.

— Approche une chaise, mon gars. Tu peux fumer si tu veux.

— Je ne fume pas, merci.

Le chef émit un petit rire.

— Moi, si. (Il sortit de sa poche un cigare noir tordu et se livra à toute une cérémonie en le reniflant. Il gratta une allumette de cuisine et amena la flamme au bout du cigare avant d'ouvrir le portefeuille et d'en extraire une photo.) Tu étais à l'armée, hein ? commenta-t-il après l'avoir examinée attentivement. Quand as-tu été libéré ?

— C'est inscrit là. Il est indiqué que j'ai été libéré voici trois semaines. Il est également indiqué que j'ai vingt et un ans, et...

— Ne fais pas le malin, fiston.

Eddie braqua les yeux sur le bureau.

— J'ai été libéré il y a trois semaines.

Le chef hocha la tête.

— Tu habites où ?

— Je suis né et j'ai été élevé dans une petite ville de l'Oregon. (Eddie leva soudain les yeux.) Je ne tiens pas à faire le malin, dit-il d'une voix tendue. Mais je veux savoir...

— L'Oregon, ce n'est pas la porte à côté, coupa le chef. C'est à 3 200 kilomètres, dirais-je à vue de nez. Qu'est-ce que tu fabriques par ici ? Tu fais la manche ?

— Non, monsieur, je paie le voyage. (Eddie inspira profondément et serra les lèvres.) Je n'avais jamais voyagé nulle part avant de faire mon service. J'ai économisé de l'argent et quand j'ai été libéré, et décidé de voir du pays avant de retourner chez moi et m'installler.

— Et comme ça, tu as échoué à Millvale, hein ?

— Je n'avais pas l'intention d'échouer ici. J'ai

entendu dire que la pêche était bonne dans le coin...
(Eddie agrippa le bord du bureau et se pencha en
avant.) Est-ce que je n'ai pas le droit de savoir
pourquoi vous m'avez amené ici ?

Le chef retira le cigare de sa bouche et l'examina.
Une fois l'examen terminé, il remit le cigare au bec
et se laissa aller en arrière.

— Je pense que oui, répondit-il lentement. Je te
retiens pour le meurtre de Miss Lucinda Devlin,
mon gars.

Eddie bondit à moitié de sa chaise.

— Vous plaisantez, émit-il en dévisageant le chef.
Vous devez plaisanter. (Il retomba lentement sur sa
chaise.) Ça fait à peine quelques heures que je suis
en ville. Je ne suis allé nulle part... Je n'ai même
parlé à personne, si ce n'est...

— Miss Lucinda habitait sur la route, dit le chef
tranquillement. Elle vivait dans une petite maison
blanche entourée d'une palissade. Tu t'es arrêté là-
bas, fiston ?

Eddie se mordit la lèvre inférieure en s'abîmant
dans la contemplation du dessus du bureau.

— Je me suis arrêté quelque part afin de trouver
de l'eau pour ma voiture, répondit-il lentement. Il
y avait deux boxers.

— C'est là qu'habitait Miss Lucinda.

— Mais il n'y avait personne chez elle.

— Il n'y avait personne... Personne de *vivant*
quand tu es parti. C'est ça que tu veux dire, mon
gars ?

Eddie se redressa à nouveau.

— Non, ce n'est pas ce que j'ai dit. Personne n'a
ouvert la porte quand j'ai frappé. J'ai vu les chiens
et j'ai filé.

Le chef reposa violemment les pieds par terre.

— Où as-tu caché son cadavre, fiston ? questionna-t-il sèchement.

— Je n'ai pas touché de cadavre !

— Tu l'avais dans ta voiture quand tu es passé chez son frère ?

— Je suis allé chez quelqu'un de l'autre côté de la route, si c'est ce que vous voulez dire. J'ai fait le tour de la maison jusqu'à l'arrière... Un type qui traversait un vieux verger s'est dirigé vers moi.

— A quoi ressemblait-il ?

Eddie se caressa le menton d'une main tremblante.

— Il était grand. Il avait des cheveux blancs... qui pendaient. Il était en sueur et il avait retroussé les manches de sa chemise.

Le chef serrait le cigare éteint entre les dents.

— Qu'a-t-il dit ?

— Il m'a indiqué où était la pompe, répondit Eddie avant de s'interrompre. Au début j'ai cru que ce bonhomme allait m'ordonner de quitter les lieux. Puis il a changé d'avis et m'a laissé prendre de l'eau. (Eddie s'humecta les lèvres et se pencha en avant.) Si vous n'avez pas retrouvé de corps, peut-être que cette femme n'a pas été tuée... Elle est peut-être partie quelque part sans prévenir personne.

Le chef sortit une allumette de cuisine, la gratta contre le dessus du bureau et s'appliqua soigneusement à rallumer le bout du cigare carbonisé.

— Non, lança-t-il gaiement après avoir jeté l'allumette dans la corbeille, trop d'indices nous prouvent qu'elle a été tuée. Après que tu as parlé au frère de Miss Lucinda, il a eu des soupçons et est allé chez elle. Il m'a appelé de là-bas et j'ai envoyé un homme pour constater la chose.

— Vous ne pouvez me retenir que sur présomption, observa Eddie. Je suppose que je vais être obligé de rester ici jusqu'à ce que l'affaire soit élucidée.

— Ouais. (Le chef se leva de sa chaise et se dirigea vers un tableau accroché au mur, d'où il décrocha un trousseau de chefs.) Et pour être sûr que tu vas rester ici, je vais te boucler, fiston.

La prison de Millvale était une grande cage, séparée en trois cellules par des barreaux. Toutes les cellules étaient inoccupées, et Eddie se retrouva dans celle du milieu, où le chef l'abandonna.

Eddie inspecta rapidement la cellule avant de s'effondrer sur le lit en fer et de se prendre la tête entre les mains. Il était toujours dans cette position, une demi-heure plus tard, quand un vieil homme bouffi, orné d'une barbe de plusieurs jours, descendit le couloir en traînant la patte. Le vieux entra dans la cellule après celle d'Eddie. Une fois qu'il eut fermé la porte à clef, il tendit la main à l'extérieur et jeta les clefs vers le bureau du chef. Le vieux s'approcha et regarda à travers les barreaux.

Eddie leva les yeux.

— Qu'est-ce que vous regardez comme ça ? demanda-t-il prudemment.

Le vieil homme sourit, dévoilant des gencives dépourvues de dents.

— J'ai encore jamais vu de meurtrier en chair et en os.

Eddie se leva d'un bond.

— Je ne suis pas un meurtrier, lança-t-il avec fougue. Je n'ai jamais tué personne. Alors allez regarder ailleurs.

— C'est pas ce que dit Mort Coop.

Eddie s'était élancé à travers la cellule. Il fit volte-face et revint sur ses pas.

— Qui est Mort Coop ? questionna-t-il sèchement.

Le vieil homme continua de sourire.

— Mort Coop, c'est le seul enquêteur qui reste au chef, répondit-il d'un ton enjoué. Mort est revenu de chez Miss Lucinda en disant qu'il y avait du sang partout dans la cuisine, et qu'un couteau de boucher avait disparu de l'endroit où elle le mettait, au-dessus de l'évier. Mort dit que, dès qu'il aura retrouvé son corps, tu es cuit.

Eddie alla à l'autre bout de la cellule et regarda fixement par la fenêtre à barreaux.

— Et vous, vous êtes là pour quoi ? questionna-t-il sans se tourner.

Le vieux s'allongea sur son lit, la figure tournée vers le haut, et regarda le plafond.

— J'suis tout bonnement bourré, comme d'habitude, répondit-il gaiement. Ça économise des sous à la municipalité, de mettre au ballon le vieux Ben Zinhoff. Je balaie la baraque, je fais des courses, je donne à manger aux chiens du chef.

Eddie se dirigea lentement vers les barreaux de séparation.

— Aux chiens ?

— Depuis que le chef a été obligé de laisser filer la quasi-totalité du personnel, il a pris deux limiers pour remplacer, expliqua Ben Zinhoff avec un gloussement. Un limier, pas besoin de lui verser un salaire.

Eddie arpenta sa cellule et retourna aux barreaux.

— Qu'est-ce qui cloche dans cette ville ? Il y a un panneau là-bas sur la route qualifiant Millvale de ville accueillante, mais je n'ai jamais vu autant de gens hostiles.

— Je crois que c'est parce que la ville est au bout du rouleau, suggéra Ben, les yeux rivés au plafond. Quand on a faim, on ne se balade pas le sourire aux lèvres, et lorsqu'une ville a perdu tout espoir, les gens sont prêts à rejeter la faute sur quelqu'un.

— Mais pourquoi sur moi ? questionna Eddie avec insistance. Je n'ai rien fait pour leur nuire.

Ben ferma les yeux.

— P't-être ben qu'oui, p't-être ben qu'non, fit-il. Mais quel que soit l'assassin de Miss Lucinda, il a liquidé la dernière chance qu'avait cette ville.

— Qu'est-ce que vous voulez dire ?

Ben resta allongé, les yeux fermés.

— La filature de coton Devlin a été fondée il y a plus de cent ans. Tout le monde en ville a toujours travaillé là, ou a dépendu de la filature pour vivre. Quand la filature marchait bien, Millvale était une ville prospère, mais lorsqu'elle a fermé, la ville a coulé. (Ben ouvrit les yeux et regarda dans sa direction.) Alors tu comprends, être un Devlin dans cette ville, c'est presque être Dieu.

— Oui, j'imagine. La filature est fermée à présent ?

Ben hocha la tête.

— Elle est complètement bouclée depuis huit ans maintenant. Je crois que les choses ont commencé à mal tourner quand le vieux colonel est mort il y a trente ans et a laissé la direction de la filature à son fils, et pas à sa fille, Miss Lucinda. Fran Lou n'avait pas l'étoffe d'un Devlin,

— Fran Lou ? répéta Eddie d'un air songeur. C'est le type que j'ai vu là-bas, près de cette vieille bicoque délabrée ?

— C'est le manoir des Devlin, proféra Ben d'un ton digne. Les Devlin l'ont construit il y a long-temps, et tous les Devlin ont vécu là, à l'exception de Miss Lucinda. Elle est partie quand Fran Lou a épousé une fille de la ville.

Eddie n'eut guère besoin d'encourager Ben Zin-hoff pour apprendre l'histoire du déclin de Millvale. La situation économique de la ville avait été liée aux affaires privées des Devlin, et ces affaires avaient été loin d'être florissantes. Sous la direction du vieux colonel, la filature avait prospéré, mais le vieil homme, croyant en la suprématie masculine, avait laissé la filature entre les mains de son fils unique, Fran Lou. D'après les termes de son testament, la fille, Mlle Lucinda, devait avoir sa part des bénéfices, mais était exclue de la direction de l'entreprise.

Une succession de revers de fortune, dus à une mauvaise gestion, suivis d'un mariage calamiteux qui se solda par un scandale, et la filature Devlin avait été fermée.

Six ans après la fermeture, Mlle Lucinda avait arraché la direction de l'affaire à son frère. Elle avait convoqué les créanciers, et obtenu leur accord pour rouvrir la filature. Elle était en train de réunir des fonds lorsqu'elle avait été assassinée.

Le vieux Ben Zinhoff s'assit au bord de son lit.

— C'est Miss Lucinda qui aurait dû être l'homme, remarqua-t-il. Elle tenait beaucoup du vieux colonel. Sûr que c'était une vraie Devlin.

Eddie enfonça le poing dans la paume de son autre main.

— Quel manque de pot pour moi, observa-t-il. Pourquoi faut-il que je sois passé par cette ville à un moment pareil ?

— Le meurtre de Miss Lucinda, ç'a fichu un coup aux gens, reprit Ben. Maintenant, y a guère de chances que la filature rouvre.

Une heure plus tard, un homme trapu enfila le couloir et s'arrêta devant la cellule de Ben Zinhoff.

— Debout, vieux soûlard, grogna-t-il en déverrouillant la porte. File au restaurant chercher à manger pour le prisonnier.

— Oui, m'sieur Coop.

Le vieux contourna l'homme qui se tenait près de la porte de la cellule, et remonta le couloir en trottinant.

Mort Coop s'approcha et regarda à travers les

barreaux de la cellule d'Eddie. Sa figure carrée, encadrée par des bajoues bleues, était posée sur un cou épais enfoncé profondément entre de solides épaules. Ses yeux se cachaient derrière des bourrelets de chair, formant des fentes horizontales dans un visage inexpressif. Finalement il tourna la clef et ouvrit brusquement la porte sans dire un mot.

**
*

Le chef était assis dans son fauteuil pivotant, un cigare tout juste allumé entre les dents. Il ne prononça pas une parole pour accueillir Eddie, mais dès que celui-ci eut pris place, le bonhomme fit glisser sur le bureau une feuille dactylographiée.

— Tu ferais aussi bien de signer ça, dit-il sans détours. (Il posa un stylo sur le papier).

Eddie se recula.

— Si c'est une confession, je ne signerai pas, déclara-t-il. Je n'ai tué personne.

Le chef leva les yeux et Mort Coop hocha la tête. L'enquêteur alla ouvrir la porte extérieure. Un homme pénétra dans la pièce. Il était grand, et ses cheveux gris dépassaient le bord du chapeau. Son costume, bien que démodé de quelques années, était soigneusement brossé et repassé.

Le chef se mit debout quand l'homme entra.

— Est-ce le jeune homme qui est passé au manoir, monsieur Devlin ? demanda-t-il en tendant vers Eddie un doigt accusateur.

Fran Lou Devlin jeta un coup d'œil sur Eddie.

— Oui, c'est lui.

— Merci, monsieur Devlin. Désolé d'avoir dû vous déranger.

Fran Lou fit un bref signe de tête.

— Je vous en prie, dit-il. J'espère pouvoir m'attendre à obtenir justice rapidement pour le meurtre de ma sœur.

Il se détourna et quitta la pièce.

Mort Coop ferma la porte et se dirigea vers un classeur d'acier, d'où il extirpa une lanière de cuir de soixante-quinze centimètres. Il serra le manche en bois, court et épais, et caressa la surface huilée du cuir, tout en s'approchant d'Eddie, puis en prenant la chaise de l'autre côté du bureau.

Le chef s'empara du stylo et le reposa sur le papier.

Eddie secoua la tête.

— Que ce soit bien clair, déclara-t-il. Je n'ai tué personne, et je ne vais pas passer aux aveux. Je vous ai dit que j'étais allé chez M. Devlin, par conséquent le fait qu'il m'ait reconnu ne prouve absolument rien. Si vous avez l'intention de m'inculper sur présomption de meurtre, je veux parler à un avocat.

— Allons, pas de précipitation, conseilla le chef. (Il sortit le portefeuille d'Eddie du tiroir du bureau et compta les billets.) Trois cent vingt-six dollars, reprit-il d'un air songeur. C'est à peu près ce que Miss Lucinda pouvait avoir chez elle. (Il tourna les yeux vers l'enquêteur.) J'ai l'impression que Miss Lucinda n'a pas dû se laisser faire avant de remettre son argent à un inconnu, tu ne crois pas, Mort ?

L'enquêteur frappa le bureau avec la lanière de cuir et grogna.

— Vous n'arriverez pas à m'intimider, dit Eddie d'une voix crispée. Cet argent, je l'ai économisé. J'ai fait des petits boulots ici et là pendant le voyage. Je ne dépense pas beaucoup, je campe, et je me fais à manger.

Le chef remit le portefeuille dans le tiroir. Il soupira.

— Tu n'arranges vraiment pas tes affaires, petit, remarqua-t-il.

— Pourquoi n'essayez-vous pas de trouver le vrai meurtrier ? demanda Eddie avec insistance. Si cette femme a été poignardée, son assassin doit avoir du sang sur lui.

Le chef cligna de l'œil.

— Qui a dit qu'elle avait été poignardée ?

Eddie se mordit la lèvre.

— Ben Zinhoff, répondit-il d'une petite voix.

— A supposer qu'il y ait eu du sang, reprit le chef, tu avais quelques heures pour nettoyer.

— On ne peut pas faire disparaître tout le sang. Des examens de labo prouveraient qu'il n'y a jamais eu de sang sur mes vêtements.

— On a pas de labo, intervint Mort Coop. Et la ville va pas dépenser du pognon pour envoyer tes vêtements à un labo.

— Et mes empreintes ? demanda Eddie avec entêtement. Vous ne m'avez même pas pris mes empreintes.

— Pas la peine, fit Mort, son visage aplati demeurant impassible. On a d'autres moyens pour obtenir la vérité. (Il frappa derechef le bureau de sa lanière en cuir.)

Le chef posa son cigare dans le cendrier. Il se laissa aller en arrière dans son fauteuil pivotant et croisa les mains derrière la tête.

— Nous tenons à ce que ceci se fasse dans les règles, déclara-t-il. Nous ne voulons pas que tu prétendes que tu n'as pas eu ton mot à dire. Si tu nous racontais à nouveau ton histoire ?

Eddie raconta son histoire, et relata sa rencontre avec Fran Lou Devlin.

— Il se dirigeait vers la maison en traversant un vieux verger. Il était en bras de chemise. Au début il ne m'a pas vu, mais quand il m'a aperçu, il avait les yeux qui lui sortaient de la tête.

— Tu es sûr qu'il ne portait pas de veste ? demanda le chef.

— Il n'en portait pas, assura Eddie fermement. Je lui ai fait peur. Il m'a dévisagé et il a laissé tomber quelque chose. J'ai entendu la chose heurter des pierres.

— Des pierres dans un verger ? s'enquit le chef doucement.

— C'est le bruit que ça a fait.

Mort fit claquer la lanière contre sa jambe.

— Tu essaies d'accuser Fran Lou Devlin ? questionna-t-il.

— J'essaie de dire la vérité.

Le chef ralluma son cigare. Il se laissa aller en arrière et ferma les yeux.

Eddie frappa le bureau de son poing serré.

— Même si je signais des aveux, vous ne pourriez pas me faire condamner : pas de *corpus delicti*.

— T'es avocat, ou quoi ? lança Mort Coop.

— Non, mais je sais que si vous ne retrouvez pas le corps de cette femme, aucun tribunal ne me condamnera pour son meurtre.

Le chef ouvrit les yeux.

— Tu oublies une chose, mon gars. Il y a des chances pour que ton affaire n'arrive jamais devant un tribunal.

Eddie s'humecta les lèvres du bout de la langue, tout en dévisageant le chef.

— Qu'est-ce que vous voulez dire ?

— Le meurtre de Miss Lucinda a rendu fous furieux les gens de cette ville, expliqua le chef. Ils comptaient sur elle pour faire repartir la filature, et ils vont vouloir se venger.

Eddie jeta un coup d'œil par la fenêtre, puis le regarda de nouveau.

— Vous voulez dire que la foule pourrait se déchaîner ? demanda-t-il faiblement.

— Appelle ça la justice populaire.

— Les procès, ça coûte de l'argent au contribuable, marmotta Mort Coop.

Le chef hocha la tête.

— Là, tu as parfaitement raison, Mort. Les gens vont se dire que c'est un gâchis scandaleux de dépenser comme ça de l'argent pour un étranger. Surtout quand ils peuvent régler la question eux-mêmes sans rien débourser.

Eddie s'humecta de nouveau les lèvres. Ses yeux allèrent de l'un à l'autre.

— Vous allez me protéger, hein ?

Le chef écarta les mains.

— Nous avons réduit les forces de police à deux hommes. Or, tu ne peux pas espérer que deux hommes puissent grand-chose contre une ville en émeute. (Il fit un geste de la main.) Nous nous inquiéterons de ça après la tombée de la nuit. Reconduis-le dans sa cellule, Mort.

Ben Zinhoff n'était pas revenu, et Eddie se mit à arpenter sa cellule dès qu'il fut seul. Tout en marchant, il serrait les mains, les desserrait, se les passait sur la nuque, et marmonnait tout seul. A chaque minute, il cessait ses allées et venues pour gagner la fenêtre et regarda dehors. C'était le crépuscule à présent, et les ténèbres enveloppaient Millvale.

Ben Zinhoff descendit le couloir en traînant les pieds, un quart en émail dans une main, une assiette en fer-blanc dans l'autre, et le trousseau de clefs accroché au bras. Il ouvrit la porte de la cellule d'Eddie et fourra sa pitance à l'intérieur.

— Ce que tu pourras pas manger, garde-le pour les chiens. Ils sont loin de becqueter à leur faim.

Il referma la porte à clef et entra dans sa propre

cellule. Il en ferma la porte à clef, jeta les clefs dans le couloir et se dirigea vers son lit.

Eddie se remit à arpenter sa cellule. Il s'arrêta quand il vit Ben regarder l'assiette par terre.

— Je n'ai pas faim, dit Eddie. Je suis désolé que vous ayez fait le voyage pour rien.

— Ç'a pas d'importance. Les chiens finiront ça. (Ben leva les yeux lorsqu'une ampoule électrique, unique, s'alluma au plafond dans le couloir.) Le chef et Mort Coop s'en vont, annonça-t-il. Ils allument toujours avant de partir.

Eddie alla vivement à la fenêtre et regarda dehors. Il faisait nuit noire. Il se retourna et fixa les yeux sur Ben, appuyé contre le mur.

— Vous voulez dire qu'ils nous ont laissés tout seuls ? Il n'y aura personne ici ce soir ?

Il vit Ben secouer la tête, et se tourna de nouveau vers la fenêtre. Le disque jaune de la lune, énorme, apparaissait au-dessus du sommet des arbres.

— Pourquoi tu ne prends pas un peu de café ? proposa Ben ?

Eddie retraversa la cellule en courant.

— Vous ne comprenez pas ? La foule va s'attaquer à moi ce soir.

Ben s'assit sur le lit et baissa les yeux.

— Oui, la ville est en ébullition, dit-il lentement. Les gens d'ici font une affaire personnelle du meurtre de Miss Lucinda.

Eddie essaya de secouer les barreaux.

— Mais ils vont tuer un innocent ! Je n'ai pas assassiné cette femme. Pourquoi est-ce que personne ne me croit ? Pourquoi le chef et Mort Coop n'essaient-ils pas de trouver le vrai meurtrier ?

Ben remua la tête.

— A mon avis ils pensent l'avoir trouvé.

— Moi, je crois qu'ils se fichent de savoir si je suis coupable ou non ! lança Eddie avec colère. Il leur fallait un suspect, et j'ai fait leur affaire parce que j'étais étranger à la ville. Ils ne retrouvent pas le corps, et ils savent qu'ils ne peuvent pas me condamner s'ils ne le retrouvent pas, du coup ils me jettent aux loups. Pourvu qu'un pékin pende au bout d'une corde pour ce crime, ils seront satisfaits.

Ben leva les yeux et hocha lentement la tête.

— Ils ont pas retrouvé le corps, ça c'est sûr.

Eddie se tourna et resta un long moment les yeux rivés sur la fenêtre noire avant de parler.

— Je crois bien savoir où se trouve le corps, reprit-il d'un ton sinistre. Seulement ils ne m'écouteront pas. Personne dans cette ville ne voudra m'écouter. (Il s'approcha de la fenêtre et appuya le front contre les briques.) Dites-moi quelque chose, Ben. Pourquoi est-ce que les gens de la ville placent Fran Lou sur un tel piédestal ? C'est sa faute si la filature a fermé. Pourquoi ne s'en prennent-ils pas à lui ?

Ben contempla le sol, en se pinçant le nez.

— Avant tout, je pense, parce que c'est un Devlin. Quand on est né et qu'on a été élevé à Millvale, on n'imagine pas qu'un Devlin puisse mal agir.

Eddie se jeta sur son lit et resta allongé sur le ventre, les bras autour de la tête. Il demeura sans bouger, mais quand le léger ronflement de Ben s'ajouta au bruit des insectes heurtant l'ampoule, il leva la tête et regarda dans l'autre cellule. Le vieil homme lui tournait le dos et était étendu sur le côté.

Eddie se leva et alla de nouveau à la fenêtre. La lune avait grimpé haut dans le ciel et perdu sa coloration jaune. Il quitta la fenêtre et gagna le devant de la cellule. Les clefs étaient par terre, là où Ben les avait jetées. Eddie s'accroupit et tendit la main entre les barreaux. Ses doigts arrivaient à quelques centimètres du trousseau de clefs. Il se mit à plat ventre et allongea le bras à travers les barreaux jusqu'à l'épaule. Ses doigts touchèrent le trousseau et le rapprochèrent de la cellule.

Eddie déverrouilla la porte de la cellule et remonta le couloir sur la pointe des pieds. Il passa devant le bureau du chef, où régnait dans l'obscurité l'odeur tenace de cigares refroidie. Il traversa la pièce du devant et ouvrit la porte d'entrée en faisant jouer le loquet.

Pas un magasin n'était éclairé du côté de la place où se trouvait Eddie. De l'autre côté, seuls le cinéma et le drugstore étaient ouverts. Eddie n'aperçut aucun piéton sur le trottoir près de la prison lorsqu'il tourna le coin furtivement et se fondit dans les ténèbres.

Un jeune pompiste nettoyait avec indolence les pompes à essence de la station-service où Eddie avait abandonné sa voiture. La porte du garage à l'arrière avait été baissée. Le bâtiment était plongé dans le noir et la voiture d'Eddie était invisible.

Les trottoirs se terminaient après la station-service. Eddie suivit la grand-route, et dès qu'il eut laissé les maisons derrière lui, il se redressa pour marcher à grandes enjambées. Il ne vit que deux voitures venir vers lui, et à chaque fois Eddie se précipita dans les taillis aussitôt que les phares apparaissaient. Il resta accroupi à côté de la route jusqu'à ce que les voitures fussent passées.

Eddie avait atteint l'endroit en face des deux piliers jumeaux en pierre qui marquaient l'entrée du vieux manoir, lorsqu'un nouveau bruit lui fit tourner vivement la tête et regarder derrière lui. Depuis Millvale s'entendaient les aboiements sonores des limiers lancés sur une piste. Eddie traversa la route précipitamment, courut entre les piliers et remonta l'allée.

Baigné par le clair de lune, le manoir croûlant se

dressait, triste et solitaire. Un unique rectangle de lumière brillait en façade, preuve que toute vie n'en était pas encore absente.

Les aboiements des chiens s'entendaient de plus en plus fort, de plus en plus nettement : ils quittaient la ville et s'élançaient sur la grand-route à découvert.

Eddie suivit en courant le chemin longeant le manoir.

Il ne ralentit presque pas une fois à l'arrière, et continua jusqu'à l'endroit où Fran Lou Devlin était sorti du verger le matin. Il y avait eu autrefois un chemin dallé entre les arbres, mais à présent il était tellement envahi par les broussailles et les plantes grimpantes que son tracé était à peine visible. Eddie s'enfonça jusqu'à l'endroit où Fran Lou Devlin s'était arrêté. Il se mit à quatre pattes et fouilla dans l'obscurité. Un petit peu plus tard il se releva, tenant une pelle mouillé de terreau encore collé au fer.

Le chemin se terminait à l'extrémité du verger, mais plus loin, après un espace envahi par les mauvaises herbes, un mur bas luisait sous la blanche clarté de la lune. Eddie franchit le mur. Il était dans un enclos où les herbes folles montant jusqu'aux genoux dissimulaient presque toutes les tombes d'un petit cimetière à l'exception des plus hautes.

Eddie ne s'arrêta pas pour regarder en arrière, même lorsque les aboiements des chiens se firent soudain plus impérieux — comme s'ils sentaient qu'ils approchaient de leur proie, attendant avec impatience la mise à mort. Eddie n'eut seulement qu'à chercher un peu dans le cimetière avant de trouver l'emplacement où l'herbe avait été foulée et la terre fraîchement remuée. Il plongea la pelle dans le sol et commença de creuser.

La tombe était peu profonde, lorsque la pelle toucha le corps, Eddie se mit à genoux et enleva la terre meuble à l'aide de ses mains nues. Il découvrit la tête, puis le cou et les épaules d'une vieille femme maigre aux cheveux blancs.

La vieille femme braquait sur Eddie un regard fixe. La peau cireuse luisait au clair de lune. Tous les traits du visage aristocratique étaient figés par le mépris et la désapprobation. Dans les derniers moments de la vie, le visage n'avait arboré aucune expression de terreur : seulement le dédain et le mépris.

Eddie détourna brusquement les yeux de cette figure pour regarder derrière lui. Aux aboiements et aux jappements des limiers s'ajoutaient maintenant les cris des hommes qui débouchaient à l'arrière du manoir. Eddie attendit de voir le point lumineux d'une lampe-torche danser entre les arbres avant de se remettre vivement debout et de courir vers le mur opposé.

Deux limiers, suivis de près par un groupe désordonné d'hommes, émergèrent en trombe du verger et traversèrent à toute allure le terrain envahi par les mauvaises herbes. Ils s'arrêtèrent une fois qu'ils eurent atteint le petit mur de pierres.

— Retenez ces chiens ! cria le chef en couvrant les aboiements. C'est moi seul qui prends la suite des opérations. (Tandis que les chiens rétifs étaient tirés en arrière, le chef franchit le mur.) Venez avec moi, monsieur Devlin. Vous autres, restez ici.

Fran Lou Devlin, vêtu d'une robe de chambre, s'approcha.

— Je ne sais pas pourquoi vous m'avez traîné ici, dit-il d'une voix indignée. C'est le cimetière de la famille Devlin. C'est un terrain sacré.

— Nous allons être obligés d'oublier ça pour le moment, dit le chef fermement. (Il tira à moitié Fran Lou afin de lui faire franchir le mur et s'arrêta pour regarder autour de lui, avant de le mener vers la tombe récemment ouverte. Il alluma sa torche électrique et la braqua vers le bas, éclairant la fosse.) Regardez ça, Fran Lou Devlin, ordonna-t-il.

Le silence qui s'ensuivit fut rompu par le cri d'angoisse de Fran Lou Devlin, qui s'arracha des mains du chef et s'écarta brusquement de la tombe. Il trébucha sur une pierre tombale enfoncée dans le sol et chut à terre. Il se ramassa en boule, le visage enfoui entre les bras.

— Otez-la de ma vue ! s'écria-t-il. Elle m'accuse. Elle est toujours en train de m'accuser.

— Elle vous accuse de son meurtre, lâcha le chef, dominant la silhouette recroquevillée.

Fran Lou se mit à sangloter convulsivement.

— Elle croit que je ne suis pas de la trempe d'un Devlin, elle me prend pour un faible, elle me traite de raté. Elle me hait parce qu'elle n'est pas née homme à ma place. (Fran Lou Devlin rampa sur le sol et agrippa les genoux du chef.) Je ne l'ai pas tuée pour son argent, reprit-il en relevant le visage. Je suis allé chez elle pour lui demander un prêt... Son refus, je pouvais l'accepter, mais je ne pouvais plus supporter son mépris... Je ne pouvais plus l'endurer, vous ne comprenez donc pas ?

Le chef remit sur ses pieds Fran Lou Devlin et le ramena au mur.

— Conduisez-le à la prison, dit-il aux hommes à présent silencieux.

Le groupe repartit lentement à travers le verger. Fran Lou Devlin, sanglotant, était soutenu par deux hommes. Le chef resta derrière. Il alluma un cigare et se tourna.

— Tu peux sortir maintenant, petit, lança-t-il.

Eddie franchit le mur et se retrouva devant le chef. Il prit son mouchoir et se tamponna le front.

— Vous saviez depuis le début que c'était Fran Lou Devlin ? finit-il par demander d'une petite voix.

Le chef secoua la tête.

— Pas quand je t'ai appréhendé. J'avais l'intention de t'inculper du meurtre de Miss Lucinda, et puis tu m'as dit que tu avais vu Fran Lou en bras de chemise. Personne n'a jamais vu Fran Lou sans veste, du coup j'ai pensé qu'il y avait quelque chose de louche. Ensuite, je me suis rappelé que le cimetière de famille des Devlin était ici derrière le verger, et j'ai compris où était caché son corps.

Eddie essuya un filet de sang sur son bras.

— Pourquoi n'êtes-vous pas venu ici le déterrer ?

— Je ne pouvais pas, mon garçon. Quatre corps enterrés sur une parcelle de terrain, ça constitue un cimetière dans cet État, et l'on ne peut pas ouvrir une tombe dans un cimetière sans une décision judiciaire. Fran Lou avait le droit de s'y opposer. Je ne pouvais pas accuser de meurtre un Devlin sans des aveux, si bien que j'ai résolu de te laisser découvrir à ma place la preuve tangible.

Eddie dévisagea le chef.

— Vous m'avez laissé échapper de prison ?

Le chef ralluma son cigare et hocha la tête.

— J'ai pensé que si je te flanquais suffisamment la trouille et puis que je demandais au vieux Ben Zinhoff de te laisser les clefs à portée de main, tu te ferais la belle.

Eddie secoua lentement la tête.

— Mais comment saviez-vous que je viendrais ici ?

— J'ai mis ta voiture sous clef, répondit le chef avec un petit rire caustique. Je savais que tu soupçonnais Fran Lou, donc la logique voulait que tu essaies de savoir ce qu'il avait fabriqué ce matin. (Le chef lui tendit le portefeuille et les clefs de voiture.) Je crois que la ville te doit quelque chose pour le tracas, petit. Si nous pouvons faire un petit quelque chose...

Eddie reprit ses affaires. Il fit sauter les clefs de voiture dans sa main.

— C'est le cas, oui... dit-il lentement. Faites enlever le panneau d'accueil à l'entrée de la ville. L'hospitalité de Millvale pourrait bien être fatale au prochain type qui accepterait cette invitation à s'y arrêter...

Small Town Justice.
Traduction de Jean-Bernard Piat.

FLORE ET SA FAUNE

par C.B. Gilford

— Il va falloir le supprimer aujourd'hui...

Flore avait parlé d'une voix lugubre. Son corps épais enveloppé dans le vieux kimono défraîchi frémissait de douleur et son visage couvert de larmes était un masque de désolation.

— Pauvre Rani. Oh ! Howard ! Il *faut* pourtant que *je* le fasse.

— *Toi* ? s'exclama Howard, surpris.

— Crois-tu que je puisse abandonner cette tâche à quelqu'un d'autre ?

Howard battit des paupières :

— Je ne sais pas, moi ! Je ne pensais pas que tu pourrais ! Tuer, je veux dire...

— Mais tu sais bien que Rani souffre ; je dois abréger son agonie...

— C'est sûr. Ce sera une délivrance.

Il la regarda et vit qu'elle ne parvenait pas à contrôler le tremblement de ses mains.

— Flore, je crois qu'il vaudrait mieux que je m'en charge.

— Non !

Telle une furie, elle venait de faire un pas dans sa direction et, comme d'habitude, apeuré, il avait reculé.

Eh bien, oui ! Elle l'effrayait. Dans de tels moments, il devait l'admettre il avait peur d'une femme... de sa propre femme ! D'ailleurs, cela avait toujours été ainsi. Inutile de chercher des excuses — il avait peur, c'est tout !

— Entendu, Flore. Je voulais seulement t'éviter un mauvais moment.

— Ne t'avise surtout pas de toucher à Rani ! Et que je ne te prenne pas à t'approcher de lui...

— D'accord ! d'accord !

La crainte qu'elle lui inspirait l'empêcherait de faire quoi que ce soit à Rani, c'est certain. Et pourtant, comme il le haïssait ! Il haïssait Rani avec la même froide détermination qu'il mettait à détester toutes les créatures dont Flore s'entourait ; Flore y compris ! — La haine et la peur.

— Comment vas-tu t'y prendre ?

Il ne pouvait s'empêcher d'éprouver une certaine curiosité.

— Je me suis procuré du poison.

— Tu as du poison ?

Enfouissant la main dans la poche de son chandail déformé et couvert de taches, Flore en sortit un petit flacon rempli d'un liquide incolore.

— M. Grotweiler m'a donné ceci sur ordonnance du Dr Mason. Sans goût ni odeur. Ça agit presque instantanément et pour ainsi dire sans douleur. Une seule goutte devrait suffire.

— Mais tu en as une pleine bouteille !

— En cas d'urgence...

C'est peut-être à ce moment-là que tout a commencé dans sa tête — l'idée, la première lueur — quand il a compris la facilité avec laquelle cela pouvait être réalisé. Ce fut juste une vague notion, indéfinissable, mais elle prenait forme.

— Je le mélangerai à sa nourriture et Rani ne se rendra compte de rien.

Le visage figé, Flore s'arrêta brusquement de parler et mit la main devant sa bouche :

— Crois-tu qu'il m'ait entendue ? Je ne veux pas qu'il se doute de quoi que ce soit. Ce serait tellement plus facile pour lui s'il ne savait pas ce qui l'attend.

Ses yeux pâles roulèrent en direction de Rani. L'énorme chat gris était étalé de tout son long au milieu du sofa de velours rouge. L'accumulation des poils avait fini par former un léger voile gris sur toute la surface de l'étoffe. Le canapé était le domaine de Rani et exclusivement le sien. Les yeux du chat étaient à demi fermés. Il était peu probable qu'il ait entendu Flore...

— Pauvre bête ! Regarde-le... Si brave... Il ne se plaint même pas !

C'est sûr, il était malade. Probablement en fin de parcours se disait Howard. Normalement, l'air dédaigneux et marchant comme en pays conquis, il se serait promené tranquillement dans toute la maison. Donc, il devait être bien atteint. Bon débarras !

— Va-t'en, Howard. Je veux partager les derniers moments de Rani seule avec lui.

Howard sortit du salon et, doucement, referma la double porte derrière lui. Essayant de réfléchir, il resta là un petit moment.

Un battement d'ailes le fit sursauter à l'instant où un météore vert et jaune lui frôlait le visage.

— Vas-tu arrêter ! lâcha-t-il entre ses dents en s'efforçant de ne pas parler trop fort de façon que Flore ne l'entende pas.

— Espèce de sale paquet de plumes !

Perché sur un abat-jour, Périclès, le perroquet, semblait se moquer de lui. L'attaque en piqué était l'un de ses tours préférés : bien qu'il l'eût fait des milliers de fois, ça ne manquait jamais de surprendre Howard et, bien entendu, de l'effrayer. A présent, installé sur le lustre et totalement au fait que sa victime ne pouvait en aucune façon se venger, il la dominait de son arrogance.

— Je pourrais te tuer !

Non, il ne pouvait pas. C'était une menace dénuée de tout fondement. S'il avait eu la moindre possibilité de le faire, il y a longtemps qu'Howard se serait débarrassé de Périclès, de même d'ailleurs que de tous les autres animaux, et ceci jusqu'à la plus insignifiante créature de cette ménagerie ridicule !

Il avait besoin de sortir ! La puanteur des odeurs animales dont la maison s'était imprégnée avec le temps menaçait de l'étouffer. Les mues successives étaient à l'origine de la couche de poils et de duvet qui recouvrait tout avant de se transformer en poussière qui se répandait dans l'air ambiant. Mais le pire était la présence constante et inévitable de tous ces êtres qui ne le quittaient jamais des yeux ; qui le surveillaient, en quelque sorte...

Le long des murs étaient alignés les aquariums. Ayant stoppé leur nage indolente et sans but, les poissons eux aussi l'examinaient de leurs yeux stupides. Et des cages placées devant chaque fenêtre, les yeux en vrille des volatiles suivaient le moindre de ses mouvements. Ils venaient même de cesser leur bavardage rien que pour le regarder, lui, l'Ennemi réduit à l'impuissance et qui finissait par se sentir en prison. Ils savaient qu'Howard ne pouvait rien leur faire : Flore ne le lui permettait pas.

En ce qui concerne les animaux laissés en liberté,

assis sur leur arrière-train, ils l'observaient aussi — les chats comme les chiens : Fritzie, le petit teckel bruyant ; Pickles, le terrier au mauvais caractère et, la pire de tous, Fan-Tan, l'horrible chienne péki- noise.

— Je vous déteste ! lança Howard en se dirigeant vers la porte d'entrée.

Comme d'habitude, c'est Fan-Tan qui passa aux actes ; ayant entendu une galopade derrière lui, honteusement, Howard s'était mis à courir. Pas assez vite cependant. Après l'avoir rejoint, la petite chienne brun-roux s'était jetée sur sa jambe et avait planté ses dents aiguës dans la chair, exactement au-dessus de la cheville.

Howard savait qu'il avait mieux à faire que se mettre à hurler. La chienne toujours accrochée à lui, il fit encore quelques pas avant de parvenir à se dégager, juste avant de refermer la contre-porte entre eux. Courant toujours, Howard traversa la véranda branlante, descendit les marches et passa le jardin envahi d'herbes folles. Il ne s'arrêta qu'après avoir atteint sa retraite : le bâtiment qui avait été une écurie aux jours meilleurs de la plantation.

Les animaux avaient fait fuir l'homme de sa maison. Maintenant, l'homme occupait la demeure des animaux.

Buvant du rhum d'une bouteille qu'il tenait cachée dans l'écurie, Howard se mit à réfléchir à la situa- tion difficile dans laquelle il se trouvait.

Pourquoi avait-il épousé Flore ? Ou plutôt, pour- quoi Flore l'avait-elle épousé ? Il ne fait aucun doute qu'à un certain moment de la cérémonie il avait dû dire « oui » ! Mais à quoi avait-il donc dit « oui » ?

Il n'était pas particulièrement intéressant et, avant que Flore n'apparaisse dans sa vie, un certain nombre de femmes avait su le lui faire comprendre. Aide-vétérinaire de son état, il est possible de dire que, d'une certaine façon, les animaux l'intéressaient. Ce qui, bien entendu, leur donnait « quelque chose en commun ».

Alors, il l'avait épousée ! Sans le sou, elle lui était apparue comme une personne « aisée » : propriétaire de ce qu'elle appelait « une plantation » — où avait été bâtie la grande maison qu'ils occupaient maintenant — elle possédait suffisamment d'argent, titres et autres biens pour les avoir judicieusement placés — pour plus de sécurité — dans plusieurs banques situées dans des villes différentes.

— Toi et moi, lui avait-elle dit, nous aurons une vie très agréable. Tu pourras m'aider à m'occuper de mes petits compagnons.

Il avait fait la connaissance des animaux et... Bah ! ça ne serait pas tellement différent de ce qu'il avait fait jusque-là ! Le seul ennui c'est qu'il *n'aimait pas vraiment* les animaux. Ses fonctions d'aide-vétérinaire n'avaient pas été couronnées d'un réel succès — pour lui, c'était juste un travail. On ne demande pas à un fossoyeur *d'aimer* les trous qu'il creuse !...

Donc, ils s'étaient épousés ; tout au moins aux yeux de la loi car, en fait, Flore était restée mariée à son zoo. Howard était simplement devenu son aide et assistant à temps plein : même travail, nouvelle patronne...

Mais là, c'était encore pis : il occupait un emploi *à plein temps*. Maintenant, il mangeait, dormait, vivait avec les animaux. Et, en plus, on lui demandait de les aimer !

Il jura doucement entre ses dents et avala une gorgée de rhum. Il était venu habiter avec Flore parce qu'il n'avait nulle part ailleurs où aller. La maison ne lui plaisait pas outre mesure mais il s'était dit qu'avec le temps il arriverait peut-être à la nettoyer un peu et il s'imaginait que, petit à petit, il pourrait se débarrasser de quelques bestioles.

Mais c'était compter sans Flore qui ne diminuait jamais sa collection, bien au contraire. Même le petit garçon dont la mère refusait de garder le bébé crocodile que le gamin avait reçu en cadeau avait compris qu'il pouvait l'apporter au seul endroit où il ne serait jamais rejeté. Il y avait donc maintenant un crocodile nommé Alice qui vivait dans la baignoire du premier étage, la seule de la maison. Si quelqu'un avait envie de prendre un bain il fallait d'abord en sortir, puis remettre dans l'eau, un reptile de quatre-vingt centimètres de long. Howard avait choisi : il préférait rester couvert de sueur.

En ce qui concernait les repas, ils étaient pris « en famille » comme disait Flore. Elle gardait un chat sur les genoux — Rani s'il était d'humeur — qui attrapait directement dans son assiette n'importe quoi lui faisant envie. Les chiens traînaient toujours par là et quémandaient avec autorité. Naturellement, étant donné les aboiements ininterrompus, toute conversation était impossible. Avec perversité, Fan-Tan faisait preuve d'une grande attention envers Howard. La chienne lui mordillait les chevilles s'il faisait mine de l'ignorer trop longtemps et, lorsqu'enfin il se penchait vers elle pour lui tendre un morceau, il savait devoir retirer vivement la main s'il ne voulait pas qu'elle en profite pour lui attraper les doigts.

— C'est toi qu'elle préfère ! disait alors Flore en faisant une petite moue de contrariété.

Les animaux enfermés n'étaient pas aussi pénibles à supporter si ce n'est qu'Howard devait nettoyer les cages ; travail très déplaisant. Mais Flore était toujours trop occupée... Peut-être l'avait-elle épousé simplement parce qu'elle avait besoin de quelqu'un pour faire ça !

Quoi qu'il en fût, l'outrage le plus infâme à son égard avait été commis par Rani. Howard aimait le rhum. C'était son seul plaisir. Celui qui lui rendait la vie tout juste supportable. Or, attiré par l'odeur de la bouteille cachée au salon, Rani, lui aussi, s'était mis à avoir du goût pour l'alcool. La première réaction de Flore fut de décréter que le breuvage incriminé devait disparaître de la maison. Mais lorsque Rani se mit à émettre des miaulements déchirants, elle céda. Howard fut autorisé à garder son rhum si Rani pouvait en avoir une goutte de temps à autre. Mais Rani devint un buveur invétéré. Il parvenait toujours à dénicher la bouteille dont il se mettait alors à lécher le goulot et le bouchon. Howard en était tellement écœuré qu'il restait quelquefois plusieurs jours sans toucher à sa boisson préférée. Rani était peut-être tout simplement en train de mourir d'alcoolisme se disait en ce moment Howard avec une certaine satisfaction.

Pourquoi n'avait-il jamais tout laissé tomber ? Il s'était déjà posé la question un million de fois auparavant mais il ne pouvait s'empêcher de se le demander une fois de plus. Pourquoi supportait-il tout cela ?

L'espoir ? Probablement. Un fol espoir qu'étayait une persévérance à toute épreuve. Il refusait d'être vaincu par des bestioles. Il ne les laisserait pas le déposséder de son héritage. Car, avec Flore âgée de vingt ans de plus que lui, il avait la ferme intention d'hériter : un jour ou l'autre Flore finirait bien par attraper une cochonnerie quelconque avec tous les microbes qui devaient proliférer à qui mieux mieux dans la maison ! Et à ce moment-là, il serait riche. *A ce moment-là* ! Et pourquoi pas tout de suite ?

Howard prit une nouvelle gorgée de rhum et pensa à cette autre bouteille que Flore lui avait montrée. Pas de goût... pas d'odeur... effet pour ainsi dire instantané... besoin d'une seule goutte... Et elle en avait une pleine bouteille !

Le cri perçant de Flore le fit revenir vers la maison au pas de course. Il la trouva debout sur la véranda, agitant les bras en tous sens et hurlant de plus belle.

— Il est mort ! se lamentait-elle. Rani est mort !

— C'est bien ce que tu voulais, non ?

Mais elle n'était pas décidée à se laisser réconforter par la simplicité d'une telle logique.

— Il ne souhaitait pas mourir. Il s'était rendu compte de ce que je voulais faire mais il ne saisissait pas pourquoi. A un moment, j'ai même cru qu'il ne me faisait plus confiance. Et quand, finalement, il a compris, il m'a regardé avec tellement de reproche dans les yeux... Oh ! Howard, je n'oublierai jamais son regard ! J'ai pourtant tenté de lui expliquer mais il n'arrêtait pas de secouer la tête. Rani est mort en pensant que je l'avais trahi.

— Alors, on ne peut pas continuer comme ça...

— Les animaux sont tellement intelligents, Howard. Ils connaissent leurs amis. Mais comprendre la nécessité de l'euthanasie était tout de même un peu trop difficile pour Rani...

— Alors, il ne faut plus le faire, Flore. Je veux dire : il ne faut plus que tu le fasses toi-même. Je devrais m'en charger ! Les animaux ne me sont pas aussi attachés qu'à toi et le choc serait moins grand pour eux.

Elle leva vers Howard ses yeux rougis :

— Tu as peut-être raison.

— Bien sûr que j'ai raison, ma pauvre Flore. Tu n'as qu'à me donner le flacon et lorsque ce sera nécessaire, eh bien, je...

Elle lui confia la bouteille et il alla la cacher dans l'écurie. Un peu plus tard il se servit de deux belles planches, neuves, pour confectionner le cercueil de Rani et c'est un travail qu'il exécuta avec beaucoup d'enthousiasme. Flore fut satisfaite du résultat lorsqu'il lui présenta le produit fini.

Ensuite, armé d'une pelle et d'une pioche, il se dirigea vers le cimetière qui se trouvait entre le verger passablement négligé et la vigne laissée à l'abandon. En fait, le cimetière était le seul endroit bien entretenu sur toute la surface de la plantation. Flore avait décidé qu'il devait être fertilisé, nettoyé des mauvaises herbes et régulièrement tondu. D'après ce qu'Howard savait, étaient déjà enterrés là : deux canaris, plusieurs souris — Rani y avait d'ailleurs envoyé plus d'une d'entre elles — et un singe. Howard creusa un trou rectangulaire d'environ un mètre de profondeur et partit prévenir Flore qui essaya de décider quelques-uns des animaux à venir assister à la cérémonie. Mais Rani n'avait jamais été un membre particulièrement apprécié de la communauté. Périclès et Fan-Tan ne sortaient jamais de la maison et ils ne consentirent aucune exception pour l'occasion. Pickles, le terrier, fit acte de présence étant donné sa curiosité naturelle concernant tout corps en décomposition. Flore vint donc accompagnée de deux souris blanches accrochées sur elle. L'espace d'un instant, Howard se dit qu'elle avait peut-être l'intention de les enterrer avec Rani, lui assurant ainsi des obsèques un tant soit peu pharaoniques... Mais en admettant qu'elle ait jamais eu l'intention de le faire, elle se laissa attendrir au dernier moment et les souris furent épargnées.

Néanmoins, ce fut une cérémonie très impressionnante. Après avoir porté le cercueil et l'avoir placé dans le trou, Howard entreprit de le recouvrir de terre. Ce qui donna à Flore l'occasion d'éclater en sanglots hystériques avant de se jeter sur le trou béant pour en retirer la terre de ses mains nues. Finalement, elle partit comme une folle vers les prés environnant d'où elle revint les bras chargés de fleurs sauvages qu'elle éparpilla sur la tombe. Avant que Flore se calme et consente enfin à se laisser entraîner vers la maison, la soirée était déjà bien avancée.

— Il faut que la vie continue, dit Flore.

« Pas nécessairement », lui répondit Howard mentalement. « Pas si la vie est si difficile à supporter. N'est-ce pas pour cette raison que tu as acheté ce machin dans la petite fiole ? Pour tuer la douleur, m'as-tu dit. Dis-moi, Flore, crois-tu que je devrais faire pour toi moins que ce que tu as fait pour Rani ? »

— C'est l'heure de manger, lança Howard plein d'espoir.

— Je ne pourrai rien avaler, lui répondit Flore, la voix rauque.

— Flore ! Il ne faut pas te laisser aller !

Elle était forte comme un cheval avec, en plus, pas mal de graisse superflue, mais il le dit quand même...

— Et n'oublie pas que tu as des responsabilités. Je veux parler des autres animaux. Tu ne peux pas les abandonner. Je suis certain que Rani n'aimerait pas te voir en arriver là.

Les yeux rougis et gonflés de larmes, elle le regarda :

— J'ai une boule dans la gorge, Howard, rien ne pourrait passer, je t'assure...

Il était obligé d'accepter cette défaite momentanée mais il savait qu'il ne pouvait attendre trop longtemps. Un minutage parfait était essentiel s'il voulait que son histoire tienne la route.

Flore était inconsolable. La voyant tourner dans la maison comme une âme en peine, les animaux eurent une curieuse réaction. Dans les cages, le bavardage s'était arrêté. Fan-Tan ne jappait plus ; couchée en rond sur un oreiller, elle ne quittait pas

Flore des yeux. Immobile sur son perchoir, Périclès n'émettait plus un son. Un bienheureux silence régnait partout dans la maison et Howard ne put s'empêcher de penser que les enterrements devraient avoir lieu beaucoup plus souvent.

Flore partit se coucher sans interrompre son jeûne. Après s'être tournée et retournée pendant des heures, elle finit par trouver le sommeil. Il était déjà tard lorsqu'elle s'éveilla le lendemain matin.

— Veux-tu manger quelque chose ? furent les premières paroles d'Howard à son intention.

— Rien que deux aspirines, lui répondit-elle.

— Avec un jus d'orange ? Veux-tu un peu de jus d'orange, Flore ?

— Si tu veux, je vais essayer.

Il se hâta vers la cuisine, ouvrit une boîte d'orangeade et versa le liquide sur un cube de glace. Ensuite, il ajouta une bonne dose de la mixture fournie par M. Grotweiler et mélangea le tout. Bien évidemment, il ne pouvait juger en ce qui concernait le goût mais la boisson ne sentait rien d'autre que le jus de fruit. Quant à l'efficacité du produit, jusqu'à nouvel ordre il ne pouvait que faire confiance à M. Grotweiler. Howard effaça ses empreintes et entoura le verre d'une serviette en papier avant de le monter à Flore.

— Tu es tellement gentil, Howard, lui dit-elle.

Ce furent ses dernières paroles.

Assoiffée, elle vida le verre sans reprendre sa respiration, y prenant apparemment plaisir et ne semblant pas avoir décelé une quelconque substance étrangère. Puis elle se laissa retomber sur ses oreillers en souriant d'un air serein. Attitude qu'elle conserva pendant une minute à peine car un léger froncement des sourcils changea l'aspect de son visage. Flore semblait étonnée ; l'air interrogateur, elle regarda Howard avant de refermer calmement les yeux.

— Au revoir, Flore, dit-il.

Elle ne répondit pas.

Après cela, Howard ne perdit pas une minute. Au zoo, c'était l'heure du repas. La potion magique de M. Grotweiler devait être mélangée à la nourriture des chiens, chats, souris, rats, hamsters et poissons, sans oublier le perroquet. Howard fit tout cela avec méthode et très adroitement.

— Allez-y, mangez de bon cœur, mes agneaux, roucoulait-il en leur distribuant leur nourriture préférée délicatement assaisonnée.

Dans la salle de bain, Alice le crocodile, mâchouilla un morceau de bifteck bien arrosé pendant qu'au salon les poissons sautaient vers la surface de l'eau pour attraper les jolis flocons blancs et Howard alla jusqu'à verser un peu de poison directement dans l'eau. Les rongeurs se bagarrèrent pour s'emparer des morceaux qui leur étaient destinés et Howard dut jouer les arbitres afin d'être certain que tous auraient leur part. Comme à l'accoutumée les chats mangèrent la leur avec hauteur et délicatesse. Fritzie et Pickles ne présentèrent aucun problème. Fan-Tan sembla morose et ne lui manifesta pas grand intérêt. Elle se demandait sans doute pourquoi Flore n'avait pas encore quitté son lit pour s'occuper d'elle. Mais la faim finit quand même par triompher. Périclès jeta un coup d'œil soupçonneux aux graines qui avaient trempé dans le poison mais, finalement, il se révéla bien moins intelligent que Flore avait toujours pensé qu'il l'était. Il se mit à picorer ses victuailles... et il lui en fallut très peu.

Howard surveillait tout son petit monde, voulant être certain que chacun aurait son compte. Aucun n'en réchappa.

Les poissons commencèrent à remonter flotter à

la surface. Les rongeurs se mirent à pousser des cris aigus en courant dans tous les sens avant de piquer du nez l'un après l'autre. Les chats miaulèrent quelque peu, en faisant le gros dos et finirent par s'écrouler. Fritzie aboya, Pickles grogna, Fan-Tan jappa pour la dernière fois puis elle s'allongea et ne bougea plus. Périclès se révéla être le plus résistant. Il oscilla sur son perchoir, jeta un coup d'œil cynique sur le carnage en contrebas, ferma un œil, l'autre, perdit l'équilibre et tomba en avant. Mais, les pattes toujours accrochées au bois rond du perchoir, il resta suspendu tête en bas en se balançant doucement. Plus d'une minute s'écoula avant qu'il ne lâche prise et tombe sur le sol avec un bruit sourd amorti par les plumes.

Howard partit vérifier dans la salle de bains. Le ventre en l'air, Alice flottait dans la baignoire. Il était désormais seul dans la maison.

* * *

Le shérif Crandall ne ménagea pas ses marques de sympathie envers Howard mais il était passablement troublé et pour ainsi dire fasciné par ce spectacle de mort collective.

— Ça alors ! ça alors !... fut tout ce qu'il trouva à dire pendant plusieurs minutes.

— Ils m'ont tous quitté, disait Howard, larmoyant. Jusqu'au plus minuscule des poissons... la moindre petite boule de plumes dans les cages. Et Flore...

— Vous m'avez dit qu'elle possédait une pleine bouteille de poison, n'est-ce pas ?

— Vous savez, shérif, seulement quelques gouttes suffisent pour arrêter tous ces pauvres petits cœurs...

— Alors, ça a commencé avec le chat ?

— C'est ça, shérif. Et Rani était son préféré. Je

vous montrerai la tombe toute fraîche si vous voulez, ou je déterrerai le cercueil.

— Non, non, Howard, ce ne sera pas nécessaire.

— Elle semblait avoir beaucoup de mal à s'en remettre. Elle s'est jetée sur la tombe de Rani et l'a couverte de fleurs. Vous savez comment était Flore avec ses animaux.

— Bien sûr ! Tout le monde était au courant...

— J'ai quand même réussi à la ramener à la maison mais il n'y avait rien que je puisse dire ou faire pour qu'elle retrouve un peu d'entrain. J'aurais dû me douter que quelque chose allait arriver.

— Ne vous blâmez pas, Howard. Ce sont des choses qui... parfois...

— Elle les considérait comme sa propre famille, et elle voulait que la famille ne soit jamais séparée. Elle est sans doute devenue folle de douleur. Elle a dû commencer par les animaux avant d'en finir avec elle-même. Pour qu'ils restent tous ensemble.

Le shérif Crandall lui jeta un coup d'œil par-dessous ses sourcils broussailleux et se gratta la tête :

— Mais comment se fait-il qu'elle ne vous ait pas emmené avec eux, Howard ?

— Je ne sais pas, shérif. En fait, ça montre assez bien à quel niveau elle me plaçait. Avec eux, elle se considérait en quelque sorte parente par le sang, mais moi je n'étais rattaché à elle que par les liens du mariage.

— Je comprends ce que vous éprouvez, Howard. Il arrive parfois qu'un mari se sente vraiment laissé sur la touche...

Ensemble, ils sortirent sous la véranda. La journée était splendide. Il commençait à faire bon.

— Shérif, avez-vous besoin des corps pour une autopsie ?

66

— Oh ! Je ne vois pas pourquoi ça serait nécessaire.

— Il y a aussi autre chose. Tout le monde sait que Flore l'avait prévu dans son testament : elle souhaitait être enterrée ici, à la propriété, dans son petit cimetière privé.

— Pour autant que je sache, rien ne l'interdit.

— Et les animaux aussi devront être enterrés ici.

— Rien ne l'interdit non plus.

Content de partir, le shérif Crandall s'éloigna dans sa camionnette couverte de poussière. Il n'avait posé absolument aucun problème.

Howard téléphona à M. Murdock, l'entrepreneur de pompes funèbres, et lui donna les instructions nécessaires. Un cercueil des plus simples pour Flore et il s'occuperait lui-même des animaux. Pas besoin de prendre un emplacement au cimetière, ce qui ferait des économies. Et c'était important car, maintenant, c'est de son argent qu'il s'agissait.

Howard avait envie de fêter l'événement. Sortant la bouteille de rhum qu'il gardait cachée derrière les livres au fond du salon, il l'emporta dans la cuisine et s'en servit un verre.

Ce n'est qu'après avoir avalé la deuxième gorgée qu'il commença à ressentir une étrange sensation — son corps semblait flotter, il se sentait léger. Tout devint flou et une sorte de brouillard parut l'envelopper.

Alors un éclair de compréhension fusa au sein de toute cette brume. Rani ! Rani avait compris ce que Flore tentait de faire et il avait tout refusé : sa pâtée comme le lait, jusqu'à ce que Flore ruse avec lui en jouant sur son penchant pour le rhum qu'elle laissa à proximité où il pourrait lécher le bouchon et le goulot humides... mais elle avait empoisonné toute la bouteille !

— Ce pauvre vieil Howard, dit le shérif Crandall. La dernière fois que nous avons parlé ensemble, il se sentait rejeté : Flore était partie avec les animaux et l'avait abandonné. Il se retrouvait absolument seul. Et il n'a pu l'endurer, je suppose... Alors, il a suivi le reste de la famille...

— C'est ce que je pense, ajouta M. Murdock, l'entrepreneur de pompes funèbres.

— Je crois qu'on fera aussi bien de les enterrer tous ensemble dans leur petit cimetière privé.

— Assurément, conclut M. Murdock.

— Oh ! Howard ! Mon cher petit Howard ! dit Flore. Tu nous as tellement manqué... Et pourtant, ton absence n'a pas duré longtemps.

Un météore vert et jaune vint exploser juste devant le visage de Howard et le battement des ailes du perroquet le fit trembler de la tête aux pieds. Provenant de la baignoire, il entendit un claquement dans l'eau qui ne pouvait être que celui produit par la queue d'un crocodile. A travers les vitres d'énormes aquariums, il sentait, rivé sur lui, le regard de centaines de poissons. Des douzaines de rongeurs le saluaient en bavardant comme des fous. Dédaigneux, des chats se promenaient. Un teckel et un terrier grognèrent sauvagement dans sa direction et, méchamment, une petite chienne pékinoise lui enfonça dans la cheville des dents aiguës comme des aiguilles. Ivre d'alcool, Rani, le chat majestueux, léchait le goulot et le bouchon de sa bouteille de rhum en le regardant d'un air méprisant.

Howard se mit à hurler et fit volte-face pour

s'enfuir mais il n'y avait pas de porte. Il hurla encore plus fort. Il savait que des gens étaient au-dehors, mais son cri fut étouffé par le bruit de la terre qui l'ensevelissait.

Flora and her fauna.
Traduction de Christiane Aubert.

DES SHÉRIFS A LA PELLE

par Richard Hardwick

On était vendredi et le congrès annuel de l'Association des shérifs de l'État se préparait pour son dernier jour de travail et l'élection du bureau pour l'année suivante. Il y avait là pour discuter, surveiller ou simplement ergoter, cent quarante-trois shérifs, deux cent treize adjoints, leur famille, des critiques et la faune habituelle des prétoires depuis l'employé aux écritures jusqu'à une paire de juges de la Cour Suprême.

Il était neuf heures moins deux quand mon adjoint, Jerry Sealey, me déposa devant le café du Stardust Motel. Il continua ensuite vers le hall de la convention, un pâté de maisons plus loin vers la plage.

Charlene me versa une tasse de café bouillant.

— Dernier jour, hein ?

— En effet. Et je ne peux pas dire que je le regrette. Une telle assemblée de shérifs dans un même endroit, c'est pire qu'un grand magasin plein de femmes au moment des soldes.

Elle sourit et avança vers moi le sucre et le lait.

— Qu'est-ce qu'un vieux garçon comme vous peut savoir des femmes et des soldes, Pete Miller ?

— Nous autres, les vieux garçons, nous en savons plus que vous ne croyez. C'est d'ailleurs à cause de ça que nous pouvons rester célibataires.

— Vous croyez que le shérif Peavy va être élu président ?

Je haussai les épaules.

— Vous connaissez Dan Peavy. S'il avait seulement passé un peu de pommade dans le dos de ces vieilles buses, il aurait pu...

C'est alors que cela se produisit, au beau milieu de ma phrase, la tasse à mi-chemin de ma bouche. C'était une de ces choses qui n'auraient jamais dû pouvoir se produire — et c'est justement, je crois, pourquoi elle se produisit.

— Pete ! s'exclama Charlene. L'alerte à la banque !

Une cloche sonnait tant qu'elle pouvait, et la seule cloche du patelin était celle de la banque. Mais, me dis-je, ça ne pouvait être ça. Qui serait assez fou pour essayer de cambrioler une banque alors qu'il y a quatre cents policiers à quelques maisons de là ?

Je laissai néanmoins tomber la tasse et me précipitai vers la porte. C'était pourtant bien ce qui se passait. Une voiture s'enfuyait au bout de la rue, et le vieux Jonathan Somerville, directeur de la banque, était sur le trottoir, secouant le poing et criant de toutes ses forces :

— Au secours ! Au voleur ! Au secours ! On a cambriolé la banque !

Somerville n'était absolument pas du genre à plaisanter. En fait, la seule chose qui pût amener l'ombre d'un sourire sur ses lèvres minces était l'annonce d'intérêts substantiels ou d'une saisie.

Dès que son regard se porta vers le motel et qu'il m'aperçut, il cria de plus belle :

— Miller ! poursuivez-les ! Ils ont cambriolé la banque !

Les pneus de la voiture crissèrent quand elle prit le tournant au bout de la rue et elle disparut derrière l'église, en direction de la terre ferme. Je tirai mon revolver de son étui, mais je n'avais plus d'autre cible que l'église, et je le remis en place.

Somerville cria :

— Rattrapez-les donc, espèce d'idiot !

— Avec quoi ? répliquai-je.

Je courus vers la banque et, quand j'arrivai à la hauteur de Somerville, il sortit un trousseau de clefs et me le lança. Je le rattrapai de justesse.

— Prenez ma voiture ! beugla-t-il en montrant sa vieille conduite intérieure que toute la population de l'île connaissait aussi bien que son propriétaire.

— Ils n'iront pas loin, dis-je en essayant de le calmer. Pas si vous mettez le Plan en exécution.

— Le Plan ? Oh ! *Le Plan !* Mon Dieu, je l'ai oublié !

Juste à ce moment, une jeune femme mince et pimpante aux yeux d'émeraude sortit de la banque derrière Somerville. Je retirai ma casquette.

— Bonjour, Louella.

C'était miss Louella Mims, dont le titre officiel était assistante-caissière, mais dont le surnom, bien plus approprié, était le petit lapin de la banque.

— Bonjour, Pete. Je viens d'appeler le capitaine Ned et j'ai fait mettre le Plan à exécution.

— Bien joué, mon petit, dit le directeur avec soulagement.

Le Plan, qui avait été conçu par le shérif du Comté, Dan Peavy, consistait simplement en ceci : en cas de hold-up, le gardien du pont-levis devait être immédiatement alerté : il relèverait le pont et ainsi toute retraite en voiture vers la terre ferme serait coupée. Dan Peavy pensait qu'il était impossible aux bandits d'échapper indéfiniment aux poursuites sur les quelque sept ou huit milles de routes de l'île.

— Je ferais quand même mieux de me lancer à leur poursuite, dis-je. Que quelqu'un appelle Dan.

Mais la rumeur avait déjà atteint le hall du congrès. Un bataillon de représentants de la loi, les uns courant, les autres en voiture, se précipitait vers la banque. A leur tête se trouvait la grosse masse du shérif Jason Rumble, du Comté de Fuldale, au nord de l'État.

— Par où sont-ils partis ? demanda-t-il d'une voix retentissante. Somerville tendit le bras et, sans s'arrêter, Rumble se retourna et désigna deux hommes.

— Allez-y, mes garçons ! Attendez une minute... dans quel genre de voiture étaient-ils ?

Somerville ouvrit la bouche.

— Un cabriolet... noir... non... *vert*... c'était peut-être bien un coupé...

— La voiture était noire, dis-je. A deux portes.

Miss Louella Mims s'avança d'un pas et déplia un bout de papier.

— C'était une Chevrolet 1965, bleu marine, cabriolet quatre portes, flancs blancs, n° 23-466. Deux hommes, d'assez forte corpulence, portant des pantalons foncés, des pulls blancs à col roulé, des lunettes de soleil, des chapeaux...

Elle s'arrêta, releva la tête en souriant et ajouta :

— Ils étaient chaussés de tennis bleues.

— Allez-y ! commanda Rumble à ses adjoints.

— Ils ont raflé à peu près tout l'argent de la banque, se lamenta Somerville. Sans compter vingt-trois dollars de *mon propre* argent !

Mon patron, Dan Peavy, parvint à se frayer un chemin à travers la foule qui les entourait.

— Combien ont-ils pris, Somerville ?

— Dieu seul le sait ! Tout...

— Cela fait à peu près 67 000 dollars, shérif, dit Louella. Voyez-vous, étant donné que nous sommes aujourd'hui vendredi, nous avions l'argent de plusieurs paies en liquide. Et nous avions justement tout cet argent ici alors que, d'habitude, on le garde à l'agence qui se trouve sur la terre ferme : on avait estimé qu'il n'y avait aucun danger vu le nombre de policiers qui se trouvaient réunis sur l'île ; personne n'aurait pu croire que l'on s'attaquerait à *cette* banque à un moment pareil.

Dan Peavy passa la main dans la masse de ses cheveux blancs.

— Ça m'a l'air curieux, en effet, n'est-ce pas ? Je me demande simplement pourquoi...

Ses yeux se rapetissèrent soudain.

— Le Plan ?

— Louella s'en est occupée, le rassurai-je.

Au bas de la rue, une petite voiture de sport jaune tourna le coin de l'église et s'arrêta devant la poste, voisine de la banque. Deux types du genre étudiants sautèrent de la voiture et regardèrent la cohue avec curiosité.

Le shérif Jason Rumble les repéra et leur cria :

— Vous, les garçons, venez ici une minute !

Ils s'avancèrent sans se presser ; le plus grand et le plus mince des deux dit :

— Qu'est-ce qui se passe, mon vieux ? Qu'est-ce que c'est que cette foule ?

— La banque a été cambriolée, dit Rumble. Vous venez juste d'arriver de la terre ferme, hein ? Est-ce que vous n'auriez pas aperçu un cabriolet bleu marine avec deux types ?

Les deux garçons se regardèrent, haussèrent les épaules et se retournèrent vers Rumble.

— Non, papa. Est-ce que ce seraient les types qui

ont fait le coup et qui s'enfuiraient avec le fruit de leur larcin ?

— Vous êtes sûrs que vous ne les avez pas vus ? s'étonna Rumble.

Le shérif du petit Comté de Bean, à l'ouest de l'État, poussa Rumble du coude et murmura :

— Vous ne croyez pas que vous devriez laisser Peavy s'occuper de cette affaire, Jason ? Après tout, c'est son Comté, ici.

— Eh ? Qu'est-ce que ça signifie ? Oh, *Peavy* ! Où est-il donc ? Je ne l'ai même pas vu.

Dan Peavy sortait justement de la banque.

— Me voici, Jason. J'étais en train de téléphoner au F.B.I. à Savannah. Deux de leurs hommes vont arriver d'un moment à l'autre.

— Nous n'avons pas vraiment besoin d'eux, marmonna Rumble. En fait, Peavy, rien que dans les deux dernières années j'ai eu à m'occuper de vingt-deux cambriolages de banque dans mon Comté. Par contre ici, dans votre trou perdu, je ne pense pas que vous ayez jamais eu une affaire semblable, n'est-ce pas ?

Dan se gratta lentement la joue.

— En y réfléchissant, si. Cela remonte à 1931, je crois. Les bandits n'ont pas eu de chance, pourtant. La banque était prête à déposer son bilan le matin même.

— Je vois, dit Rumble. Eh bien, moi, j'ai quelque expérience, Peavy ; alors, si vous n'y voyez pas d'objection, je vais envoyer tout de suite quelques hommes à leur poursuite.

— Faites donc, Jason, dit Dan. Il y a seulement une ou deux petites choses qui m'intriguent...

Rumble n'en écouta pas davantage et se retourna vers la foule des policiers rassemblés devant l'entrée de la banque.

— Allons, messieurs ! tonitrua-t-il. On vous a

donné la description de la voiture. Elle se dirige vers le pont-levis, dont le gardien a été alerté et a dû lever le tablier. Courons-leur après !

Tout le monde se précipita vers les voitures comme pour un départ de course. Des voitures munies de toutes sortes de plaques officielles, quelques-unes avec d'énormes sirènes chromées et des lumières clignotantes, d'autres avec d'immenses antennes, et toutes commencèrent à manœuvrer dans la rue. Les pneus crissèrent. Les moteurs s'emballèrent. La voiture du Comté de Franklin rentra en plein dans la voiture noire et blanche toute neuve du Comté de Donovan et il s'ensuivit une violente dispute. Pendant ce temps une dizaine d'entre elles parvinrent à se sortir du paquet et foncèrent vers l'église, pour disparaître après avoir tourné le coin.

Je mis mes mains en cornet vers l'oreille de Dan.

— Dan, j'ai l'impression que cette histoire va nous dépasser, si vous voyez ce que je veux dire. Vous n'avez pas oublié que Jason Rumble brigue la présidence de l'Association, j'espère ? Je veux dire que, si vous le laissez mener cette enquête, cela n'arrangera pas vos affaires.

Dan tripota le bout de son nez tordu d'un air pensif.

— Peut-être, Pete. Vous pensez quelque chose comme *trop de cuisiniers gâtent la sauce*, hein ?

— En fait, dis-je d'un ton caustique, je pensais plutôt *trop de chefs et pas assez de petits Indiens*.

— Écoutez un peu, Pete, dit-il. Si ces bandits se sont enfuis en pensant pouvoir passer sur la terre ferme, ils sont cuits. D'un autre côté, ils ont peut-être été plus malins que cela. Si c'est le cas, il est temps que nous nous servions moins de nos jambes et un peu plus de notre cervelle.

Nous étions retournés à la banque ; Dan se dirigea

vers la vitrine et regarda au-dehors. Il y avait pas mal de touristes mélangés à la population locale. A l'arrière-plan de la foule, deux filles habillées en tout et pour tout d'un bikini minimum s'étaient arrêtées et parlaient au suppléant Jerry Sealey. Elles portaient toutes deux un grand sac de bain et peu après reprirent leur flânerie vers la plage. Jerry les suivit du regard ; sa pomme d'Adam tressautait, et il siffla d'admiration.

De l'autre côté de la Grand-Rue, là où le terrain de golf longe la route, deux joueurs et leurs femmes s'étaient arrêtés pour voir ce qui se passait en face.

Soudain, les voitures réapparurent au coin de l'église et s'arrêtèrent brutalement aussi près de la banque qu'elles purent. Le premier à en sortir fut l'adjoint de Jason Rumble. Il repéra son chef et courut à lui.

— Nous avons trouvé la voiture qui a servi à leur fuite, Jason ! Ils l'avaient planquée derrière des feuillages, à moins de cinq cents mètres du coin là-bas. Ils devaient avoir là une autre voiture et, autant qu'on le sache, personne ne l'a vue.

Rumble se tapa les poings d'un air dégoûté.

— J'aurais dû m'en douter. C'est toujours le même topo. On vole une voiture, et ensuite on passe dans une autre dès qu'on est hors de vue. Bon, et le gardien du pont-levis ? Des voitures ont-elles essayé de passer ?

— J'ai laissé là quatre hommes. Personne n'avait encore essayé.

Rumble enregistra et fronça les sourcils, puis il dit :

— O.K., allons jeter un coup d'œil à leur voiture.

— On y va avec eux, Dan ? demandai-je.

Dan Peavy secoua la tête.

— Vous, allez-y, Pete. Moi, il y a autre chose que je voudrais vérifier.

Les yeux de Jerry parurent lui sortir de la tête.

— Vous voulez dire que vous n'allez même pas jeter un coup d'œil à cette voiture ? Dan... (Il parcourut du regard la foule des représentants de la loi, puis il attrapa Dan par le coude et l'attira à l'écart.) Dan, dit Jerry comme s'il s'adressait à un enfant de quatre ans, cette affaire est importante, vous le comprenez, n'est-ce pas ? Vous êtes en train... de *laisser* ce gros ballot de Jason Rumble prendre la vedette ! Vous vous rendez compte de quoi ça aura l'air, s'il réussit à coincer ces voleurs, ici, dans *notre* Comté...

— Pete, interrompit Dan, emmenez Jerry avec vous.

— Mais...

— Allez-y, tous les deux, répliqua Dan en balayant la banque d'un regard circulaire. Maintenant où est donc Louella Mims ? Il faut que je lui parle.

Il l'aperçut et, avant que Jerry puisse se remettre à caqueter, il était parti.

Jerry le suivit du regard, et on pouvait sentir qu'il était dégoûté.

— Je n'aurais jamais cru voir le jour où Dan Peavy refuserait le combat !

— Je ne crois pas que ce soit encore aujourd'hui, dis-je. Maintenant, venez. Allons travailler.

Une douzaine de voitures étaient stationnées sur le bas-côté, à cinq cents mètres environ de l'église. Jerry s'arrêta au bout de la file et nous nous précipitâmes avec d'autres arrivants à travers les broussailles. Nous arrivâmes vite à un groupe de gens qui entouraient une Chevrolet bleu foncé.

— Ils devaient avoir une autre voiture planquée ici, déclara le shérif de Moon County.

— L'ennui c'est que le sol est trop dur pour avoir conservé des empreintes, dit un des agents de Butler County.

— Qu'est-ce qu'il y a de l'autre côté de ce fourré ? demanda le shérif Jason Rumble.

— A quinze mètres environ, on débouche sur le terrain de golf, dit Jerry.

— Vous deux, les gars, allez donc y jeter un coup d'œil, dit Rumble en s'adressant à Jerry et moi.

Jerry commençait à se rebiffer, mais je lui assenai une tape dans le dos et le poussai dans la bonne direction.

— On y va, shérif.

Pendant que nous avancions dans le fourré, Jimmy grommela :

— Je n'aime pas que cette baudruche me donne des ordres, Pete. Il n'a aucun droit de nous commander ici.

— Laissez tomber ! Pour le moment occupons-nous de garder le Comté de Guale sur l'affaire.

Nous débouchâmes des broussailles et nous nous retrouvâmes au trou n° 3 du golf. Le départ était à notre droite, le green à notre gauche. Deux grosses femmes en short arpentaient le fairway, s'arrêtant de temps en temps pour taper la balle. Leurs maris les suivaient dans un caddy électrique.

— Je ne vois pas comment ils auraient pu venir par ici, Pete, dit Jerry. Des tas de gens sont en train de jouer et quelqu'un les aurait sûrement vus.

Le quatuor passa devant nous en nous regardant avec curiosité. En voyant mon insigne, l'un des hommes dit :

— J'ai entendu dire que la banque avait été cambriolée. Vous devriez pas être à la poursuite des voleurs, non ?

— Oui, monsieur, c'est ce que je pense. Venez, Jerry.

Nous nous refaufilâmes à travers le fourré et fîmes notre rapport au shérif Rumble.

— Eh bien, dit-il, j'en déduis que nous pouvons

abandonner la piste du golf. En tout cas il y avait une autre voiture ici. On peut voir où l'herbe a été écrasée, même si cela ne suffit pas pour y relever une empreinte de pneu.

— Ils avaient le choix entre trois directions, dis-je. La route principale va dans un sens au pont-levis, et dans l'autre retourne au village. Il y a également le raccourci en direction du nord à environ un mille du pont ; mais il ne mène qu'à quelques campements de pêcheurs.

— Des campements de pêcheurs ? dit Rumble, nettement regonflé. Ils ont des bateaux ! Et en bateau on peut sortir de cette île aussi bien qu'avec une voiture ! Il frappa dans ses mains. C'est *sûrement* ça ! Venez !

Tout le monde se précipita à nouveau vers les voitures. Rumble monta avec nous.

— Vous, les gars, qui connaissez bien la route. Montrez le chemin !

— Nous ferions mieux d'informer le shérif Peavy, dit Jerry.

— Au diable Peavy ! fulmina Rumble. Dans un cas comme celui-ci, on ne peut pas rester à se tourner les pouces ! Il faut agir ! Allons, démarrez !

Peu après nous nous retrouvions à cent à l'heure sur la route du nord, suivis par une ribambelle de policiers.

Rumble ou pas Rumble, j'essayai de contacter Dan Peavy par radio. « Voiture 1 appelle voiture 2. Voiture 1 appelle voiture 2. A vous, Dan. »

— Il n'a peut-être pas branché sa radio, dit Jerry.

Mais juste à ce moment on entendit la voix familière de notre chef. « Voiture 2 à voiture 1. Qu'y a-t-il, Pete ? »

Je lui fis le récit de ce qu'on avait pu observer à l'endroit où la voiture avait été découverte.

— Nous nous dirigeons maintenant vers les campements de pêcheurs. Le shérif Rumble pense que les bandits ont pu s'enfuir par bateau.

— Il a de l'idée, répondit Dan. Vous dites que vous, les gars, êtes allés à travers les fourrés jusque sur le terrain de golf, hein ? A quelle distance se trouvait la voiture de ce terrain, à votre avis ?

Je pris la parole.

— A environ quinze mètres. Les fourrés sont assez épais. Mais je crois que vous pouvez abandonner l'idée du terrain de golf, Dan. Les joueurs sont nombreux, et nos types n'auraient pu s'y introduire avec un sac sans que quelqu'un les aperçoive.

— Peut-être... dit-il. Eh bien, tenez-moi au courant de ce que vous trouverez au campement. Ou de ce que vous n'y trouverez pas. Voiture 2, terminé.

Peu après, Jason Rumble s'appuya des deux bras sur le dossier du siège avant.

— Depuis combien de temps le vieux Peavy est-il shérif par ici ?

— Quarante ans ou plus, répondis-je.

Il se renfonça dans les coussins et sortit de sa poche un gros cigare noir.

— Ça colle. C'est vraiment une chance que cette affaire se soit produite juste maintenant. Ça, vraiment, c'est une sacrée veine !

Ce qui me ramena à la première idée quand j'entendis le *signal* d'alarme. Pourquoi diable un voleur, même à moitié sain d'esprit, choisirait-il, pour accompagner un coup pareil, le moment où tant de forces de police se trouvaient rassemblées ?

Une réponse assez vraisemblable me vint quelques minutes plus tard, quand nous arrivâmes au campement de Tuck, le premier des trois qui se trouvent sur la rivière, au nord de l'île. Une vingtaine de voitures, lourdement chargées de policiers de tout poil, se garèrent tant bien que mal sur le parking, et tous s'élancèrent en posant toutes sortes de questions à chaque individu rencontré et Tuck me prit à part, riant à perdre haleine.

— Pete, arriva-t-il à dire, je n'ai jamais rien vu de pareil depuis que la compagnie des policiers de Keystone a cessé de faire du cinéma.

— Combien de bateaux sont partis d'ici dans les quinze ou vingt dernières minutes ? lui demandai-je.

— Un seul. Lester Jagels et son fils. La banque a été cambriolée, hein ? Comment ça ?

J'informai le shérif, et toute la bande remonta en voiture pour se rendre tambour battant au Good Luck Camp.

— En effet, dit le vieux Charley Bean en réponse à la question de Rumble. Il y a bien eu deux types dans le genre que vous dites. Ils sont arrivés dans cette voiture là-bas et, en y réfléchissant, ils avaient vraiment l'air pressé.

— Portaient-ils quelque chose ! demanda Rumble. Une valise, un sac, quelque chose comme ça ?

Bean soupesa la question, puis secoua la tête.

— Ils avaient deux lignes, une boîte d'hameçons... (Son visage s'illumina.) Mais oui diable, ils avaient bien quelque chose !

— Assez grand pour contenir 67 000 dollars ? le pressa Rumble.

— Je ne peux pas dire que j'aie jamais vu autant d'argent, monsieur. Mais je suppose que cette grande glacière aurait pu contenir ça, et même plus.

— Par où sont-ils partis ?

— Vers le pont... commença Bean en tendant le bras.

— En bateau, les gars ! tonna le grand homme en repoussant Bean. Rattrapez-les ! Vous, Miller, pouvez-vous conduire un de ces bateaux ?

— Oui, mais...

— Alors allez-y !

Bean l'attrapa par le bras.

— Hé, attendez une minute ! Je les *loue*, ces bateaux ! Combien voulez-vous en louer ?

Rumble le repoussa de nouveau.

— Que quelqu'un s'arrange avec cet imbécile. Nous, nous devons rattraper les voleurs !

Bean s'époumonait à accabler de protestations tous ceux qui passaient à sa portée lorsque je montai à bord du premier bateau, Jason Rumble sur mes talons. Nous nous dirigeâmes vers le pont.

Je commençais à croire que je m'étais trompé sur Jason Rumble. Son analyse semblait pleine de bon sens. Toutes les routes étant surveillées, il paraissait vraisemblable que les voleurs avaient pensé à s'enfuir en bateau. Ils pouvaient avoir une troisième voiture qui les attendait sur la route, de l'autre côté du pont, et ils pourraient s'enfuir pendant que tout le monde serait encore en train de fouiller l'île de fond en comble.

— Les voilà, Miller ! cria Rumble. Droit devant ! Mettez toute la gomme !

Nous avions eu la chance de grimper dans un bateau équipé d'un moteur de 25 CV, et la distance qui nous séparait de ceux que nous poursuivions se réduisait rapidement tandis que s'accentuait celle de l'armada des forces de la loi qui nous suivait.

Rumble sortit son revolver et me fit signe d'en faire autant.

— Je tirerai un coup de semonce par-dessus leurs têtes.

Il appuya une fois sur la détente, et les deux hommes qui se trouvaient dans le bateau se retournèrent et nous regardèrent fixement.

— *Arrêtez, au nom de la loi !* hurla Rumble.

L'homme qui se trouvait près du moteur mit la main à l'oreille d'un air interrogateur et Rumble prit une grande inspiration pour hurler de nouveau son commandement en le ponctuant de deux nouveaux coups de semonce. Les deux hommes se regardèrent et coupèrent le moteur. Nous nous alignâmes à leur bord, revolver au poing.

— Ça va, les gars, rugit Rumble, plein de satisfaction. Vous êtes cuits !

— Qui diable êtes-vous ? demanda celui qui se trouvait aux commandes. Et qu'est-ce que ça signifie, tout ça ?

— Voilà la glacière, Miller, dit Rumble en tendant le doigt vers l'avant. Tenez-les en respect ; je vais aller l'inspecter.

— Je crois que vous faites erreur, dit le second des hommes. Je ne sais pas pour qui vous nous prenez, mais je suis le juge Henry Coombs et mon compagnon est le juge John P. Withers. Et maintenant, si vous nous expliquiez votre étrange conduite...

— Silence, messieurs, coupa Rumble. Ce n'est pas avec de beaux discours que vous vous en sortirez.

Plusieurs autres bateaux étaient arrivés à notre hauteur et, tandis que Jason Rumble soulevait le couvercle de la glacière pour n'y découvrir qu'une provision de bière, un des shérifs se leva dans son bateau et ôta son chapeau pour saluer.

— Oh ! bonjour, juge Coombs, juge Withers ! N'auriez-vous pas vu par où est parti cet autre bateau, par hasard ?

Rumble ne trouva pas grand-chose à dire tout au long du chemin de retour. La file des voitures ressemblait plus à un convoi mortuaire qu'à une troupe de poursuivants quand elle redescendit Front Street.

Dan Peavy n'eut pas l'air surpris quand nous lui fîmes le récit de nos exploits durant la dernière demi-heure.

— Allons donc faire un tour au golf une minute, les gars, dit-il.

Dans la voiture, avant que Jerry ou moi ayons pu poser une seule question, il nous dit :

— Quel volume croyez-vous que puissent faire 67 000 dollars ?

— Quel volume ? dit Jerry. Quoi... *beaucoup* de volume. Mais qu'est-ce que cela a à faire...

Dan consulta un bout de papier. « L'argent était là pour faire des paies. Il y avait 2 000 billets de 20, 2 000 de 10, 1 000 de 5 et 2 000 d'un dollar. Un total de 7 000 billets, en liasses de cent ; tout cela pourrait tenir dans une boîte de 18 × 18 × 15 cm et ne pèserait pas plus de seize livres.

— Très intéressant, dit Jerry sèchement. Et maintenant, qu'est-ce qu'on va fabriquer au club de golf ?

Dan ignora la question. Au lieu de répondre, il demanda :

— Pete, vous qui jouez au golf, combien de temps faut-il pour faire un parcours de dix-huit trous ?

— Cela dépend de beaucoup de choses.

— Disons en moyenne, pour quatre joueurs.

Je haussai les épaules.

— Près de quatre heures, à une demi-heure près.

Dan fit un calcul sur le papier.

— Cela fait à peu près treize minutes par trou ?

— Les distances entre certains trous sont longues d'autres plus courtes. Où voulez-vous en venir ?

Nous étions arrivés au club-house et, après avoir rangé la voiture, Jerry et moi entraînâmes Dan dans la boutique. Birdie Gilstrap, le maître des lieux, vint au-devant de nous.

— Que faites-vous ici, messieurs ? dit-il. J'aurais cru que vous étiez à la poursuite des voleurs...

— C'est justement ce que nous faisons, dit Dan. Nous sommes à la recherche des cambrioleurs de la banque. Est-ce que vous avez un registre, ou quelque chose dans ce genre, sur lequel les gens s'inscrivent quand ils prennent le départ ?

Birdie regarda Dan d'un air bizarre, puis hocha la tête.

— Oui. Le voilà. On y inscrit nom, adresse et heure de départ.

Dan parcourut la liste des yeux.

— Quel est le trou le plus proche de Front Street, juste devant la banque ?

— Le 5, répondit Birdie, dont l'étonnement égalait le nôtre, à Jerry et à moi.

— Le 5, médita Dan. Cinq fois treize... alors il faut à peu près une heure du départ au green de ce trou ?

— A peu près.

— Donc quelqu'un qui aurait pris le départ aux environs de huit heures se trouverait sur le green du cinq vers neuf heures. Il posa son doigt noueux sur le registre.

— Ce serait donc ces gens-là.

Birdie tendit le cou pour voir.

— M. Terwiliger, M. Divine et leurs épouses. En effet. Ils ont maintenant traversé et jouent les neuf trous du retour.

— Et qui sont les gens qui jouent juste derrière eux ?

Birdie lut les noms.

— Tom Phips et son habituel quatuor. Ce sont des gens d'ici. En fait, ils sont en ce moment au bar en train de jouer au ramy. Ils ne font jamais plus de neuf trous.

— J'aimerais leur dire un mot, dit Dan.

— Voyons, shérif Peavy ! Ces gens-là n'ont certainement rien à voir avec le cambriolage de la banque.

— Nous perdons du temps, Gilstrap, dit Dan.

— Bon, suivez-moi.

Nous traversâmes la boutique et, par une porte à tambour, nous pénétrâmes dans le bar. Quatre hommes étaient assis autour d'une table en train de jouer aux cartes.

Dan s'arrêta près de la table.

— Messieurs, vous jouiez bien au golf derrière deux hommes et deux femmes, n'est-ce pas ?

— En effet, shérif, dit l'un d'eux. Pourquoi ?

— Pourriez-vous nous donner la description des deux hommes ? Je veux dire : comment ils étaient habillés ?

— Voyons, laissez-moi réfléchir. L'un d'eux portait un short bleu pâle, une chemise jaune et une casquette bleue.

— Exact, acquiesça un des autres joueurs.

— Et l'autre était en pantalon rouge avec un polo vert et une casquette rose.

— Bon, dit Dan. Maintenant essayez de vous rappeler ce qu'ils ont fait au trou n° 3.

Les yeux du type semblèrent lui sortir de la tête et il se tourna vers le professionnel, d'un air de dire que le shérif devait avoir perdu la raison. Tout ce que put faire Birdie fut de hausser les épaules.

— Ils ont simplement *joué* le trou, shérif, dit-il. C'est tout.

— Les deux hommes sont-ils entrés dans le bois à ce moment ? demanda Dan.

— Oh, oui alors ! En fait ces types devaient avoir perdu au moins une douzaine de balles. Toujours dans les bois...

Dan lui coupa la parole. A quel endroit exact sont-ils entrés dans les bois ?

— A peu près à mi-chemin du fairway, sur la gauche...

Dan ne le laissa même pas finir.

— C'est sûrement ça ! Venez, messieurs ! Je crois que j'ai quelque aperçu de l'affaire.

Tandis que nous reprenions place dans la voiture, la radio du bord se mit à hurler.

— Ici, shérif Rumble. Nous nous dirigeons vers l'aérodrome. Une voiture répondant au signalement a été vue se dirigeant vers...

Dan tendit le bras et coupa la radio.

— Comment savez-vous que ce ne sont pas les bandits que Rumble poursuit maintenant ? demanda Jerry. Voyons, Dan, Jason Rumble est peut-être une grande gueule mais il a tout de même eu à étudier vingt-deux hold-up de banque dans son Comté et...

— Jerry, dit Dan, Rumble a-t-il jamais spécifié combien de ces affaires avaient été élucidées ?

— Eh bien, non. Mais cela ne veut pas dire qu'il n'y connaisse rien.

— D'accord. Mais pour le moment appliquons-nous à démêler cette affaire-ci. Si je me trompe, je serai le premier à l'admettre.

— Si vous vous trompez *sur quoi* ? s'écria Jerry tout excité.

— Vous êtes vous jamais demandé, les gars, ce qui arriverait si les bandits, au lieu de fuir les représentants de la loi, accouraient vers eux ? Je me demande si ce n'est pas justement ce qui se passe.

Nous étions de nouveau dans Front Street et Dan Peavy pointa l'index devant lui.

— Déposez-moi à la banque. Je voudrais que vous, pendant ce temps-là, alliez au Stardust Motel et que vous me rameniez les deux jeunes de la voiture de sport jaune.

— Ceux qui se sont arrêtés devant la poste juste après le hold-up ? demandai-je.

— Exactement. Je les ai suivis du coin de l'œil quand ils sont partis, et c'est là qu'ils sont allés.

— Comment pourraient-ils être mêlés à l'affaire ? demanda Jerry.

— Ne vous occupez pas de cela pour le moment ; allez simplement les chercher. Je serai à la poste.

Nous nous dirigeâmes vers le motel, aperçûmes la petite voiture de sport jaune devant un des bungalows, à la porte duquel nous frappâmes. Peu après, celle-ci s'ouvrit et un jeune homme nous regarda avec curiosité.

— Qui est-ce Eddie ? appela une voix de l'intérieur.

— C'est le frisé, dit Eddie.

L'autre jeune apparut.

— Messieurs, vous devez vous tromper d'adresse.

— Le shérif Peavy voudrait vous parler, dis-je.

— Nous lui avons déjà dit que nous n'avions aperçu aucune voiture. Mais est-ce que je n'ai pas entendu dire qu'on l'avait retrouvée planquée dans les bois ?

J'acquiesçai.

— Le shérif veut quand même vous dire un mot.

— Sommes-nous arrêtés ?

Je soupirai.

— Non, à moins que vous ne le vouliez.

— Allons-y, Harry. Tu sais bien qu'on est supposés aider la loi.

Nous montâmes tous dans la voiture de patrouille et retournâmes à la poste. Les deux jeunes gens se regardaient d'un air interrogateur.

— Pourquoi la poste ? dit Eddie. Je croyais que c'était la banque qui avait été cambriolée ?

— Ça, vous le demanderez au shérif répondis-je, en n'exprimant que la vérité.

Juste à ce moment, toute la bande des voitures revenait bruyamment de son expédition à l'aérodrome. On pouvait lire le résultat sur le visage du shérif Jason Rumble.

— Qu'est-ce que vous faites donc ? demanda-t-il. Où est Peavy ?

Dan sortit de la poste.

— Me voici, Jason. Pete, amenez-moi ces jeunes gens.

Nous entrâmes dans l'immeuble et plusieurs douzaines de policiers nous suivirent. Dan Peavy se dirigea vers le bureau de tri où Bert Neely, le postier local, se tenait derrière le comptoir.

Du regard, Dan cloua sur place les deux jeunes gens.

— Les garçons, vous avez bien posté un paquet ici ce matin ?

— En quoi cela vous regarde-t-il, grand-père ? Ici nous sommes à la poste, et c'est un domaine qui ne vous concerne en rien, dit Harry.

Dan Peavy hocha la tête et se retourna vers Neely.

— Montrez-nous donc la boîte, Bert.

Le postier souleva une boîte et la posa sur le comptoir. Sur le côté, on pouvait lire : *Pralines véritables du Sud, les meilleures du monde ! 15 livres.*

— Peavy, murmura Jason Rumble, que diable faites-vous ? Avez-vous donc perdu l'esprit ?

— Peut-être. Alors, les garçons ? C'est bien vous qui avez posté cette caissette de pralines ?

Les jeunes gens échangèrent un coup d'œil.

— O.K., grand-père, dit Eddie. Et alors ? Y a-t-il une loi qui empêche d'expédier des friandises à sa bonne vieille grand-mère ?

— Tout dépend de la nature de ces friandises.

— Dan, murmura Jerry d'un ton désespéré, laissez tomber. Peut-être devriez-vous partir en vacances. Il y a si longtemps que vous n'êtes pas parti...

Doucement Dan le repoussa.

— Bert, dit-il, ce paquet fait partie des expéditions de la 3e catégorie. Est-ce que vous ne pouvez

pas ouvrir les paquets qui entrent dans cette catégorie, si vous le désirez ?

— Ouais, certainement.

— Alors, que diriez-vous de vérifier cette caisse
immédiatement ?

Rumble eut un grand sourire.

— Peavy, j'espère que vous vous rendez compte
que vous allez être la risée de toute cette assemblée.
Croyez-vous vraiment que le butin du hold-up de la
banque se trouve dans cette petite boîte ?

Un murmure parcourut la foule, qui maintenant
débordait dans la rue.

Dan y répondit en regardant Bert Neely.

— Ouvrez.

Bert sortit un canif, regarda les gens qui l'entouraient comme le sorcier qui doit tout faire exploser,
et coupa la ficelle.

— Nous y voilà ! Il écarta les rebords du carton.
Tout le monde se pencha pour voir. Et sous nos
yeux se trouvaient de pleines rangées de caramels
et de pralines. Un gémissement et beaucoup de rires
moqueurs s'élevèrent.

Jerry grimaça et se couvrit les yeux de la main.

— Rien que des bonbons...

— Zut...

— Le vieux Dan est finalement chocolat...

— Dommage, Peavy, tonitrua Jason Rumble, de
très bonne humeur. On ne peut pas toujours gagner.
Je me rappelle ma première affaire de hold-up...

Dan Peavy repoussa la boîte de pralines et se
pencha par-dessus le comptoir. Ses épais sourcils
blancs se haussèrent.

— Et qu'est-ce que c'est que ça, Neely ? Est-ce
que ce n'est pas une caisse de pralines identique à
l'autre ?

Le postier regarda, puis se gratta la tête.

— Eh bien... comment diable est-elle venue là ?

Vous savez, je parie que c'est Ella qui l'a enregistrée pendant que j'étais sorti prendre un café. Oui, je parie que c'est ça.

— Allons, voyons donc ce qu'il y a dedans !

Neely plissa le front.

— Ou peut-être est-ce celle-ci qu'Ella a prise et est-ce celle-là que ces jeunes gens ont postée.

Il souleva la seconde caisse sur le comptoir, prit le canif et coupa l'emballage.

Au même instant Eddie et Harry se précipitèrent vers la porte pour tomber dans les bras de plusieurs shérifs, y compris Jason Rumble. Neely écarta le couvercle et un hoquet parut secouer la foule. Dans toute leur gloire se trouvaient là des tas de beaux billets verts bien alignés.

Les agents du F.B.I. arrivèrent quelques minutes plus tard, et, tandis que nous déposions l'argent sur le bureau de M. Somerville, le shérif Jason Rumble posa l'inévitable question.

— Cela me dépasse Peavy. Comment diable avez-vous résolu ce problème ?

— Eh bien, dit Dan qui n'était pas homme à remuer le couteau dans la plaie, je pense que ma connaissance des gens et des lieux m'a donné un avantage sur vous, Jason. Vous voyez, la première chose que j'ai faite c'est de téléphoner au capitaine Ned, au pont-levis. Il m'a dit qu'aucune petite voiture jaune n'avait traversé le pont avant le hold-up ; je me suis donc demandé d'où arrivaient ces jeunes gens. Quand on eut retrouvé la voiture qui avait servi à la fuite, toutes les pièces commencèrent à s'assembler.

— Qu'est-ce qui s'est assemblé ? demanda Jerry.

— La façon dont ces bandits pensaient pouvoir s'en tirer alors que l'île était truffée de policiers. A propos, quelqu'un ferait bien d'aller sur le terrain de golf arrêter les deux hommes qui ont cambriolé la banque.

— Sur le *terrain de golf* ! tonitrua Rumble. Qu'est-ce qu'ils font donc sur le terrain de golf ?...

— Ils sont en train de jouer, dit Dan avec un large sourire. Il regarda sa montre. Ils doivent en être à peu près au trou n° 15. Deux hommes et deux femmes du nom de Terwiliger et de Divine.

Le shérif Rumble fit un signe à ses adjoints.

— Allez-y en vitesse, les gars ! Ramenez-les !

Dan Peavy continua son explication.

— Voilà comment j'ai pensé que les choses avaient dû se passer. Les deux hommes qui ont opéré à la banque ont commencé avec les deux femmes à jouer au golf à huit heures ce matin. Au cours du premier trou, ils sont tous deux entrés dans les fourrés à la recherche d'une balle perdue. Les gens qui les suivaient de loin ont vu ressortir des fourrés deux hommes habillés de la même façon. Seulement, *ce n'étaient pas les mêmes*. C'étaient les deux jeunes gens. De loin, et par-derrière, il était impossible de faire la différence. Les deux bandits se sont changés en vitesse, ont pris la Chevrolet bleue, se sont rendus au patelin, ont cambriolé la banque et sont retournés là où on a retrouvé la voiture. Les golfeurs avaient alors atteint le trou n° 3, celui qui est à proximité de cet endroit. La voiture jaune avait été préalablement cachée dans les fourrés, les deux jeunes sont entrés sous le couvert, ont changé de vêtements, ont mis le butin dans une caissette de pralines et c'est alors que nous les avons vus arriver et s'arrêter devant la poste, innocents comme l'enfant qui vient de naître. Ils ont posté l'argent ; aurions-nous fouillé toutes les voitures de l'île que nous n'aurions jamais pu remettre la main dessus. Pendant ce temps, les deux hommes qui avaient fait le coup étaient occupés dans un endroit où on ne serait sûrement pas venu les chercher : ils jouaient au golf.

Un des agents du F.B.I. hocha la tête d'un air admiratif :

— Du beau travail, shérif Peavy. Vraiment du beau travail !

* * *

Après cela, la Convention de l'Association des shérifs se termina sur *une note positive*. Dan Peavy fut élu haut la main président et fut vivement acclamé. De la façon dont les choses se sont passées, je soupçonne même Jason Rumble d'avoir voté pour lui.

Quant à moi, je passai une heure très agréable à compter les 67 000 dollars avec miss Louella Mims, le petit lapin de la banque.

Too many sheriffs.
Traduction d'A. Decloux.

LE RÊVE RÉALISÉ

par James Holding

Il fut réveillé par le cri perçant de sa femme et le sang qui, jaillissant du poignet entaillé de celle-ci, retombait sur lui. La lame de rasoir que tenaient les doigts de sa main gauche était également écarlate. Il secoua plusieurs fois la tête avec l'expression misérable et désespérée d'un homme qui comprend soudain qu'il est devenu fou — fou au point de commettre un crime involontaire.

Cette évidence s'imposa à lui au moment même où il bondissait hors du lit et arrachait à son drap froissé une bande de tissu pour garrotter le bras de Sandra.

— Mon Dieu, mais tu es malade, tu es complètement fou, il faut t'enfermer !

Sandra s'évanouit. Il en fut relativement soulagé. Pauvre Sandra, mariée à un homme qui venait d'essayer de la tuer tout en dormant. Oui, aussi incroyable que cela puisse paraître ; tout en dormant.

Il se mit à trembler. Des larmes d'horreur et d'attendrissement sur lui-même lui montèrent aux yeux. Il hoqueta à plusieurs reprises, des spasmes violents contractant soudain son abdomen. Toutefois, pas un moment son attention ne fut distraite du garrot, qu'il maintint jusqu'à ce que le sang cessât de jaillir du poignet gauche de Sandra. C'est alors seulement qu'il téléphona au médecin et à la police.

Une semaine plus tard, alors qu'il se trouvait en observation dans un hôpital psychiatrique, il apprit que Sandra avait engagé une procédure de divorce.

Qui aurait pu l'en blâmer, après ce qu'il lui avait fait ? Une tentative d'assassinat, alors que leur mariage était de toute évidence un échec, c'en était trop. Non qu'il ait été, pour sa part, malheureux en mariage. Peu inspirée, voilà l'expression qui pouvait le mieux définir la relation calme, confortable mais insipide qui existait entre Ross Thomas et sa seconde épouse, Sandra. Ce compagnonnage tranquille, cette existence sans ambition, faite de petites joies, lui avait parfaitement convenu. Pour Sandra, en revanche, tout ceci avait été infiniment ennuyeux, il en prenait maintenant conscience. D'abord, il avait vingt ans de plus qu'elle, et ni l'un ni l'autre n'avait prétendu, à l'époque où ils avaient envisagé de se marier, être passionnément épris. Il était fort riche, et divorcé depuis peu. Elle était jeune et belle. Sur le moment, ils avaient pensé qu'ils pouvaient se rendre heureux.

Et maintenant, songeait-il avec aigreur, allongé sur son lit d'hôpital, elle veut me quitter. Elle a le meilleur argument du monde : j'ai essayé de la tuer. En son for intérieur, il lui dit adieu et lui souhaita bonne chance, envisageant de surcroît de lui octroyer une confortable indemnité de dédommagement, à condition qu'un aliéné soit juridiquement autorisé à disposer de ses biens. Cela, il n'en était pas très sûr.

Le plus étrange, c'est qu'il fut informé de la demande d'action en divorce de Sandra par le lieutenant Randall de la brigade des Homicides.

Randall entra dans sa chambre d'hôpital et s'assit à son chevet sans y avoir été invité. Il dévisagea Ross de ses drôles d'yeux jaunes, triangulaires comme ceux d'un chat ou d'un cobra.

— Je suis Randall, des Homicides, lui dit-il. C'est moi qui ai répondu au téléphone après que vous avez essayé de tuer votre femme. Vous vous souvenez de moi ?

— Oui, enfin, vaguement. J'étais plutôt perturbé, ce soir-là, comme vous devez le savoir.

— Cela peut se comprendre, répondit Randall.

Il lui fit part ensuite des intentions de Sandra.

— Je ne saurais le lui reprocher, déclara Ross.

Randall toussota.

— Il n'empêche que c'est un cas intéressant.

— Comment va ma femme ? demanda Ross.

— Très bien. Vos secours d'urgence ont été efficaces. Un ou deux points de suture et un pansement, voilà tout ce qui peut témoigner de votre... agression.

— Cela me rassure, dit Ross en s'agitant sous ses couvertures. Cela a dû être une expérience épouvantable pour elle.

— On ne peut jamais prévoir ce qu'un type est parfois capable de faire, répondit Randall, parfaitement neutre.

— Ce qu'un fou est capable de faire, corrigea Ross.

— Ouais. Seulement, vous ne me donnez pas du tout l'impression de vous comporter ou de parler comme un fou, monsieur Thomas.

— Vous devriez me voir dans mon sommeil, répondit Ross d'un ton amer. C'est là que je suis le plus fou.

— C'est ce que me dit le Dr Caldwell, poursuivit Randall, imperturbable. Il dit que vous êtes venu le consulter plusieurs fois avant votre dernier... accès.

— C'est vrai. N'en feriez-vous pas autant, si vous vous mettiez à détruire des objets pendant votre sommeil sans en avoir aucunement conscience, et sans en garder le moindre souvenir par la suite ?

Randall haussa les épaules, sans répondre.

— Le Dr Caldwell vous a parlé de moi ? demanda Ross.

— Seulement un petit peu, monsieur Thomas, et d'une manière tellement technique que j'ai eu du mal à le suivre.

— Ma forme d'aliénation mentale n'a rien de très mystérieux, lieutenant. Avez-vous jamais entendu parler des rêveurs somnambules compulsifs ? C'est mon cas.

— Vous voulez dire que vous marchez en dormant ?

— Apparemment. Mais je rêve aussi. C'est même cela le plus important, mes rêves.

— Tout le monde rêve, répondit Randall.

— Oui, mais pas comme moi. Voici comment cela se passe, lieutenant. Je rêve de quelqu'un ou de quelque chose que j'aime vraiment beaucoup. Tout en continuant de rêver, je me lève de mon lit et je me promène dans la maison jusqu'à ce que je trouve un couteau, une lame de rasoir ou un autre instrument. Et toujours en dormant, je m'efforce ensuite de détruire l'objet ou la personne dont je rêve. N'est-ce pas un charmant petit travers pour un P.-D.G. de société ?

Les yeux jaunes de Randall exprimaient un intérêt manifeste.

— Est-ce donc pour cela que vous avez essayé de tuer votre femme avec une lame de rasoir ? Parce que cette nuit-là, vous étiez en train de rêver d'elle ?

— Vous pigez vite, dit Ross avec amertume. C'est tout à fait ça. J'aimais, et j'aime toujours ma femme. Pourtant, j'ai rêvé d'elle et j'ai aussitôt essayé de la détruire pendant mon sommeil. Exactement comme pour mon imperméable, ma mallette et... (il parla soudain à voix basse, apparemment horrifié)... mon chat.

— Eh bien ! s'exclama Randall. Le Dr Caldwell ne m'en avait rien dit.

— Cela ne m'étonne pas. Mais il est au courant. Je suis venu le voir chaque fois que j'ai détruit quelque chose pendant mon sommeil.

— Vous vous sentez capable de me raconter ça ? Comme flic, j'ai entendu pas mal de trucs bizarres, mais jamais rien de tel. Cela vous ennuierait de compléter mon tableau de chasse personnel d'aberrations psychiatriques ?

— Cela ne m'intéresse pas d'en parler.

— Bon, présentons les choses différemment, alors. Pour nous, vous êtes toujours accusé de tentative d'homicide. Un peu de coopération de votre part ne saurait vous nuire, voyez-vous.

Ross se tortilla dans son lit, mal à l'aise.

— Tentative d'homicide, mais en état de démence momentanée, non ?

Randall haussa les épaules.

— Les réducteurs de tête n'ont pas encore rendu leur verdict, déclara-t-il avec une certaine brutalité.

— Voilà, la première fois, dit Thomas. Bon, j'ai cru que c'était une péripétie bizarre, mais sans grande importance. Je me suis réveillé un matin, il y a deux ou trois mois de cela, après avoir rêvé de façon saisissante de l'imperméable que je venais d'acquérir. Au moment de partir pour le bureau, ayant constaté qu'il pleuvait, je suis allé chercher mon nouvel imperméable dans la penderie.

Thomas marqua un temps d'arrêt, et son regard s'attarda lamentablement sur un angle du plafond.

— Il était là, bien sûr, mais quelqu'un l'avait taillé en lanières avec le sécateur que j'utilise d'habitude pour émonder les rosiers.

— Ce serait un choc pour n'importe qui, affirma Randall d'un ton compatissant.

— Effectivement, je fus choqué. Je me dis que n'importe qui était capable d'avoir fait ça... un domestique qui nourrirait quelque grief à mon encontre sans que je le sache, par exemple. Ce qui m'a le plus perturbé, cependant, était la coïncidence : j'avais rêvé de cet imperméable juste avant de découvrir l'incident.

— Il ne s'agissait sans doute que d'une coïncidence.

— C'est ce qu'a pensé le Dr Caldwell. Je n'en ai parlé à personne, pas même à Sandra, ma femme. Je me suis discrètement débarrassé du vêtement saccagé et en ai racheté un autre, après avoir vu le Dr Caldwell. Il n'était pas du tout convaincu par cette histoire de rêve et je suis ressorti de chez lui parfaitement rassuré. Je n'ai d'ailleurs plus repensé à tout ça jusqu'à la nuit où j'ai rêvé de ma mallette, que j'ai retrouvée le lendemain matin réduite en miettes, éventrée par mon propre couteau.

Randall ne fit aucun commentaire.

— Vous voyez ? C'était la deuxième fois. Sans avoir l'air de rien, j'ai demandé à ma femme si elle avait entendu quelque chose pendant la nuit, comme s'il avait pu y avoir des rôdeurs. Elle n'avait rien entendu d'autre que moi, quand je m'étais levé pour aller dans la salle de bain. Mais moi, je savais que je n'en avais rien fait. Je veux dire que je ne m'étais pas levé, et que je n'étais allé nulle part. Pour autant que je sache, j'avais passé toute ma nuit à rêver de ma chère mallette, dans laquelle se trouvaient quelques documents importants que je croyais perdus.

Ross marqua un temps d'arrêt.

— Cette fois-là, le Dr Caldwell a pris la chose plus au sérieux. Car le somnambulisme venait s'ajouter au reste.

— Cela ne m'étonne pas, murmura Randall.

Thomas lui adressa un pauvre sourire.

— J'étais vraiment bouleversé par cette mallette. Je l'ai apportée au Dr Caldwell. Elle était dans un état qui dénotait une telle... une telle violence méchante.

Ross Thomas ferma les yeux un instant.

— Et cela pendant mon sommeil ! Avez-vous idée de l'effet épouvantable que cela a pu produire sur moi ?

Randall hocha la tête.

— Et pour le chat ?

— J'ai toujours adoré les chats siamois, lieutenant. Le mien, Thaï, est une merveille. Du moins, était une merveille. Une nuit, j'ai rêvé de Thaï. Il était monté tout en haut de l'échelle de la bibliothèque et ne pouvait plus redescendre. Quand je me suis réveillé, Thaï, qui dormait toujours dans notre chambre, était couché à côté de son panier, le cou brisé.

Il cligna des yeux en évoquant ce souvenir.

— Et qu'est-ce que le Dr Caldwell en a pensé ? demanda le lieutenant Randall. Et qu'a dit votre femme ? Vous ne pouviez pas le lui cacher, j'imagine ?

— Non. Ce matin-là, je lui ai tout avoué. Il fallait bien. J'étais terrifié. Je craignais d'en venir à rêver d'*elle*, une nuit. Je lui ai demandé d'aller dormir dans une autre chambre, et de s'enfermer de l'intérieur, pour sa propre sécurité.

— Elle ne l'a pas fait ?

— Non. Elle a déclaré qu'elle n'avait peur ni de mon somnambulisme ni de mes rêves, et elle croyait que j'avais écrasé par accident le cou de ce pauvre Thaï en me levant pendant mon sommeil.

— Qu'a-t-elle pensé de l'histoire de l'imperméable et de la mallette ?

— Effectivement, ces deux affaires l'ont intriguée. Elle a fini par téléphoner au Dr Caldwell pour lui demander si j'étais dangereux.

— Qu'a-t-il répondu ?

— Il lui a dit qu'un syndrome de destruction dans le rêve tel que le mien était complètement ignoré de la science médicale, mais que l'on connaissait plusieurs cas de gens rêvant pendant une crise de somnambulisme. Puis il lui a sorti un tas de sornettes sur l'autohypnotisme et l'autosuggestion. Il a avancé que je faisais peut-être l'objet d'une vilaine campagne de persécution de la part d'une ou plusieurs personnes qui m'en voulaient pour une raison ou une autre. Quant à ma santé mentale, elle ne différait en rien de celle des autres hommes d'un certain âge qui rêvaient et marchaient pendant leur sommeil. J'écoutais la conversation sur une autre ligne. J'ai trouvé que le toubib insistait un peu trop lourdement sur mon âge mûr.

— Et que pense-t-il de vous, maintenant ? demanda Randall.

— Il balance entre deux points de vue, à mon avis. Soit je suis un simulateur sain, soit un rêveur malade. Si je suis sain d'esprit, j'ai mis en scène les différents incidents afin de me ménager un alibi pour le jour où j'ai essayé de tuer ma femme — avec l'idée de la pousser au divorce, pourquoi pas ? — mais au dernier moment, je n'ai pas eu le courage d'aller jusqu'au bout. Ou alors, si je suis vraiment fou, je suis aussi le premier exemple, dans l'histoire de la médecine, de rêveur-somnambuledestructeur compulsif. Et je lui fournis l'occasion de se rendre célèbre comme découvreur de cas unique de démence.

Randall garda le silence quelques instants avant de demander :

— Avant que vous ne vous mettiez à détruire les objets dont vous rêviez — cela a commencé il y a environ deux mois, m'avez-vous dit — avez-vous jamais raconté vos rêves à votre femme ?

— Jamais, répondit Ross en piquant un fard — ce qui étonna fortement le lieutenant. Du moins, très rarement. Et certainement pas en détail. En fait, c'était plutôt l'inverse.

— Votre femme vous racontait *ses* rêves ?

— Cela arrive fréquemment, dans les couples mariés, vous ne croyez pas ?

— Certainement. Ne serait-ce que chez moi.

Ross hocha la tête.

— Sandra me parlait souvent de ses rêves, et elle me demandait si moi, j'avais rêvé, et de quoi. Mais autrement, je ne lui en parlais jamais.

Le lieutenant le regarda avec insistance.

— Estimez-vous possible que quelqu'un d'autre ait découpé votre imperméable et votre mallette en morceaux, et tué votre chat ? Par pure malveillance, comme le suggère le Dr Caldwell...

— Ne dites pas de bêtises, répondit Ross. Qui d'autre que moi pouvait savoir de quoi j'avais rêvé pendant mon sommeil ? De plus, lieutenant, *j'ai* vraiment essayé de tuer ma femme. Moi, et personne d'autre. C'est parfaitement clair. (Il ferma les yeux). Grâce au ciel, ses cris m'ont réveillé avant que j'aie pu le faire.

Randall alla jeter un coup d'œil par la fenêtre. Ses yeux prirent une teinte dorée à la lumière du soleil couchant.

— Il y a peu de chances que le Dr Caldwell ait

raison, que vous soyez un simulateur sain d'esprit, n'est-ce pas ? Vous ne vouliez pas forcer votre femme à divorcer ?

Ross secoua la tête d'un air las.

— J'aime beaucoup ma femme. Il faut que vous le compreniez. J'avais déjà connu une expérience de divorce, et je ne voulais certes pas recommencer.

Randall ne répondit pas.

Ross poursuivit avec insistance.

— Si j'avais vraiment voulu me débarrasser de Sandra, je l'aurais laissée se vider de son sang, et j'aurais ensuite raconté qu'elle s'était suicidée, vous ne croyez pas ?

Randall se leva.

— Sur ce point, je suis d'accord avec vous. Eh bien, il ne nous reste plus que l'alternative diagnostiquée par Caldwell.

Ross Thomas tourna la tête vers le mur.

— Oui, déclara-t-il d'une voix désespérée. Il n'y a pas de doute possible. Je suis fou.

Trois jours plus tard, quand le lieutenant Randall vint le revoir à l'hôpital, Ross Thomas était d'humeur plus joyeuse. Aucune manifestation de son syndrome de rêve-destruction n'était apparue depuis sa tentative de meurtre. Le Dr Caldwell l'avait autorisé à se lever et s'habiller, mais il devait rester dans sa chambre.

Randall lui sourit, et s'assit sur la chaise qu'il avait utilisée lors de sa visite précédente. Ross Thomas occupait un gros fauteuil près de la fenêtre.

— Vous avez l'air en meilleure forme, lui dit le lieutenant.

— Merci.

Il leva les yeux vers le policier, qui lui dit :

— Vous devez vous demander ce que je viens faire ici ? Eh bien, j'ai de bonnes nouvelles pour vous.

— Oh, oh ?

Le regard de Ross se durcit. Il posa son journal.

— Effectivement, reprit Randall. Vous n'êtes pas fou. Vous m'entendez, *pas fou*.

Ross Thomas le dévisagea et rétorqua d'un ton sec :

— Faire des plaisanteries de ce genre à des gens... comme moi... n'est pas du meilleur goût.

— Je ne plaisante pas.

— Dans ce cas, pourriez-vous m'expliquer comment vous êtes parvenu à cette stupéfiante conclusion ?

Une pointe de mépris perçait dans sa voix.

Randall lui répondit avec bonhomie :

— J'ai réfléchi à la manière dont vous aviez rougi, l'autre jour, lorsque j'ai voulu savoir si vous parliez de vos rêves à votre femme. Vous vous rappelez ?

Ross hocha la tête.

— Je me suis demandé pourquoi un homme se trouvant dans une situation aussi délicate que la vôtre s'était mis à rougir en entendant cette simple question : « Avez-vous jamais raconté vos rêves à votre femme ? » Vous m'avez répondu que cela vous arrivait très rarement, et seulement quand elle vous le demandait, puis vous êtes devenu rouge comme une pivoine. Était-ce de la gêne ? Ensuite, vous avez prononcé cette phrase très intriguante : « Et certainement pas en détail. »

Randall s'interrompit pour allumer une cigarette.

— Je ne vous ai pas pris pour un menteur — en l'occurrence, mentir ne présentait aucun intérêt — aussi vous ai-je cru : vous ne racontiez pas vos rêves à votre femme. Il y avait néanmoins quelque chose qui vous dérangeait dans cette question, ou qui en tout cas vous faisait rougir. Si bien que... vous savez ce que j'ai fait ?

— Non.

— Je suis allé voir la première Mme Ross Thomas. L'épouse dont vous avez divorcé. Celle qui a précédé Sandra.

— Mais quelle mouche vous a donc piqué ?

— Je me suis dit qu'elle savait peut-être pourquoi vous aviez rougi en entendant cette question. Et j'avais raison.

Ross Thomas eut un sourire désabusé.

— J'imagine qu'elle vous a confié le motif du divorce — cruauté mentale.

— Oui. Du moins ce que cela signifiait dans son cas. C'est-à-dire vous écouter pendant vingt ans, chaque matin sans exception, pendant que vous racontiez vos rêves de la nuit précédente. Avec d'interminables et fastidieux détails, pour reprendre sa propre expression. C'est *elle* que vous avez failli rendre folle, avec vos rêves, monsieur Thomas. Et quand cela a vraiment été au-dessus de ses forces, elle a demandé le divorce, n'est-ce pas ?

— Il n'y a pas de quoi se vanter, répondit Thomas, mais je ne vois pas ce que cela peut signifier.

— Cela expliquait pourquoi vous avez rougi en entendant ma question. Et pourquoi vous n'avez jamais raconté vos rêves à votre épouse actuelle, sauf si elle vous posait des questions. Vous n'alliez pas recommencer deux fois la même erreur.

— En quoi est-ce que cela concerne le reste de l'affaire ?

— Cela justifie que votre épouse actuelle ait dû vous poser des questions sur vos rêves.

— Je crains d'avoir perdu le fil.

— Cela ne m'étonne pas, dit Randall. Je ne savais pas très bien où j'en étais moi-même, mais j'ai posé à votre première femme une ou deux questions supplémentaires concernant vos habitudes nocturnes, du temps de votre mariage.

— Quelles habitudes ?

— Votre somnambulisme, par exemple. Eh bien, sa réponse m'a bien surpris. Votre première femme m'a dit que vous ne marchiez jamais pendant votre sommeil, à cette époque-là.

— Elle prenait des somnifères presque tous les soirs. Elle n'a pu ni me voir, ni m'entendre dans cet état, voilà tout.

— Alors qu'elle a dormi pendant vingt ans dans la même chambre que vous ? Allons donc ! De plus, vous ne saviez même pas que vous étiez somnambule jusqu'au jour où Sandra vous l'a appris, après l'incident de la mallette. Elle a dit qu'elle vous avait entendu aller dans la salle de bain la nuit où vous étiez justement, du moins dans votre esprit, en train de marcher en dormant, de récupérer votre couteau et de saccager votre mallette. C'est bien cela ?

— Et alors ?

— Écoutez-moi bien. Les cas de somnambulisme apparaissent très rarement chez un homme mûr. D'habitude, c'est pendant l'enfance et l'adolescence qu'ils se manifestent.

Randall aspira une bouffée et tapota sa cigarette pour faire tomber les cendres dans un gobelet de carton qui traînait sur la commode.

— Mais c'est la réponse de votre femme à ma question suivante qui a tout éclairé.

Une sorte de tic s'était mis à palpiter sous l'œil gauche de Ross Thomas. Le lieutenant reprit d'une voix plus posée :

— Je lui ai demandé si vous aviez jamais *parlé* dans votre sommeil, du temps de votre mariage.

Ross fut immédiatement sur la défensive :

— Voilà bien une chose que je ne fais jamais !

— Qu'est-ce que vous en savez ?

— Eh bien... L'une ou l'autre de mes épouses aurait bien fini par me le dire...

— Apparemment, non. Puisque votre première

femme m'a déclaré sans hésitation que si vous ne marchiez pas en dormant, du moins parliez-vous. Que dites vous de cela, monsieur Thomas ?

— Je ne comprends pas, finit par murmurer Ross d'une voix étranglée.

— Je ne peux vous le reprocher. Je ne m'exprime pas très clairement, mais c'est dans cet ordre-là que j'ai récolté mes informations.

— Vous ne pourriez pas être un peu plus précis ? demanda Ross d'un ton implorant. Si toutefois vous détenez quelque explication rationnelle de mon comportement.

— Oh, mais certainement. J'en ai une. Écoutez-moi bien. J'ai demandé à votre première femme si vous parliez beaucoup dans votre sommeil. Pas tellement, selon elle. Vous aviez l'habitude de prononcer juste quelques mots, parfois un seul qui fut intelligible, et cela de temps en temps, pas toutes les nuits. Quel genre de mots disiez-vous dans votre sommeil ? lui demandai-je.

Il s'interrompit pour éteindre sa cigarette.

Ross Thomas croisa les jambes.

— Et alors ?

— Elle m'a dit que les mots que vous prononciez étaient invariablement associés à l'objet de votre rêve. Vous identifiiez ce dont vous rêviez, pourrait-on dire, comme si vous donniez le titre d'une nouvelle. Pour reprendre un exemple qu'elle m'a confié, si vous la réveilliez en pleine nuit en criant le mot « train », le lendemain matin, vous lui racontiez avec d'interminables et fastidieux détails (Randall cligna de l'œil)... un long rêve, comme quoi vous vous trouviez à bord d'un train, etc.

Ross Thomas se redressa dans son fauteuil. Ses yeux, qui paraissaient jusqu'alors indifférents, vagues et sceptiques, se mirent soudain à briller.

— Vous voulez dire que lorsque j'ai rêvé de mon

imperméable, de ma mallette ou de Thaï, il est probable que j'ai prononcé les mots les désignant alors que j'étais encore en train de les rêver ?

— Précisément, confirma Randall en hochant la tête.

Ross Thomas se leva et arpenta la chambre.

— Si bien que Sandra pouvait être au courant !

Randall l'interrompit.

— La possibilité sautait aux yeux, à partir du moment où elle était sûre que les mots prononcés pendant votre sommeil désignaient invariablement ce dont vous rêviez... Voilà pourquoi, d'un air détaché, elle vous posait certaines questions sur vos rêves *après* vous avoir entendu prononcer certains mots pendant votre sommeil. Elle voulait s'assurer qu'ils désignaient bien l'objet dont vous aviez rêvé, avant d'envisager de le détruire. Vous comprenez, maintenant ?

— Mais oui ! Lorsque j'ai dit « Thaï » en dormant, Sandra a très bien pu se lever et le tuer parce qu'elle savait de quoi j'étais en train de rêver. C'est bien cela ?

— Oui. Et que vous vient-il à l'esprit, maintenant ?

Ross Thomas paraissait très énervé.

— Mais, mais... commença-t-il à bredouiller. Sandra n'a pas pu... elle n'a pas pu s'ouvrir le poignet avec une lame de rasoir simplement pour me faire croire que je l'avais fait en dormant !

— Et pourquoi pas ? Les femmes sont capables d'accomplir des choses étonnantes, si elles ont une bonne raison pour cela.

— Mais elle saignait comme un... Elle s'est évanouie ! Elle aurait aussi bien pu mourir ! Vous ne croyez tout de même pas qu'elle allait risquer de mourir vidée de son sang !

109

— Elle a bien pris soin de vous réveiller avant de s'évanouir, non ?

— Mais...

— De toute manière, poursuivit Randall d'un ton posé, voulant donner à Ross le temps de se ressaisir, votre épouse Sandra s'est tailladé le mauvais poignet. Elle dormait bien dans le lit jumeau qui se trouvait à la gauche du vôtre, n'est-ce pas ?

— Oui.

— Et vous dormiez donc dans celui qui se trouvait à droite du sien, d'accord ? Or elle s'est coupé le poignet gauche. Probablement parce qu'étant droitière, il lui était plus facile d'utiliser la lame de rasoir dans ce sens. Mais vous aussi êtes droitier. Et il vous aurait paru plus naturel, même pendant votre sommeil, de tenir la lame de rasoir dans *votre* main *droite* et de vous en prendre à son poignet le plus proche, non ? Pourtant, la lame se trouvait dans votre main gauche à votre réveil. Et le poignet de Sandra qui se trouvait le plus éloigné de vous, son poignet *gauche*, est celui que vous êtes censé avoir tailladé. Il y a quand même là quelque chose qui cloche. J'imagine que Sandra avait tellement hâte d'imprimer vos empreintes sur cette lame et de vous réveiller avant d'être trop affaiblie qu'elle ne s'est pas attardée sur ce genre de détails.

— Sandra ? murmura Ross Thomas, interdit.

— Qui a déposé une demande de divorce, ne l'oubliez pas.

— Mais Sandra n'est pas ce genre de femme — inhumaine, cruelle, fausse, pleine de haine.

Randall revint à la charge d'une manière détournée.

— J'ai examiné la mallette découpée en lanières que vous aviez portée au Dr Caldwell comme preuve de votre violence, monsieur Thomas. Les empreintes de votre épouse sont visibles à l'intérieur, partout où elle l'a empoignée pour pouvoir la déchiqueter. Là encore, elle a manqué d'esprit de prévoyance, me semble-t-il. Avait-elle l'habitude de fouiller dans vos affaires ?

— A ma connaissance, elle ne touchait jamais à cette mallette qui ne contenait que des papiers professionnels... Je la rangeais toujours dans la bibliothèque.

— Parfait, nous y voilà. J'imagine qu'elle n'aimait pas beaucoup votre chat ?

— Il arrivait que les miaulements de Thaï l'agacent, c'est vrai.

— Ce qui l'a assurément soutenue quand il a fallu tordre le cou de l'animal, la nuit où vous avez rêvé de lui.

La voix de Ross Thomas résonna, de plus en plus tendue.

— Mais *pourquoi* Sandra irait-elle m'infliger des choses aussi horribles ? Essayer de me faire croire que je suis fou ? Je ne l'ai jamais blessée, je ne lui ai jamais rien refusé, je ne l'ai jamais trompée.

— Vous vous posez les mêmes questions que moi, dit le lieutenant Randall, lorsque j'ai commencé à entrevoir la vérité. Maintenant, je connais la réponse. Elle ne vous aime pas, ne vous respecte pas, n'a même pas d'affection pour vous. Et de surcroît, elle n'en a jamais eu, du jour où vous vous êtes mariés, il y a un an de cela.

Ross Thomas rectifia avec raideur :

— Il y avait une sympathie réciproque, du respect et... de l'affection entre nous, lieutenant, j'en suis persuadé.

Randall secoua la tête.

— Bof, grommela-t-il. Certainement pas de sa part. Elle vous a épousé pour votre argent. Elle avait besoin d'un compte en banque, pas d'un mari.

Il détourna les yeux, ne voulant pas regarder Ross en face.

— Depuis deux jours, nous avons découvert quelques faits qui en apportent la preuve.

— Quels faits ?

— Pour résumer, votre femme avait une liaison avec un autre homme au moment de votre mariage — et elle n'a pas rompu par la suite. C'est un type peu reluisant. En fait, il a un casier judiciaire. Rien de très grave. Des petites escroqueries pour l'essentiel, en trompant la confiance des gens.

— Je vois le genre, dit Ross Thomas.

Soudain, pour la première fois, il serra les lèvres et eut une expression de colère dans le regard.

— Et qu'en déduisez-vous, lieutenant ?

— La même chose que vous. Ils ont fait leur plan : elle vous épouserait, vivrait quelque temps avec vous, puis trouverait un bon prétexte pour divorcer. Dans des conditions qui lui assureraient une coquette indemnisation, bien entendu. Que vous ayez attenté à ses jours pendant votre sommeil me paraît un très bon prétexte, non ?

— Un excellent prétexte, même ! J'étais prêt à lui donner n'importe quoi, admit-il en soupirant. Et avec joie.

— Ensuite, grâce à votre argent, elle aurait pu vivre confortablement avec son complice.

— Pendant que je languirais dans un asile pour aliénés dangereux ?

— Quelque chose dans ce genre, avec un peu de chance.

Ross Thomas garda le silence quelques minutes. Quand il reprit la parole, ce fut d'une voix calme et maîtrisée :

— J'imagine que nous ne pouvons rien contre eux ?

— Pas grand-chose, j'en ai peur. Bien des épouses

ont probablement saboté l'imperméable ou la sacoche de leur mari, voire occis leur chat, dans une franche atmosphère de bonne plaisanterie conjugale. De plus, c'est son propre poignet qu'elle a tailladé, pas le vôtre.

Randall sourit soudain.

— Mais j'ai le nom et l'adresse de l'amant de votre femme, et je connais plusieurs témoins fiables qui confirmeront leurs relations. Cela vous intéresse ?

— Non, dit Ross avec un pauvre sourire. Mais cela intéressera certainement mes avocats. Le Dr Caldwell est au courant de tout ça ?

— Oui, je lui ai parlé en arrivant. Vous pouvez rentrer chez vous quand vous voulez.

— Lieutenant, ce n'est pas tous les jours qu'un homme a la preuve qu'il n'est pas fou. Je vous suis infiniment reconnaissant d'avoir mené cette... enquête. Que puis-je faire pour vous le montrer ?

— Tout ce que je vous demande, c'est de ne pas rêver de *moi* !

Sur ce, il serra la main de Ross Thomas et sortit de la chambre.

The Dream-Destruction Syndrome.
Traduction de M.C. Aubert.

© 1968 by H.S.D. Publications.

LE CRÉATEUR DE SPUD MORAN

par John Lutz

Spud Moran était un dur, un coriace, un gars qui en avait. Il était impitoyable avec ses ennemis, impitoyable avec ses amis, impitoyable avec ses femmes. Les scrupules ne l'étouffaient pas ; pour lui, la fin justifiait les moyens. La manière forte, c'était son credo, son mode de vie, sa méthode de prédilection dans son métier de détective privé. L'écrivain Randall Morgan — créateur de Spud Moran — était loin d'être aussi coriace que son héros.

En cette froide soirée d'octobre, Randall Morgan observait les fenêtres éclairées du luxueux hotel en briques blanches, de l'autre côté de la rue. C'était un homme petit et mince, sans aucune ressemblance avec le colosse de granit qu'était sa créature littéraire. Son long nez — qui n'avait jamais été cassé — était chaussé de lunettes à double foyer, et ses mains fines — qui n'avaient jamais frappé sous le coup de la colère — étaient enfoncées dans les poches de son pardessus. Une lueur d'intérêt s'alluma dans ses yeux bleus, derrière les verres épais, lorsqu'une conduite intérieure de couleur sombre émergea du parking de l'hôtel. La voiture tourna à gauche sous le panneau au néon rouge indiquant la sortie, exécuta un impeccable demi-tour et se gara à la hauteur de Randall.

Se penchant vers la vitre du conducteur, Randall appuya ses mains sur le bord froid de la portière.

— Ils sont là, monsieur Morgan, dit le détective privé (un vrai, celui-là). Chambre vingt-sept.

Il annonça la nouvelle d'un ton indifférent. Ses yeux n'exprimaient aucune sympathie.

Randall se mordit la lèvre inférieure ; ses mains, crispées sur la portière sombre, blêmirent aux articulations. Il sentait que le détective avait froid et hâte de remonter sa vitre.

— Que désirez-vous que je fasse, monsieur Randall ? Vous voulez des photos ?

Randall se ressaisit et secoua la tête.

— Non, pas de photos.

— En repartant, dit le détective, ils seront obligés de passer devant l'entrée du bar. Si vous voulez les voir de vos propres yeux, vous n'avez qu'à vous installer dans l'un des boxes pour les guetter. Mais asseyez-vous à l'écart, de manière à ne pas vous faire repérer si jamais ils entrent boire un verre. Le bar est sombre.

— C'est ce que je vais faire, dit Randall.

Le détective le regarda d'un air à la fois soucieux et perplexe.

— Ne faites rien avant d'y avoir sérieusement réfléchi, monsieur Morgan. Je ne veux pas avoir d'histoires, vous me suivez ?

— Merci pour vos services, dit Randall. Vous recevrez le chèque demain matin au courrier.

Tournant les talons, il traversa la chaussée en direction de l'entrée de l'hôtel. Arrivé sur le trottoir opposé, il entendit la voiture du détective démarrer.

Le salon était plongé dans la pénombre. Des lampes à gaz disposées le long des murs dispensaient l'unique éclairage, une lumière vacillante qui conférait à la pièce une atmosphère curieusement relaxante. Randall se glissa dans un box, au fond de la salle, à un endroit d'où il avait une vue imprenable sur le hall. Il commanda un whisky soda à la séduisante serveuse et se prépara à attendre.

Au bout d'une demi-heure, il les vit. Ils s'arrêtèrent à l'entrée du bar, comme s'ils débattaient pour savoir s'ils devaient entrer ou non. Cy Claxton, en costume sombre et cravate, était — comme toujours — impeccable et élégamment vêtu. Il tenait par le bras la femme de Randall, essayant doucement de l'entraîner à l'intérieur du bar. Randall vit que Loreen portait sa robe rouge — celle qui lui allait si bien — et il remarqua que ses cheveux blonds étaient encore ébouriffés. La haine et le désir de vengeance s'emparèrent de lui tandis qu'il regardait Claxton franchir le seuil avec Loreen et se diriger vers un box situé à moins de six mètres du sien.

Ils passèrent commande et se mirent à bavarder comme deux amoureux. Randall sentit une boule se former dans sa gorge. Il décida de les aborder, en prenant un air dégagé pour ne pas montrer à Claxton combien il était bouleversé. Il se leva, son verre à la main, et s'approcha de leur table.

Loreen le regarda d'abord avec incrédulité, puis avec quelque chose qui ressemblait à de la panique. Claxton, lui, se contenta d'arborer une mine attristée et de pianoter sur la table, une seule fois, en un geste qui signifiait : « Faute à pas de pot ! »

Randall voulut leur demander négligemment s'il pouvait se joindre à eux, mais la boule avait grossi dans sa gorge, l'empêchant de parler.

— Asseyez-vous, dit Claxton.

Randall obéit. Loreen le regarda, les yeux remplis

d'une infinie pitié ; et pourtant, en cet instant, c'était Randall qui la plaignait. Il l'aimait encore et était prêt à lui pardonner n'importe quoi. Mais le dégoût et la haine dévorante que lui inspirait Claxton, c'était une autre histoire.

Les lèvres de Loreen s'entrouvrirent et remuèrent lentement, avec précision.

— Je suis désolée, Randall.

— Certainement pas autant que moi, chérie.

Elle se leva brusquement, les yeux brillants de larmes, et sortit rapidement du bar.

Haussant les épaules, Claxton esquissa un sourire désabusé.

— Il ne me reste plus qu'à dire que je suis désolé, moi aussi.

Randall regarda avec une haine mêlée d'envie le bel homme à la mâchoire carrée et aux tempes grisonnantes qui était assis en face de lui.

— J'ai décidé de vous tuer, Claxton.

Claxton arbora une moue ennuyée.

— Oh ! allons, Randall... simplement pour une femme ?

— Pas *une* femme. *Ma* femme !

— Mais ce sont toutes des épouses, des sœurs, parfois même des mères. Je comprends votre colère, Randall, mais cette aventure ne porte pas à conséquence. Et puis ce n'est pas comme si j'étais un parfait inconnu ! Après tout, c'est moi qui ai négocié le contrat pour votre dernier livre... Vous aviez certainement noté que nous étions attirés l'un par l'autre, Loreen et moi.

— Lorsque j'ai engagé un avocat, je ne pensais pas que ma femme serait incluse dans les honoraires.

Claxton émit un soupir impatient.

— Soyez adulte, Randall ! Loreen n'est pas une

pure jeune fille comme on en trouve dans vos romans à l'eau de rose !

— Il semble que non, dit Randall en regardant la nappe.

— Et si vous voulez mon opinion, je trouve que vous avez été bien sournois de nous faire suivre comme des criminels.

— C'est possible.

Claxton se radoucit.

— Ne prenez pas les choses trop à cœur, Randall. Si ça n'avait pas été moi, ç'aurait été quelqu'un d'autre.

Randall se pencha par-dessus la table.

— Peut-être, dit-il d'une voix égale, mais c'est *vous* que je vais tuer. Je vais concevoir votre assassinat avec autant de soin que j'en mettrais à concevoir l'intrigue d'un de mes romans.

— Mais à quoi cela vous avancera-t-il ? demanda Claxton, manifestement surpris par cet étalage de férocité.

— Vous ne comprendriez pas.

Claxton vida son verre.

— En tout cas, je tiens à vous prévenir que si vous essayez de faire le mariole, j'irai trouver la police.

Randall eut un sourire qui se limitait aux commissures des lèvres.

— Si cette histoire s'ébruitait, cela aurait un effet désastreux sur votre ménage, et il est fort probable que le respectable cabinet de juristes dont vous êtes l'un des associés laisserait tomber du jour au lendemain le nom de Claxton... Votre prometteuse carrière d'avocat en serait contrariée pour plusieurs années.

Claxton plissa les yeux, troublé par la justesse de cette observation.

— Et si j'écrivais une lettre destinée à être ouverte

après ma mort ? Une lettre dans laquelle je vous dénoncerais comme étant mon assassin ?

Randall haussa les épaules.

— Cela n'y changerait rien. Je suis assez intelligent pour m'assurer un alibi en béton. (De nouveau, la haine le submergea.) En ce qui me concerne, Claxton, vous êtes d'ores et déjà un homme mort.

— Épargnez-moi les dialogues ringards à la Spud Moran, Randall.

— Je compte justement m'y prendre comme Spud Moran pour vous tuer, répliqua Randall avec calme.

Claxton se tamponna la bouche avec une serviette qu'il examina ensuite pour voir s'il y avait du rouge à lèvres dessus.

— A une énorme différence près, dit-il en se levant.

— A savoir ?

— Vous n'êtes pas Spud Moran.

*
* *

Tout en rentrant chez lui au volant de sa voiture, Randall dut convenir malgré lui que Claxton avait raison : il n'était pas Spud Moran. C'était une chose de concevoir sur le papier un meurtre ou une habile escroquerie ; ça devenait une toute autre affaire dès lors qu'il devait — *lui*, Randall — mettre le projet à exécution. Spud Moran sortait souvent des limites de la loi pour résoudre ses affaires criminelles ou venger ses clients ; certes, Randall était capable de concocter de diaboliques machinations, mais il savait qu'il n'avait ni la volonté ni le sang-froid nécessaire pour les réaliser lui-même.

En entrant dans la maison, il trouva Loreen dans le salon. Elle avait bouclé ses valises et attendait un taxi.

Sans un mot, Randall rangea son pardessus dans la penderie. Quand il se retourna, Loreen était assise sur le divan, tête basse.

— Tu n'es pas obligée de partir, tu sais.

— Si, Randall, répondit-elle doucement.

— Je ne veux pas que tu t'en ailles.

D'une voix brisée par l'émotion, il reprit :

— Je pourrais te pardonner bien plus que ce que tu as fait, Loreen.

Elle se leva et arpenta nerveusement la pièce, comme s'il lui tardait de voir arriver le taxi.

— Je sais bien que tu me pardonnerais, Randall. Ce n'est pas cela.

Il écarta les mains.

— De quoi s'agit-il, alors ?

— Cy Claxton... (Elle plongea fermement son regard dans le sien.) Je crois que nous nous aimons, lui et moi.

Cet aveu prononcé, elle détourna aussitôt les yeux.

— Tu vas vivre avec lui ?

— Je sais qu'il est marié, dit-elle, sur la défensive. Mais il va divorcer. Tout est prévu. Je séjournerai à l'hôtel en attendant qu'il prévienne sa femme.

— D'après toi, à combien de femmes Claxton a-t-il raconté le même bobard ? demanda Randall avec colère.

Loreen rougit.

— Tu ne comprends...

Un coup de klaxon retentit au-dehors.

— Je suis désolée, Randall.

Sur ces mots, elle partit.

Abasourdi, Randall resta immobile à contempler la porte fermée. Au bout d'un moment, il alla dans la cuisine et se servit à boire. La chaleur de l'alcool s'ajouta au feu dévorant de sa haine pour Claxton.

Tard dans la nuit, couché dans son lit mais

incapable de dormir, il réfléchissait toujours au meilleur moyen d'assassiner Claxton. Mais ses cogitations n'aboutissaient à rien. Ce n'était *pas* la même chose que de construire un roman policier. Malgré tous ses efforts, il n'arrivait pas à se mettre dans la peau de Spud Moran, à penser comme un impitoyable et coriace détective privé. En l'occurrence, il s'agissait de la vie réelle — de sa vie à lui, Randall Morgan — et il n'était pas Spud Moran, sauf dans ses romans.

Pris d'une soudaine inspiration, il sortit vivement de son lit et s'installa devant sa machine à écrire. Il avait dit à Claxton qu'il concevrait son assassinat à la manière d'un roman policier... Eh bien ! c'était précisément ce qu'il allait faire. Ayant trouvé un bon titre pour sa nouvelle œuvre, il se mit aussitôt au travail et inséra une feuille de papier dans la machine. Ses doigts effleurèrent le clavier et se mirent à danser sur les touches.

LA VENGEANCE DE MORAN

En cette froide soirée d'octobre, Spud Moran observait le luxueux hôtel, de l'autre côté de la rue, en attendant que son assistant vienne lui faire son rapport. Tandis qu'il surveillait les fenêtres éclairées, une conduite intérieure de couleur sombre sortit du garage, effectua un impeccable demi-tour et s'arrêta à sa hauteur.

L'homme baissa sa vitre et regarda Moran d'un air quelque peu effrayé.

— Ils sont là, monsieur Moran. Chambre vingt-sept.

Moran prit appui sur la portière de la voiture et se pencha.

— T'as intérêt à pas te gourer...

Au bout de deux semaines, Randall sentit que son roman était bien parti pour être l'une des meilleures aventures de Spud Moran. C'était dommage de penser qu'il ne serait jamais publié, mais son auteur en tirerait un bénéfice d'un autre ordre : une vengeance assouvie et un sentiment de profonde satisfaction.

Si Randall Morgan était un homme compatissant, ce n'était pas le cas de Spud Moran. Le détective aimait tourmenter ses victimes, les voir se tortiller au bout de l'hameçon. Le lecteur y prenait un certain plaisir car, à l'instar de Claxton, les personnages qui faisaient l'objet du courroux de Moran méritaient toujours leur sort. Dès le chapitre trois, Moran avait coincé Claymont — l'homme qui avait kidnappé sa nouvelle fiancée — et le harcelait de coups de téléphone angoissants, menaçants.

***

La respiration oppressée, Randall écouta la sonnerie à l'autre bout du fil. Il y eut un déclic, puis la voix assurée de Claxton :

— Allô !

— Cy Claxton ?

— Lui-même.

— Je parie que votre femme sera incapable de vous identifier quand vous serez à la morgue.

— *Quoi ?* Qui est à l'appareil ?

— Il se peut même que votre cadavre soit trop déchiqueté pour permettre une autopsie.

Long silence. Puis :

— C'est vous, Randall ?

— Possible.

— Écoutez-moi bien...

Randall raccrocha.

Au chapitre cinq, Spud Moran faisait souffrir sa

victime par le biais de la poste américaine. Randall Morgan l'imita. Cy Claxton commença à recevoir au courrier des journaux dans lesquels son nom, soigneusement écrit au stylo, était ajouté à la rubrique nécrologique, dans l'ordre alphabétique.

Finalement, Claxton loua une boîte postale afin de ne plus recevoir son courrier chez lui. Une semaine plus tard, Randall entreprit de le suivre en permanence, en s'arrangeant pour que l'avocat l'aperçoive de temps à autre. Ce traitement lui donna toute satisfaction : il obtint presque exactement les résultats que Spud Moran, dans le roman, obtenait avec Claymont. La proie de Randall, Claxton, se mit à perdre du poids, à avoir les yeux cernés — comme s'il ne dormait plus — et, de jour en jour, ses mouvements devinrent plus saccadés, plus nerveux. De toute évidence, il prenait maintenant très au sérieux les menaces de son tourmenteur.

Vint le moment où Randall décida que sa proie avait suffisamment souffert : après tout, il n'était pas Spud Moran. Et il était maintenant impatient de voir tomber le couperet. Il commença donc à envisager différentes manières de terminer son roman.

Bien entendu, les problèmes de Spud Moran et ceux de Randall Morgan trouvèrent leur solution en même temps. Cy Claxton possédait dans les collines, au fond des bois, un cottage où il allait passer quelques jours chaque année, à la fin novembre, pour s'adonner à la chasse au cerf. Déployant la ruse et l'implacable dureté qui étaient l'apanage de Spud Moran, Randall échafauda son plan à partir de cette partie de chasse annuelle. Ce serait idéal pour le dernier chapitre.

Naturellement, dans les circonstances présentes, il ne fallait pas compter que Claxton allât passer un week-end seul au cœur des bois, mais cela ne posait aucun problème à Randall. A part lui et Claxton, personne n'était au courant de ces fameuses circonstances ; et à supposer que quelqu'un le fût, Randall aurait un alibi.

Cette nuit-là, il décida de terminer la première — et dernière — mouture de son roman. Les ultimes détails de son plan lui viendraient en écrivant. De plus, sa conscience professionnelle lui interdisait de ne pas aller jusqu'au bout d'une œuvre entreprise. Lorsqu'il aurait achevé son manuscrit, il le brûlerait consciencieusement dans l'incinérateur. Randall s'assit à sa machine et commença de taper :

Spud Moran attendit l'ouverture de la chasse au cerf pour agir. Il choisit un soir où il savait que Claymont serait seul chez lui. Il regarda le beau visage de Claymont blêmir de peur lorsque celui-ci, en ouvrant la porte, vit le revolver.

— Recule ! dit Moran avec un sourire crispé.

La porte se referma derrière eux. Un silence de mort régnait dans la maison.

— Pitié, Moran ! Je ferai tout ce que...

— Ce que tu vas faire, dit Moran avec un ricanement mauvais, c'est écrire un mot à ta femme pour lui dire que t'es parti à ton pavillon, histoire de chasser un peu. Ensuite, on montera dans ta chambre et t'enfileras ta tenue de chasseur.

Sous la pression du gros pouce de Spud Moran, le chien du revolver se dressa lentement.

— Si tu te montres coopératif, t'auras p'têt droit à un sursis.

Dans sa chambre, l'air emprunté, la sueur dégoulinant sur son visage au teint fleuri, Cy Claxton finissait de boutonner sa grosse canadienne à carreaux rouges et noirs. Il avait déjà mis un pantalon en velours épais et de hautes bottes en cuir. Il était manifestement partagé entre la peur et la fureur.

— Vous êtes fou si vous pensez pouvoir vous en tirer, Randall ! protesta-t-il d'une voix un peu étranglée.

Randall affermit sa prise sur le revolver, une arme petite mais meurtrière.

— Pas du tout. J'estime avoir environ quatre-vingt-quinze pour cent de chances. Et même si je suis arrêté et reconnu coupable, vous devriez savoir, en votre qualité d'avocat, que la peine de mort n'existe pas dans cet État. On me mettrait en liberté conditionnelle au bout de dix ans ; et franchement, Claxton, je suis prêt à sacrifier dix années de ma vie pour le plaisir de vous tuer.

Randall prit le fusil vide de Claxton et une boîte de cartouches.

— En route ! dit-il avec fermeté, dans le meilleur style de Spud Moran.

Ils descendirent l'escalier, entrèrent dans le garage et montèrent dans la voiture de Claxton. L'avocat s'assit au volant, le canon du revolver enfoncé dans ses côtes.

— Nous allons au pavillon, j'imagine ? dit-il, les dents serrées.

— Non, dit Randall. Chez moi.

— *Chez vous ?*

— Tout juste. Vous allez être mon invité, Claxton. Nous savons, vous et moi, que votre femme ne s'inquiétera pas si vous disparaissez quelques jours ; pour une fois, cependant, elle se trompera sur l'endroit où vous êtes.

La pression du revolver s'accentua. Claxton démarra.

La maison de Randall se dressait au milieu d'un terrain de trois hectares, hors de vue du plus proche voisin. Randall enjoignit à Claxton de s'adosser au mur intérieur du garage. Puis, empochant le revolver, il prit sur une étagère un fusil de chasse dont le canon était enveloppé, à son extrémité, dans un coussin souple. C'était un fusil d'importation, provenant des surplus américains ; il l'avait acheté de l'autre côté de la frontière de l'État. La police ne pourrait jamais en retrouver l'origine.

Il ordonna à Claxton de sortir et lui fit contourner la maison. Arrivés dans le jardin de derrière, ils s'arrêtèrent. Randall s'écarta à reculons de son prisonnier, prudemment, pas à pas. Claxton se tenait devant une grande bâche en plastique qui était déployée sur le sol dur et froid. Lorsqu'il fut à environ six mètres de Claxton, Randall s'immobilisa et épaula le fusil.

Tandis qu'il visait, il fut médusé de constater que, pour la première fois de la soirée, Claxton ne semblait pas effrayé.

— La minute de vérité, dit l'avocat avec un sourire farouche. Vous savez quoi, Randall ? Vous n'aurez pas le cran d'aller jusqu'au bout.

Randall se mit à trembler. Il avala sa salive, s'efforça d'affermir sa prise sur le fusil. Il abhorrait tuer, fût-ce pour écraser une mouche... Mais tuer Claxton, c'était différent. Spud Moran n'aurait pas hésité ; Randall n'hésita pas davantage. Il vit Claxton tomber en arrière tandis qu'un trou apparaissait sur le devant de sa canadienne.

Il avait choisi l'arme et la balle de manière à ce qu'il y eût le minimum de sang. L'épaisse canadienne absorba la plus grande partie du sang, qui ne tarda pas à se figer avec le froid. Il fallut dix minutes à Randall pour envelopper le corps dans la bâche et le cacher près de la maison, derrière des buissons, où il resterait pendant deux jours. Étonné de son propre calme, il retourna dans le garage, remit tout en ordre et décida d'aller rendre visite à des amis. Le moment était venu de se forger l'alibi qu'il avait prévu.

Le surlendemain du meurtre, en fin d'après-midi, il attaqua la dernière phase de son plan. Tout d'abord, il empoisonna les deux écureuils qu'il avait achetés la semaine précédente dans une boutique d'animaux. Lorsqu'ils furent morts, il les prit avec répugnance entre ses mains gantées et les fourra dans un sac en papier qu'il mit dans la voiture de Claxton. Puis, après avoir ouvert la porte de derrière du garage, il hissa — non sans mal — le corps de l'avocat dans le coffre de la voiture. Cela fait, il entra dans la maison et revêtit la tenue de chasse qu'il s'était achetée. Enfin, armé de son fusil de chasse tout neuf, il regagna le garage et sortit la voiture.

C'était là que commençaient les risques, mais ceux-ci étaient réduits au minimum. Ce serait pure malchance si un voisin, passant par là, voyait la voiture de Claxton sortir de l'allée de Randall ; mieux valait néanmoins prendre ses précautions. Randall attendit, l'oreille tendue dans le silence ; lorsqu'il fut certain de n'entendre au loin aucun bruit de moteur, il s'engagea rapidement dans la rue et prit la direction de la grand-route.

Deux heures et demie plus tard, il passait devant le parking du relais routier — ouvert toute la nuit — où il avait discrètement garé la voiture de location qui devait lui servir pour la suite de son plan. Il était à un kilomètre et demi de l'embranchement où il fallait tourner pour aller au pavillon de Claxton, lequel se trouvait encore un kilomètre et demi après la bifurcation. Il fallait compter trois bons quarts d'heure pour faire à pied le trajet entre le rendez-vous de chasse et le relais routier.

Randall s'engagea dans le chemin de terre menant au pavillon et gara la voiture. Il se mit au travail rapidement, avec une nerveuse efficacité, comme l'aurait fait Spud Moran. Après s'être introduit dans le pavillon avec les clefs de Claxton et avoir mis un peu de désordre pour faire croire que l'avocat y avait séjourné quelque temps avant de partir chasser, Randall se hâta de sortir le cadavre du coffre de la voiture. Il glissa à sa ceinture le sac contenant les deux écureuils morts, hissa le corps de Claxton sur ses épaules et s'enfonça dans les bois, chargé de son sinistre fardeau. Ainsi qu'il l'avait prévu, les empreintes ne poseraient pas de problème, car le sol était durci par le froid.

Après avoir marché pendant une vingtaine de minutes, il déposa le cadavre par terre et s'adossa à un arbre en poussant un soupir de lassitude et de soulagement. Mais il ne se reposa pas longtemps. Il entreprit d'ôter le plastique qui enveloppait Claxton et d'étendre le corps sur un lit de feuilles mortes, en lui donnant à peu près la position dans laquelle il était tombé quand la balle l'avait foudroyé. Randall remit les clefs du pavillon dans la poche du mort, plaça à côté du corps le fusil non utilisé et plia la bâche en plastique. Puis il quitta rapidement les lieux, non sans s'être assuré qu'il ne laissait aucun indice derrière lui. Si le cadavre était découvert le lendemain, le médecin légiste conclurait que Claxton avait été tué d'une balle trois jours plus tôt, et Randall serait en mesure de justifier de son emploi du temps pour la période en question. Officiellement, la mort serait imputée à l'un de ces trop fréquents accidents qui risquaient toujours d'arriver quand les chasseurs utilisaient des fusils à très longue portée.

Lorsqu'il estima être à une distance suffisante du cadavre, Randall sortit du sac les deux écureuils morts. Luttant contre la répulsion que lui inspiraient le sang et la violence, il les visa soigneuse-

128

ment et tira deux coups de fusil. Il froissa le sac en papier, le jeta, puis enveloppa dans la bâche les écureuils ensanglantés. Ceci expliquerait le plastique maculé de sang si jamais on lui posait des questions. Il serait tout bonnement un chasseur lambda rentrant chez lui à la fin du week-end.

Arrivé au parking du relais routier, il s'affala au volant de la voiture de location. Il avait très envie d'aller prendre un café pour se ravigoter, mais il lui fallait rentrer en ville le plus tôt possible. Avec un soupir, il ferma la portière et mit le contact. C'était terminé. Spud Moran aurait été fier de lui ! Il avait réussi son coup !

A cet instant, quelqu'un tapota à la vitre.

— Pas si vite, m'sieur, dit une voix. Faites voir votre permis.

Surpris, Randall leva les yeux et vit un grand gaillard arborant un insigne sur sa veste à col de fourrure. De l'intérieur du restaurant, le policier avait dû voir Randall traverser le parking.

La gorge sèche, Randall baissa sa vitre. La dernière chose qu'il pût se permettre, c'était une contravention ou une citation à comparaître qui prouverait sa présence dans le secteur où Claxton avait trouvé la mort. Il bredouilla, le cœur chaviré :

— Que... qu'y a-t-il, monsieur l'agent ? Je... je ne suis pas en stationnement interdit !

Le visage rougeaud du policier demeura impassible.

— Votre permis, m'sieur, s'il vous plaît.

Engourdi par la peur, Randall tendit à l'homme son permis de conduire. Tout pouvait encore s'arranger s'il arrivait à s'en tirer sans contravention ni citation à comparaître.

— Ce n'est pas votre permis de conduire qui m'intéresse, déclara le policier en regardant, sur le plancher de la voiture, le fusil de chasse et les écureuils enveloppés dans la bâche en plastique. Je veux voir votre permis de chasse.

Atterré, Randall se mit à trembler comme une feuille. Il voulut balbutier une excuse, dire à l'homme qu'il avait malheureusement oublié son permis, mais les mots refusaient de sortir. Ça n'avait pas d'importance.

— Vous êtes dans de sales draps, m'sieur. Ce n'est pas la saison de la chasse aux écureuils.

***

Le procès fut une terrible épreuve. Le martèlement impitoyable des questions de l'avocat général... le regard de Loreen, insistant et insondable... les coups d'œil déchirants de la veuve de Claxton, terrassée par le chagrin... Finalement, Randall craqua. N'importe qui aurait craqué, à sa place, Spud Moran lui-même aurait craqué !

En proie à une véritable crise d'hystérie, Randall renversa la table à laquelle il était assis avec son avocat, il insulta le jury, il insulta le juge, au point que six policiers en uniforme durent le maîtriser et l'expulser de la salle, hurlant et bavant, pour permettre au procès de se poursuivre.

Coupable ! Randall avait prévu que tel serait le verdict si jamais il se faisait prendre — mais il y avait une chose qu'il n'avait pas prévue. Il s'était résigné à l'idée de passer la majeure partie de son avenir en prison, mais il n'avait pas imaginé qu'on l'enverrait ici, dans cet endroit où les sourires étaient mécaniques et les heures interminables, cet endroit où une peine d'emprisonnement à vie ne pouvait être commuée.

Il leva la tête et posa à côté de lui, sur le banc en béton chauffé par le soleil, la pile de feuilles blanches qu'il avait laborieusement noircies au crayon. Dans la longue allée, de l'autre côté de la grille cadenassée, il voyait Loreen venir à lui, escortée d'un solide infirmier en uniforme. Lorsqu'ils furent arrivés à la grille, l'infirmier chuchota quelques mots à l'oreille de la jeune femme et s'en fut. Randall se leva et s'approcha d'elle, nouant ses doigts autour des barreaux.

Loreen avait l'air très mal à l'aise.

— Je... j'ai pensé qu'il fallait que je vienne te voir, Randall, dit-elle de sa voix lente et mesurée.

Il la dévisagea, le regard fixe.

— Randall ? dit-il, secouant la grille de ses mains crispées.

Alarmée, Loreen fit un pas en arrière, l'air étrangement désorienté.

Randall continua de secouer la grille avec violence, en hurlant :

— Je m'appelle *Moran*, poupée... *Spud Moran !* T'avise pas de m'approcher, vu ? Sinon, je démolis cette grille et j'te fends le crâne en deux !

Surgi de nulle part, l'infirmier apparut et raccompagna la visiteuse, Randall resta un moment à regarder la silhouette de Loreen s'éloigner à pas lents dans la longue allée. Puis, tournant les talons, il retourna s'asseoir sur le banc et se remit à la rédaction de son livre, un roman racontant l'histoire d'un gentleman cultivé, nommé Randall Morgan, qui entreprend un beau jour de commettre un meurtre.

The Creator of Spud Moran.
Traduction de Gérard de Chergé.

© 1968 by H.S.D. Publications.

L'ARBRE MAGIQUE

par James McKimmey

Vêtu d'une combinaison de travail décolorée et d'une chemise d'un rouge passé, George était assis dans la cuisine près de la vieille table ronde en chêne : quelle idée son père avait-il eue de ramener cette femme à la ferme ? Elle se tenait debout près de l'antique poêle à pétrole où l'on devait pomper en appuyant la paume à l'extrémité de la poignée rouge afin de faire monter la pression qui ferait jaillir des flammes bleues des brûleurs. George s'était acquitté de cet office le matin même, ce dont il n'était pas peu fier, mais la femme ne lui avait pas adressé le moindre remerciement pour sa peine. Il la regardait gratter une vaste poêle de fer au moyen d'une spatule, son jeune corps bien en chair tendant, au rythme de ses mouvements, le mince tissu de sa robe d'intérieur. La forme de ce corps avait suscité son intérêt et il ne s'était pas privé de le détailler à loisir lorsqu'il était bien sûr qu'on ne l'observait pas ; pourtant, il ne comprenait vraiment pas pourquoi cette vue produisait en lui des impressions aussi étranges — elle ne lui plaisait pas du tout.

Un vent cuisant, venu de la plaine, se glissait à travers le brise-bise de la porte, en dépit du soleil qui venait juste de se lever. George tourna les yeux vers son père qui épongeait son visage buriné au moyen d'un vaste mouchoir. Son bras droit dans le plâtre était maintenu en écharpe par une bande de toile blanche. Il se l'était cassé en tombant dans la soue, à la suite d'une glissade dans la boue gluante, mais, en ville, nombre de gars en avaient fait des gorges chaudes et ne cessaient de demander à son père quel genre de nuit il avait passé avec Jocy qu'il avait épousée la veille à l'église méthodiste. George avait assisté à la cérémonie vêtu d'un costume appartenant à son père, avec chemise blanche et nœud papillon jaune.

George s'était tué à leur répéter que son père ne s'était pas cassé le bras durant la nuit, mais le lendemain matin, dans la soue. Néanmoins ils ne semblaient pas l'écouter, riant de plus belle, et George n'y comprenait rien.

Son père, homme vieillissant, émacié par les durs travaux des champs, saisit un couteau d'argent et le pointa vers lui :

— Glisse ta serviette dans ton col, mon gars, sinon tu vas éclabousser tes vêtements, dit-il d'une voix râpeuse.

— Oui papa, répondit George.

Et il inséra un coin de la vaste serviette dans le col de sa chemise.

Jocy se retourna et, l'air maussade, apporta la poêle jusqu'à la table. Elle fit glisser des œufs sur l'assiette du père, puis servit George copieusement.

Celui-là s'empara avidement d'une fourchette, prit une bouchée et fit la grimace.

— Drôle de goût, dit-il.

— Ils sont brûlés, opina le père.

La femme se redressa, son joli visage figé. La peau de ses bras et de ses jambes nus était lisse et rose.

— Il se plaint toujours.

— Il a raison, insista le père. Les œufs sont brûlés.

— On ne peut pas tout apprendre en un jour, répliqua la jeune femme. Ce n'est pas une raison pour récriminer continuellement.

— Ce n'est qu'un enfant...

— Il a vingt-trois ans. Il aurait besoin d'une bonne fessée comme j'en recevais à la maison.

— Ne t'avise surtout pas de le toucher !

Le visage de la jeune femme se contracta sous l'effet de la colère, puis se radoucit au moment où la porte s'ouvrit pour livrer passage à un grand jeune homme. Il venait du petit logement construit en appentis à la grange. Il retira son chapeau de paille et découvrit son épaisse chevelure blonde, la blancheur du front à l'endroit où le chapeau protégeait la peau des rayons du soleil, contrastant de façon frappante avec le reste du visage d'un brun uni. Il sourit, les muscles saillant sous la combinaison ajustée et la chemise à damiers, adressant une inclinaison de tête, d'abord au père de George, puis à la jeune femme qui sourit avec gêne. B'jour tout le monde, dit-il en s'asseyant.

— 'Jour Tad, dit le père de George d'une voix sans accent.

— Salut Tad, fit Jocy en se précipitant vers le poêle. Vos œufs seront prêts dans une minute.

— Qu'est-ce que tu racontes, Tad ?

George avait lancé haut et clair son expression favorite. A présent, il se sentait bien. Tad était venu pour aider aux travaux de la ferme après que son père s'était cassé le bras, et il avait plu à George dès le début. Il n'existait pas une seule chose au monde que Tad ne connût pas ; c'était sûr. Tad le traitait toujours bien, souriant, riant et plaisantant avec lui, mais sans jamais montrer de méchanceté comme le faisait parfois la jeune femme.

— Comment vas-tu ce matin, Georgie ? s'enquit Tad.

— Ça va.

— J'en suis certain ! Georgie est un bon garçon, monsieur Swanson.

Swanson inclina la tête avec brusquerie et George fut certain d'avoir surpris une lueur de plaisir dans les yeux de son père. Néanmoins sa voix demeurait toujours aussi inexpressive et râpeuse que jamais.

— Je vais conduire le tracteur aux arpents du sud, Tad. Je dois réparer les clôtures le long du canal d'irrigation. Tu donneras à manger aux porcs. Ensuite tu monteras au grenier et tu porteras du foin pour garnir le râtelier du cheval. Le tuyau qui part de l'éolienne est mangé par la rouille. Il y en a un autre dans la grange. Tu iras le prendre et tu le monteras à la place du vieux. Demain nous commencerons à défeuiller.

— Comme vous voudrez, monsieur Swanson. Mais peut-être vaudrait-il mieux me laisser défeuiller tout seul.

— Je ne dispose que d'une seule main, dit le père en se levant. Mais un manchot est encore préférable aux deux bras de certains citoyens de ma connaissance.

— Certainement, patron, dit Tad, je le crois. Je demanderai à Georgie de m'aider à remplacer le tuyau.

— Bonne idée. Jocy, tu iras ramasser les œufs. N'oublie pas.

— Pas de danger que ça m'arrive, dit-elle sur la défensive. Je le fais chaque jour.

Le fermier prit un chapeau de paille taché de

sueur à une patère et sortit dans la chaleur de fournaise, baissant la tête pour franchir la porte à cause de sa haute taille.

— Tu iras prendre ton chapeau dans le placard de la salle, Georgie, dit Tad lorsqu'il eut fini de manger. Le soleil serait trop chaud pour ta tête nue.

— Entendu, dit George qui se leva. Il était grand, avec des joues rondes, et sa combinaison de travail était tendue au niveau de la ceinture. Il sortit de la cuisine et pénétra dans la salle où il faisait plus frais. Sa mère dont il ne se souvenait pas très bien, car elle était morte depuis fort longtemps, avait toujours tenu la pièce fermée, sauf par les soirées d'automne et d'hiver où toute la famille venait s'asseoir sur les sièges de cuir noir devant la grande cheminée de briques qui occupait presque la moitié du mur. Elle avait aimé cette pièce. Une Bible reliée en cuir était posée sur une table à dessus de marbre et, près de la Bible, se trouvait un vase transformé en lampe avec un abat-jour en panneaux de verre cramoisi, ourlé d'un ruban de feutre vert d'où pendaient des perles de toutes les couleurs. George adorait cette lampe et il souhaitait l'arrivée de l'automne afin que la famille pût venir dans cette pièce, s'asseoir devant le feu, avec la lampe à l'abat-jour cramoisi dont les perles irisaient la lumière, et les flammes jaillissant, hautes et brillantes dans le crépitement des bûches. George adorait la pièce tout entière de même que l'avait fait sa mère. Quelque chose de profondément enfoui dans son être lui disait qu'il y avait souvent tenu compagnie à sa mère ; là, il était toujours heureux.

Il s'immobilisa près du mur recouvert d'un papier aux fleurs pourpres et examina dans son cadre, la page du 23ᵉ Psaume qui s'y trouvait suspendue. George ne savait pas lire, mais son père ne manquait jamais de lui en faire la lecture à chaque fois qu'ils entraient ensemble dans la salle. Parfois, il lui arrivait même de se rappeler certains passages comme par exemple à présent « ... *et j'habiterai pour toujours la maison du Seigneur.* » Il ne connaissait pas exactement la signification de cette phrase, mais la maison du Seigneur devait, il en était persuadé, ressembler exactement à cette pièce.

Il ouvrit le placard, prit son chapeau sur une étagère et, de la paume, lissa avec complaisance le feutre gris et souple. Il l'avait choisi dans un catalogue, cinq ans auparavant, et son père l'avait fait venir. Il possédait un bord solide et large, une coiffe ronde dans laquelle il avait percé nombre de trous triangulaires afin de le porter durant l'été sans trop souffrir de la chaleur. Le plus beau était encore le ruban où se trouvait accrochée une demi-douzaine de jolies choses : une bague de cigare en métal doré, une étoile d'argent, un soldat de plomb, une petite sagaie, le tout provenant de paquets-surprises ; une mouche jaune et duveteuse pour la pêche au lancer que lui avait donnée M. Tettman, banquier et notaire à la ville et une authentique pointe de flèche indienne taillée avec une scrupuleuse perfection dans un silex d'un brun fumé. Son père l'avait aidé à fixer tout ça au ruban, à l'aide de fil et de colle.

Arborant fièrement son chapeau, George ouvrit la porte menant à la cuisine, où il vit Jocy, les joues empourprées, s'écarter brusquement de Tad, et s'affairer soudain autour de ses casseroles.

— Paré, collègue ? demanda Tad d'un ton allègre.

— Paré ! répondit George.

Ils sortirent dans le chaud soleil. La vieille grange se dressait grise et décrépie sur le ciel blanc, avec le silo au-delà et la terre s'étendant toute plate vers l'horizon, les terres en jachère et les champs de maïs aux tiges sèches, avec leurs feuilles bruissantes, aussi loin qui l'œil pouvait porter. Les pales de l'éolienne tournaient avec un grincement soutenu de fer rouillé. Dans l'enclos, près du poulailler attenant à la grange, la volaille courait et s'agitait follement. Salomon, le vieux cheval, se tenait, pitoyable, dans sa petite enceinte, le dos creusé et les yeux las. Le père de George l'avait employé au labourage jusqu'au moment où il avait acheté le tracteur, son unique concession au progrès. Un camion-benne d'un bleu décoloré réfléchissait le soleil à l'orée du chemin de terre menant à la grand'route.

— Attends-moi près de l'éolienne, Georgie, dit Tad. Je vais aller prendre ce tuyau et quelques outils.

George se tenait dans le soleil, près du châssis de l'éolienne, à l'endroit où le tuyau mangé de rouille conduisait à un bassin de métal d'où l'eau s'écoulait dans une auge plus grande à l'intérieur de la soue.

Tad revint au bout de quelques minutes, portant un tuyau et une boîte à outils.

— Eh bien, Georgie, penses-tu que nous viendrons à bout de cette réparation ?

— Je suppose, dit George. Tad... Elle te plaît, Jocy ?

Tad lui jeta un regard rapide.

— Sans doute. Pourquoi, Georgie ?

— Je ne sais pas. Je pense parfois que papa aurait mieux fait de ne pas l'épouser.

— Voyons, il faut que tu penses à ton papa, Georgie. S'il l'aime, il faut que tu l'aimes à ton tour, comme moi.

— Peut-être.

— Ainsi va la vie, Georgie. Il faut bien faire des concessions aux autres gens, même lorsque cela vous coûte.

— Peut-être bien que oui.

138

— Maintenant, voyons cette éolienne. Elle n'est pas de la première jeunesse c'est sûr. Sais-tu ce qui la fait fonctionner, Georgie ?

— Je crois bien que non.

— Il y a un puits là-dessous. Et des pales là-haut. Le vent souffle et fait tourner les pales. Les pales sont montées sur un axe qui fait tourner une roue. Voilà ta force motrice. Cette force motrice fait marcher la pompe. Alors l'eau remonte du puits et pénètre dans le tuyau que voici. Je parie qu'on obtient peut-être deux chevaux vapeur pour un vent de trente kilomètres à l'heure. Mais le tuyau est rongé par la rouille et il fuit. Si les cochons dans la soue n'avaient plus rien à boire, ils finiraient par se dessécher. Nous ne pouvons pas envisager une telle chose, n'est-ce pas Georgie ?

— Je suppose que non.

D'un geste énergique, Tad ouvrit la boîte à outils et en sortit deux clefs. Il se mit en devoir de dévisser les écrous reliant le tuyau à la pompe.

— D'où viens-tu ? demanda George.

— Oh ! j'ai été un peu partout. En Georgie, en Oklahoma, au Texas, dans les Dakotas.

— Comment se fait-il que tu sois venu ici ?

— Au hasard de ma route. Je me suis arrêté en ville. Quelqu'un à la coopérative m'a prévenu que ton papa s'était cassé le bras et avait besoin d'un ouvrier agricole. Et me voilà.

— Je suis content que tu sois là, dit George timidement.

— Cela me fait plaisir de te l'entendre dire, Georgie. Maintenant j'aimerais en apprendre davantage sur toi pendant que nous réparons cette éolienne. Qu'est-ce que tu aimes le mieux ?

— Mon papa, je suppose.

— Bien sûr, ton papa, et ensuite ?

— Mon arbre magique, répondit George en souriant.

— Tu ne m'as jamais parlé de ton arbre magique.

— Je ne voulais rien dire à personne jusqu'à présent. Aujourd'hui je t'ai dit mon secret.

— Donne-moi encore quelques détails, Georgie.

— Eh bien, il y a un bon moment que je l'ai vu, là-bas, vers le sud-ouest. Il était brisé au sommet et plein de trous et de creux de toutes sortes, et mon papa m'a dit que c'était un éclair qui l'avait cassé. Il m'a dit aussi que c'était un arbre d'un genre spécial, vu que l'éclair est venu d'en haut, comme si Dieu l'avait visé, tu comprends ? Et crac... voilà l'arbre par terre, en pièces et en morceaux. Maintenant, il est mort. Papa dit que c'est peut-être l'arbre de Dieu. Mais moi, je me demande si ce n'est pas de la magie. Et il dit que c'en est peut-être, vu que Dieu c'est aussi de la magie. Et c'est mon arbre magique.

Tad interrompit son travail. Ses mains puissantes étreignaient les clefs.

— J'ai aperçu cet arbre, en effet. A quoi te sert-il, Georgie ?

— J'y mets des choses — de jolies choses. Il est rempli de cachettes de toutes sortes, et surtout, il y a un trou qui descend profond, profond.

Tad découvrit ses dents blanches dans un sourire.

— Tu fais comme l'écureuil, hein, Georgie ?

— Je ne sais pas. Je fais comme papa.

Les yeux bleus de Tad étincelèrent d'un intérêt accru.

— Est-ce que lui aussi il cache des choses, Georgie ?

— Je l'ai vu. Il cache des boîtes à café. Un peu partout. Il ne s'est jamais aperçu que je l'avais vu, Tad. Alors ne lui en parle pas.

Tad secoua gravement la tête.

— Je m'en garderais bien, Georgie. Que contenaient ces boîtes ?

George sourit d'un air rêveur.

— Rien d'aussi joli que ce que je cache dans mon arbre magique.

— Eh bien, que mets-tu dans ton arbre ?

— Des haricots, de jolies fleurs, des sous neufs... tout ce qui est joli. Dieu l'a rendu magique, vois-tu, avec l'éclair, si bien que tout ce que j'y dépose demeure intact.

Tad eut un sourire entendu.

— L'as-tu jamais vérifié, Georgie ?

George secoua la tête.

— Ce ne serait pas loyal. Je gâcherais tout.

— Maintenant... ces boîtes que ton papa a cachées, contenaient-elles de l'argent ?

— L'argent n'est pas joli, répondit George avec une totale absence d'intérêt. Pas les billets en papier, en tout cas. Les pièces sont jolies, lorsqu'elles sont neuves.

— Et les haricots aussi, dit Tad. Es-tu certain d'avoir vu ton père cacher des boîtes ?

— Ne le lui répète pas.

— Pas de danger, Georgie. Maintenant, nous avons presque terminé la mise en place de ce nouveau tuyau, n'est-ce pas ? Sitôt que nous aurons terminé notre travail, tu devrais peut-être aller faire un tour pour voir comment se comporte ton arbre magique. N'est-ce pas une bonne idée, Georgie ?

George inclina la tête.

— Je veux bien.

L'arbre se dressait, seul, dans le champ, avec, tout autour, des herbes de prairie pâles et sèches émergeant du sol durci par le soleil. George fit glisser sa main le long de l'écorce rêche, regardant la cime déchiquetée au-dessus de sa tête, puis les courbes et circonvolutions innombrables qui avaient déterminé dans le bois les poches où il avait logé les jolies choses. Il y avait un trou béant, juste à hauteur d'œil, menant à la souche évidée. Lorsqu'on y glissait les jolies choses, on les entendait heurter le fond de la cavité. Une fois, il y avait jeté un bel objet et un écureuil avait soudain bondi du trou, lui causant la plus grande frayeur de sa vie. Ensuite l'animal s'était éloigné en sautillant et George lui avait crié de ne jamais revenir. Il avait certainement obéi, car cet arbre était le sien et Dieu lui-même en était averti.

George s'assit sur le sol, le dos appuyé contre le bois, de telle sorte qu'il se trouvait dans l'ombre projetée par l'arbre mort. Il ne pensa pas à grand-chose durant un certain temps, simplement heureux de se trouver seul à cet endroit, avec son arbre. Il se disait que l'arbre était un bien précieux, un bien magique grâce à l'éclair. Toutes les jolies choses qu'il avait rencontrées, il les avait mises de côté et confiées à sa sauvegarde. Finalement, il se leva et trottina vers la maison.

Son père n'était pas encore rentré sur le tracteur jaune. Il jeta un coup d'œil dans la cuisine, mais Jocy n'y était pas. Peu lui importait d'ailleurs. Il rebroussa chemin et contempla les porcs vautrés dans la boue, constata que le nouveau tuyau ne fuyait pas et que l'auge, dans la soue, était pleine à déborder. Les bêtes étaient étendues sur le flanc, dans la fange, et le soleil séchait le côté exposé, si bien que la boue s'était agglomérée en prenant la couleur du mastic.

— Qu'est-ce que vous racontez, les cochons ? demanda-t-il.

Mais aucun ces animaux ne s'éveilla pour lui jeter un regard.

Il se dirigea ensuite vers le petit enclos où était le cheval. Il grimpa sur la première barre de la clôture et tendit la main, mais le cheval ne répondit pas. Il gardait une immobilité de statue, les côtes saillantes, le dos avachi, les boulets fatigués, la queue à l'abandon, les sabots fendillés.

— Qu'est-ce que tu racontes, cheval ? dit-il.

Mais Salomon se contenta pour toute réponse de faire tressaillir un muscle d'épaule.

Finalement il se dirigea vers la basse-cour et se pencha pour scruter l'intérieur du poulailler. A l'endroit où un rayon de soleil se glissait entre deux planches disjointes du toit, il aperçut un œuf dans un nid.

— Sale femme ! bougonna-t-il, constatant que Jocy n'avait pas encore ramassé les œufs ainsi qu'elle devait le faire.

Puis il pénétra dans la grange, laissant la porte ouverte. Le soleil s'infiltra pour dessiner un grand rectangle brillant sur la paille. L'odeur de la volaille était puissante à cet endroit, et la stalle où l'on avait trait la vache était vide parce que l'animal était mort depuis sept mois. Il eût aimé que son père en achetât une autre. Un vieux harnais de cuir poussiéreux était pendu à un gros clou planté dans le mur, et une échelle de meunier menait à une ouverture carrée donnant dans le grenier à foin. Il s'immobilisa en entendant la voix de Jocy au-dessus de lui.

— Maintenant, arrête, Tad !

Il demeura immobile et tendit l'oreille au rire grondant de Tad.

— Il ne faut pas, Tad ! dit Jocy qui riait nerveusement à présent. Non... arrête maintenant... il sera de retour d'une minute à l'autre... arrête !

Et puis George ne put en entendre davantage. Il n'y avait plus que le léger murmure du vent passant à travers la grange et le craquement du bois vermoulu des charpentes. Finalement il les entendit bouger, et il quitta la grange en vitesse. Tad fut le premier à sortir. Jocy le suivit de près. Tad lui sourit, et le visage de Jocy se colora dans le soleil tandis qu'elle se hâtait vers le poulailler.

— Veux-tu que nous allions voir ton arbre magique, collègue ? demanda Tad.

George inclina la tête silencieusement, en regardant Jocy qui se penchait pour ramasser les œufs dans le poulailler. Il se sentait tout drôle en observant la façon dont le tissu léger se plaquait sur ses hanches.

— Tad ? dit-il enfin.

— Qu'est-ce qui te tracasse, vieux collègue ?

— Que faisiez-vous, Jocy et toi, dans le grenier à foin ?

Tad tira de sa narine un index durci par le travail et le fit descendre au coin de sa bouche. Il sourit de nouveau.

— Pourquoi me demandes-tu cela ?

— Je l'ai entendue parler... après tu as ri... et elle aussi. C'est tout.

Tad posa doucement une main sur son épaule. A présent le père de George était en vue, conduisant le tracteur de sa main valide.

— Je vais te dire ce qui est arrivé, Georgie. L'une de ces poules stupides s'est glissée par le fond du poulailler et a pénétré dans la grange, après quoi elle s'est précipitée tout droit dans le grenier à foin, et c'est là qu'elle avait pondu ses œufs. Le croirais-tu ?

— Jamais entendu une pareille chose, répondit George, honnêtement.

— Ni moi ! Mais Jocy se faisait du souci, car elle craignait de perdre des œufs. C'est pourquoi je suis monté là-haut en sa compagnie pour jeter un coup d'œil. Nous avons trouvé la poule ainsi que les œufs, après quoi nous avons ramené la poule au poulailler. N'est-ce pas incroyable, Georgie ?

— Tu parles, dit George.

— Maintenant, n'en dis rien à ton papa. Tu sais dans quel état il se met lorsqu'une poule s'échappe. Tu te souviens de sa fureur le jour où ce coyote est entré dans le poulailler et a tué cinq volailles ?

— Il était fou de rage en effet.

— Eh bien, collègue, il ne faut pas qu'il repique une crise.

— Entendu.

A ce moment, le tracteur pénétrait dans la cour devant la grange, et Tad s'écriait gaiement.

— N'allez pas plus loin, monsieur Swanson. Vous ne disposez que d'une seule main, ne l'oubliez pas. Comment ça s'est passé, cette réparation de clôture ?

Son père et Tad travaillèrent dur au défeuillage. Ils avaient presque terminé quand M. Swanson se coupa profondément la jambe avec le crochet d'acier de son outil. Il perdit pas mal de sang en rentrant du champ, mais George et Jocy s'en furent quérir Tad qui travaillait un peu plus loin et il emmena le père en ville dans le camion-benne. Le docteur pansa M. Swanson et déclara qu'il semblait prédisposé aux accidents dans ses vieilles années. Il s'efforçait, ajouta-t-il, d'accomplir un travail d'homme normal et il avait forcé la note. Mais l'accident prouvait que Tad devait rester à la ferme pour aider aux travaux. Plus de fois que George n'en aurait pu compter, cette poule stupide s'échappa du poulailler pour aller pondre dans le grenier à foin, si bien que Jocy et Tad durent à chaque fois s'y rendre pour l'y chercher. George examina ce poulailler avec le plus grand soin, mais fut incapable de trouver l'issue par laquelle la poule prenait la fuite. Cependant Tad lui confirma que c'était bien ainsi que les choses se passaient, et nul n'en parla jamais à son père.

L'été s'avançait. Le docteur retira du plâtre le bras de son père, mais celui-ci boîtait toujours de sa blessure à la jambe. Les nuits demeuraient tièdes, et parfois George se levait et sortait pour contempler les champs et la prairie qui s'étendaient au loin sous la lune et sentir le vent chaud lui caresser les joues. Souvent il entendait un vieux coyote hurler quelque part alentour, mais il n'avait pas peur. Son père avait tué une fois un coyote qui avait trucidé des volailles. Il était rentré avec la bête gisant à l'arrière du camion-benne, il l'avait jetée sur le sol, aux pieds de George, et le sang ruisselant du trou qu'elle avait au cou s'était mêlé à la boue. George n'avait pas aimé cela du tout. Le coyote ressemblait à un chien qu'ils avaient eu autrefois, et il ne voulait pas penser que c'était son père qui avait tué la pauvre bête. De tout le reste de la journée, il ne lui avait pas adressé la parole.

Puis ce fut soudain l'automne, et les nuits se firent plus fraîches. C'est un matin, après une nuit glaciale, qu'il trouva Tad près de la grange, en train de préparer des cartouches avec de la poudre.

— Qu'est-ce que tu racontes, Tad ?

— Eh bien, Georgie, je me prépare à régler son compte à ce coyote qui tourne autour des poules.

Il était assis en plein soleil, sur un vieux banc de travail, une carabine près de lui.

— Les coyotes ne font pas de mal, dit George.

— Peut-être, mais celui-ci est méchant, Georgie.

— Je n'ai jamais été inquiété par un coyote.

— C'est sans doute que tu ne t'en es pas approché assez près, Georgie.

— Ils prennent toujours la fuite.

— Sans doute, mais s'ils pouvaient te surprendre dans un coin, ils t'arracheraient la figure. Les coyotes sont des prédateurs.

— Quoi ?

— Ils chassent les autres animaux, sans se soucier de l'espèce, du moment qu'ils s'en tirent sans dommage. C'est aussi un porteur de la rage. Si tu te fais mordre par un coyote enragé, tu deviens fou sous le soleil et tu meurs.

George frissonna quelque peu en se frottant le nez, mais il n'aimait pas le spectacle de ces cartouches s'amassant dans le sac graisseux.

— Ils ont le nez fin, dit Tad en souriant. Je prends cette carabine (il souleva l'arme à court canon), je m'approche suffisamment et je fais ce mouvement de va et vient.

Il manœuvra méchamment le levier.

De nouveau George frissonna, se souvenant de cet autre coyote que son père avait jeté à ses pieds. Il espérait que Tad ne pourrait jamais se rapprocher suffisamment pour tirer celui qui hurlait la nuit, quelque part dans la prairie et il le quitta pour se rendre à son arbre magique. Soigneusement, il tira de sa poche le bel objet qu'il avait trouvé le matin même au pied du poteau de bois supportant la boîte à lettres métallique. C'était une poignée de portière de voiture chromée, qui brillait magnifiquement au soleil. Peut-être était-elle tombée la veille du camion du facteur lorsqu'il s'était arrêté pour déposer le courrier. George la polit soigneusement contre sa combinaison, puis la fit tomber dans le grand trou et l'entendit heurter le fond de la cavité. Ceci fait il tapota affectueusement l'arbre, sachant que l'objet était en sécurité sous sa garde et il reprit le chemin de la maison.

Une voiture de modèle ancien à la carrosserie noire et luisante se trouvait dans la cour, auprès du camion-benne de son père, et George entendit des voix provenant de la maison. S'arrêtant devant une fenêtre entr'ouverte, il tendit l'oreille et finit par reconnaître la voix du vieux M. Tettman, le notaire banquier, qui parlait à son père d'une voix persuasive.

— Voyons, Henry, il est temps que vous rédigiez un testament. C'est une chose raisonnable que je vous demande là.

George s'assit sous la fenêtre et continua d'écouter.

— Moins il y a de papiers et mieux ça vaut, dit la voix râpeuse du père, mais je veux que l'avenir du garçon soit assuré.

— Il est pénible d'y penser Henry, mais vous vous êtes cassé le bras et vous avez une grave blessure à la jambe. On ne sait jamais ce qui peut arriver. Êtes-vous bien certain de vouloir faire de Jocy votre légataire universelle ?

— Elle est ma femme.

— C'est entendu, Henry, mais elle est jeune, vous savez. Nous pourrions prévoir une sorte de placement. C'est à dire si...

— Elle est ma femme. Je lui ai recommandé de prendre soin du garçon s'il m'arrivait quelque chose. Elle n'y manquera pas.

— Ce que je voudrais vous dire, Henry, c'est qu'il existe dans l'État d'excellents établissements qui ne demanderaient qu'à l'accueillir. Il serait heureux dans l'un d'eux. Et je pourrais déposer une provision pour...

— Je ne veux pas que ce garçon soit enfermé dans l'un ou l'autre de vos établissements. Cette ferme est tout ce qu'il connaît. Il ne pourra que s'étioler et mourir dans ces maisons dont vous parlez. Je le connais. Jocy prendra soin de lui. Elle est ma femme et je lui en ai parlé.

M. Tettman soupira.

— Très bien, Henry. Je ne discuterai pas davantage avec vous. Mais comment Jocy pourra-t-elle accomplir vos volontés s'il vous arrive malheur ? Vous n'utilisez pas la banque et sans protection...

— Contentez-vous d'inscrire toutes mes possessions terrestres. Cela comprend la ferme, la terre, le matériel agricole, le cheptel et la boîte métallique à cadenas qui se trouve dans le dernier tiroir de mon bureau dans ma chambre à coucher. C'est tout ce que vous devez inscrire.

— Je ferai ce que vous voudrez, Henry.

George se leva et s'éloigna, soudain bouleversé et effrayé. Il ne comprenait pas grand-chose à la conversation qu'il venait d'entendre, mais une chose était certaine : il ne voulait pas s'en aller. Ne plus vivre ici ? Abandonner l'arbre magique ?

Pour se consoler, il alla retrouver Tad, qui travaillait à présent sur le tracteur.

— Qu'est-ce que tu racontes, Tad ?

— Eh bien, Georgie, je crois que ton papa a utilisé un mauvais mélange dans cet engin. Je crois que c'est de là que vient tout le mal.

— J'ai entendu mon papa qui parlait dans la maison avec M. Tettman, le notaire.

— Vraiment ?

— Oui, dit George.

Après quoi il répéta à Tad tout ce qu'il avait entendu.

Tad interrompit son travail sur le tracteur et écouta de toutes ses oreilles, le regard absorbé. Lorsque George eut terminé il dit :

— Il n'arrivera rien à ton papa, Georgie. Il ne faut pas te tracasser. Il vivra cent ans. Tu n'auras pas besoin d'aller ailleurs.

George se sentit de nouveau bien sûr de l'avenir, et il se félicita que Tad fût venu travailler à la ferme. Mais, deux jours plus tard, son père eut l'épaule brisée.

Après que Tad eut conduit M. Swanson à la ville,

où le docteur le mit dans le plâtre en lui déclarant qu'il devrait séjourner au moins trois jours dans le petit hôpital, le jeune homme s'assit à la table de la cuisine en compagnie de Jocy et de George et leur raconta exactement ce qui s'était passé.

— C'était la corde avec le grand crochet de fer de la poulie montée sur le mur de la grange. Henry m'avait demandé de hisser quelques balles de foin au grenier pour l'hiver. Il m'avait donné l'ordre de grimper et de dégager le crochet. C'est ce que j'ai fait. Il était debout, en bas sur la paille, me tournant le dos, et voilà que le crochet cède tout d'un coup. Il tombe et il va le frapper à l'épaule gauche. C'est comme ça que ça s'est passé. Le docteur dit qu'il sera remis en un rien de temps. Mais cet accident prouve une chose et c'est ce que j'ai répété à tout le monde en ville : quand un homme commence à avoir des accidents, ça ne s'arrête plus.

— Pauvre Henry, dit Jocy en regardant Tad.

— Rien ne pourra jamais faire beaucoup de mal à mon papa, dit George bravement.

— C'est parfaitement vrai, Georgie, dit Tad avec enthousiasme. Ton vieux papa est bien trop costaud pour cela.

Le lendemain matin, lorsqu'il traversa la cour, Tad apparut au seuil de la grange.

— Georgie, tu n'aurais pas vu mon sac de cartouches ?

— Non, dit George.

— Je l'avais placé dans la grange, près de ma carabine et voilà qu'il a disparu.

— Je ne l'ai pas vu.

— C'est peut-être ton papa qui l'a ramassé. Lorsqu'il rentrera je lui poserai la question. Je voulais me mettre en chasse de ce coyote. Le vent est tombé un peu et il pourrait bien se déplacer. Il faudra que j'y renonce, je suppose.

— Entendu, dit George.

Et il se dirigea vers son arbre magique où il s'assit le dos contre le tronc mort pour somnoler un instant, car il n'avait guère dormi la nuit précédente.

Jocy s'était montrée agitée ces deux dernières nuits, mais alors le père était rentré et elle avait paru se calmer. George lui-même dormit mieux après le retour de son père. Celui-ci ne pourrait pas reprendre le travail avant un certain temps et il demeurait assis dans la salle sur un fauteuil de cuir noir. Le soir venu, ils se rassemblaient tous dans cette pièce, car il faisait suffisamment froid pour qu'on allumât du feu dans la cheminée. Tad coupait le bois pour alimenter le foyer.

Un soir, Tad cligna de l'œil à l'adresse du père de George.

— Nous possédons maintenant une bonne provision de bois, monsieur Swanson, mais lorsque nous recommencerons à courir de côté et d'autre, nous pourrions abattre le vieil arbre foudroyé qui se trouve au sud-ouest. Il nous procurerait une bonne chaleur dans cette pièce.

Les yeux de George s'arrondirent et son visage s'empourpra d'une brusque panique. Mais à ce moment, son père se mit à rire doucement :

— Je pense qu'il vaut mieux épargner cet arbre, Tad.

— Vous avez sans doute raison, monsieur Swanson, dit Tad en souriant.

Du coup George se sentit soulagé et heureux de se trouver dans cette pièce que sa mère avait autrefois aimée, avec son papier de tapisserie à fleurs pourpres, et le 23e Psaume encadré, et le feu qui faisait crépiter les bûches, la lampe, sa lumière rouge et ses perles irisées. Il commençait à s'habituer vraiment à Jocy à présent ; elle ne s'attaquait plus guère à lui et préférait sans doute l'ignorer, ce qui lui convenait parfaitement. Tout irait désormais pour le mieux dans un avenir qui n'aurait pas de fin.

Puis, une semaine plus tard, son père décida qu'il était de nouveau capable de conduire le tracteur, mais la machine capota sur la berge du canal d'irrigation, dans les arpents du sud, et son père fut pris dessous.

L'accident se produisit au cours de la matinée ; l'air était froid, annonçant la gelée prochaine. George avait erré sans but de la maison à la grange, de la grange au poulailler, du poulailler au silo. Il savait que son père était parti au volant du tracteur, en dépit des remontrances de Tad affirmant qu'il était incapable de le conduire. Mais c'était là une chose que l'on ne pouvait dire à son père et il était parti. Un peu plus tard, George s'était mis à la recherche de Tad et ne le trouvant nulle part, il s'était dirigé vers son arbre magique où il avait déposé une pièce neuve que son père lui avait remise durant le petit déjeuner. Ensuite, il était revenu et il avait trouvé Tad en train de donner à manger à Salomon.

Tad regarda George en souriant :

— Ton papa ne devrait plus tarder à rentrer, n'est-ce pas ? dit-il.

— Je ne sais pas, répondit George.

— Je n'aime pas beaucoup le voir sur ce tracteur, avec son épaule qui est encore faible. Il vaudrait peut-être mieux que j'aille faire un tour du côté du sud pour voir comment il se débrouille.

Finalement, lorsque Tad revint, il raconta qu'il avait trouvé Swanson mort dans le canal avec le tracteur les roues en l'air un peu plus bas. Il avait le visage tellement écrasé qu'on pouvait à peine le reconnaître. George ne comprit pas réellement que son père était mort, mais seulement blessé comme les autres fois. Il aurait voulu se rendre sur place pour le voir, mais Tad avait demandé à Jocy de l'en empêcher. Elle se mit à pleurer bruyamment et, d'une voix acerbe, lui interdit de quitter la maison. Il se résigna donc.

Ensuite Tad se rendit à la ville et ramena le docteur et Si Havenger, l'entrepreneur de pompes funèbres. Ils arrivèrent avec le corbillard, se dirigèrent vers le lieu de l'accident, chargèrent le père sur une civière et le transportèrent à la maison, caché sous des couvertures pour empêcher George de le voir.

Lorsqu'ils le chargèrent sur le corbillard, Tad secoua la tête tristement :

— Il était devenu tellement prédisposé aux accidents, il ne lui restait plus la moindre chance, dit-il.

George attendit patiemment le retour de son père à la maison.

Puis il prit place dans le camion-benne en compagnie de Tad et Jocy pour se rendre en ville et assister aux funérailles, auxquelles il ne comprit absolument rien. La cérémonie eut lieu dans la chapelle de Si Havenger. Les fleurs que l'on avait disposées autour du cercueil sentaient si fort que George en fut un instant incommodé. Une femme qu'il n'avait jamais vue chantait des hymnes d'une voix ténue et incertaine, et le révérend Dapple récita d'une voix triste tout un tas de versets de la Bible. Puis tous les assistants défilèrent devant le cercueil qui était fermé. Jocy se remit de nouveau à pleurer.

— Papa est dans cette boîte ? demanda George à Tad qui était assis près de lui.

— Oui, Georgie, mais son âme est au ciel.

George se leva, devança tout le monde en courant et tenta de soulever le couvercle, mais Tad le rejoignit et l'écarta. Suivit un silence choqué. Alors on entendit la voix de George :

— Qu'est-ce que tu racontes, papa ?

Tad l'entraîna au-dehors et le fit monter dans le camion-benne. Jocy sortit à son tour et prit place dans le véhicule, toujours pleurant :

— Il m'a donné la plus grande peur de ma vie en essayant d'ouvrir ce cercueil, dit-elle.

Finalement, les employés des pompes funèbres transportèrent le cercueil au dehors et le chargèrent à l'arrière du corbillard qui s'éloigna lentement. Tad mit le camion en route et suivit le char mortuaire. Une procession d'une quinzaine de voitures se dirigea vers le cimetière, à l'extérieur de la ville. Un vent sec et froid faisait tomber les feuilles des quelques arbres disséminés parmi les tombes. Le révérend récita de nouveaux versets de la Bible, après quoi, on fit descendre le cercueil dans le trou qui avait été creusé. Lorsqu'on commença à jeter des pelletées de terre dans la fosse, George dit d'un ton définitif :

— Il n'est pas dans cette boîte !

De retour à la maison, il se dirigea vers la grange à la recherche de son père. Ne le trouvant pas, il rentra à la cuisine où Tad et Jocy conversaient, installés devant la table.

— Force le cadenas et regarde, disait Jocy.

— N'y touche pas ! dit Tad d'un ton brutal en voyant entrer George.

— Mais comment saurons-nous...

— Pourquoi pas après le dîner ? coupa Tad.

Jocy se leva avec colère et déchaîna un grand vacarme d'ustensiles sur le poêle.

— Je cherchais mon papa, dit George. Je crois qu'il est resté en ville. Il rentrera sûrement demain.

Tad posa doucement une main sur son épaule :

— Si tu y crois, collègue, c'est comme ça.

A en juger par les bruits, Jocy fut agitée toute la nuit. George eut également du mal à trouver le sommeil, car il ne cessait de se demander quand son père reviendrait. De bonne heure le lendemain matin, il se leva et sortit dans l'air glacé pour reprendre ses recherches. Mais il ne parvint pas à le découvrir. Alors le shérif Gaines pénétra en voiture dans la cour.

— Qu'est-ce que vous racontez, shérif ? demanda George.

Il alla à la rencontre du visiteur qui lui passa un bras autour des épaules et, ensemble, ils s'approchèrent de la maison.

— Je suis désolé de ce qui s'est passé George.

— Mon papa reviendra, dit George d'un ton assuré.

Le shérif lui tapota l'épaule, puis ils entrèrent dans la cuisine où Tad et Jocy prenaient leur petit déjeuner. Tad fit le geste de se lever, mais le shérif lui fit signe de se rasseoir et prit lui-même une chaise.

— Vous n'auriez pas une petite tasse de café à m'offrir, Jocy ?

— Mais comment donc, shérif, dit Jocy.

Mais elle paraissait très nerveuse.

— J'ai parlé à M. Tettman, dit le shérif. Il semblerait qu'Henry ait laissé un testament. Tout ce qui me reste à faire c'est de consigner légalement ce qui est arrivé à Henry. C'est vous qui l'avez découvert, Tad.

— Exactement, répondit Tad en inclinant gravement la tête. Jamais vu un homme esquinté comme ça.

— J'ai jeté un coup d'œil sur le corps, dit le shérif. Il avait pris tout le choc sur la nuque. Ça ne pouvait être pire.

— Difficile à éviter lorsqu'on passe sous un tracteur en marche.

— C'est vrai. Où étiez-vous lorsque l'accident s'est produit, Jocy ?

— Ici, dans la cuisine, répondit-elle en commençant à renifler.

— Et vous, Tad ?

— Je n'ai pas quitté la maison et la grange de toute la matinée, puis j'ai commencé à m'inquiéter et je suis parti à sa recherche. C'est vrai, n'est-ce pas, Georgie ?

George essaya de réfléchir. Il était parfaitement certain qu'il avait cherché Tad de bonne heure dans la matinée et qu'il n'avait pu le trouver nulle part. Mais en était-il tellement sûr ? Apparemment ce détail n'avait pas d'importance. Il reverrait bientôt son père.

— C'est vrai, George ? interrogea le shérif.

— Je crois bien.

— Dans ce cas, je conclus à la mort accidentelle. Je vais rentrer en ville et prévenir M. Tettman. Il arrivera sans doute aux environs de midi pour vous lire le testament, Jocy.

Jocy se remit de nouveau à pleurer. Tad se leva pour serrer la main du shérif.

— Que comptez-vous faire à présent, Tad ? demanda le shérif.

— Mon Dieu, j'ai grand pitié de Jocy et j'aime bien ce vieux Georgie. Je ne voudrais pas les abandonner ainsi, du jour au lendemain. Je pourrais rester le temps suffisant pour voir comment ils se débrouillent dans la ferme. Je voudrais espérer que M. Swanson a pris les dispositions nécessaires en leur faveur — une jeune femme et un garçon comme Georgie sont incapables de faire marcher une ferme à eux deux.

— Eh bien, M. Tettman vous donnera les éclaircissements nécessaires à ce sujet. Je suis heureux que vous soyez là pour vous occuper de tout jusqu'au moment où la situation sera éclaircie. Tout ira bien.

Lorsque la voiture noire et luisante de M. Tettman s'approcha lentement au sortir de la grand'route, George attendait au-dehors. Il observait soigneusement le véhicule pour voir si son papa n'en sortirait pas. Mais seul M. Tettman, tout mince dans son complet noir, ses cheveux blancs volant dans la brise fraîche, mit pied à terre. Il aperçut George et sourit.

— Eh bien, George, comment vas-tu, mon garçon ?

— Qu'est-ce que vous racontez, monsieur Tettman ? lança George.

— Mon Dieu, ça va bien.

Il tira une mince serviette de cuir sombre du siège arrière et se dirigea vers la porte de la cuisine.

— Vous avez vu mon papa en ville ? demanda George.

— Mon enfant ! dit M. Tettman d'un ton apitoyé.

George le suivit jusqu'à la porte que Tad ouvrit de l'intérieur. Jocy était de nouveau assise devant la table et reniflait. Elle leva vers M. Tettman des yeux troubles pleins d'une méfiance animale, mais ne prononça aucun mot d'accueil. Tad serra la main du nouveau venu.

— Gentil à vous d'avoir fait tout ce trajet pour nous voir, monsieur Tettman, dit-il. Prenez une chaise, je vous en prie.

M. Tettman s'assit, immaculé, avec sa cravate noire nouée à la perfection sur son haut col blanc amidonné.

— Le shérif Gaines m'a prévenu que vous alliez rester pour donner un coup de main, Tad. Je suis heureux de l'apprendre.

Ses mains blanches étaient agitées d'un tremblement, mais il réussit néanmoins à ouvrir la serviette.

— C'est le moins que je puisse faire, monsieur
Tettman, dit Tad en s'asseyant à son tour et en
observant le vieil homme avec intensité.

M. Tettman tira un papier de la serviette et le
plaça sur la table. Il s'éclaircit vigoureusement la
gorge, renifla profondément, puis passa lentement
la langue sur ses fausses dents supérieures. George
remarqua la façon qu'avait Tad d'ouvrir et de
refermer continuellement ses mains sur la table.

— Maintenant, dit M. Tettman, dans l'essentiel,
ce document fait de vous la légataire universelle de
votre défunt époux, Jocy.

Jocy battit des paupières pour chasser de nouvelles larmes.

— Mon Dieu ! dit-elle.

M. Tettman porta son regard sur elle, puis se
concentra de nouveau sur le papier.

— Cet héritage comprend la terre, les bâtiments,
les bêtes, le mobilier, tout. Également le contenu
d'une boîte métallique cadenassée qu'Henry renfer-
mait, il m'en avait informé, dans le tiroir du bas du
bureau de la chambre à coucher que vous et lui,
euh... (Sa voix s'éteignit.) Connaissez-vous cette
boîte, Jocy ? J'ai ici... (Il fouilla dans une autre
poche durant un certain temps et finit par en sortir
une petite clef qu'il déposa sur la table.) J'imagine
qu'elle doit ouvrir le cadenas. Si Havenger a eu
l'obligeance de me la confier après l'avoir trouvée
dans la poche d'Henry.

— Certainement, dit Jocy.

Et elle se précipita vers la chambre à coucher.
Elle reparut bientôt et plaça sur la table une boîte
métallique que fermait un petit cadenas d'argent.
Elle avait cessé de pleurer à présent et regardait la

boîte avec des yeux qui retrouvaient peu à peu leur éclat.

— Voyons cela, dit M. Tettman. Il tenta à plusieurs reprises d'introduire la clef dans le cadenas, mais elle s'échappait continuellement de ses mains tremblantes.

— Voulez-vous que je le fasse à votre place ? demanda Tad.

Il saisit vivement la clef, ouvrit le cadenas et repoussa la boîte vers M. Tettman.

Celui-ci souleva le couvercle à grand-peine. Il retira de l'intérieur une photo jaunissante de la mère de George, la considéra un instant, puis la tendit au garçon.

— Oh, dites donc ! s'écria celui-ci en la contemplant avec bonheur.

Ensuite M. Tettman retira du coffret une garantie pour le tracteur. Il retourna soigneusement le document puis le laissa choir sur la table. Il sortit enfin une feuille pliée de papier quadrillé, décolorée par le temps. Il réussit à la déplier et l'examina avec une mine stupéfaite. On y voyait dessiné cinq cercles et un X. Dans l'un des coins inférieurs était tracé un 0 — 1. Il jeta un nouveau regard dans la boîte. Tad se leva et, à son tour, scruta l'intérieur du coffret, à présent vide, tandis que son visage se colorait. Jocy battait de nouveau des paupières, mais cette fois avec colère.

— C'est tout ? demanda-t-elle d'une voix perçante.

La tête de M. Tettman s'était remise à trembler spasmodiquement.

— Hummmmmm, fit-il.

Puis, il s'éclaircit la gorge et passa la langue sur ses dents supérieures.

— J'espérais tellement qu'Henry aurait... je veux parler du garçon, ici présent, je... (Il parvint à dominer le tremblement de sa tête, mais pas celui de ses mains.) Je n'ai jamais très bien connu la situation financière d'Henry, bien entendu. Je sais pourtant qu'il a vendu des terres du côté sud pour les travaux d'irrigation et qu'il a dû en tirer un fort bon prix. Il obtenait toujours de bonnes récoltes. Et il connaissait, je crois bien, la manière de vivre à bon compte.

— Vous l'avez dit ! s'exclama Jocy.

M. Tettman reprit le papier et, de nouveau, la stupéfaction se peignit sur son visage.

— Quelque jeu de patience, je suppose. Je suis... déçu, c'est le moins qu'on puisse dire. Je... (Il repassa une nouvelle fois la langue sur ses dents, étreignit la table à pleines mains et se leva.) Bien entendu, si je puis faire quelque chose...

Il regarda George avec l'air de s'excuser. Celui-ci lui répondit par un sourire épanoui. Alors il se dirigea vers la porte et disparut.

Durant un temps, la cuisine fut plongée dans un profond silence.

— Cet imbécile ! s'écria soudain Jocy. Depuis le temps qu'il me faisait croire...

— Attends une minute ! dit Tad en regardant George avec des yeux fous. Attends une minute !

— Une photo, une garantie et je ne sais quel jeu de patience ! brailla Jocy.

— Georgie ! dit Tad en se levant et saisissant le bras du garçon. Georgie, tu m'as bien dit qu'il enterrait des boîtes ! Souviens-toi !

George haussa les épaules, surpris par la rude poigne qui lui enserrait le bras.

— Je crois bien.

— Ces boîtes, te souviens-tu où il les a enterrées ?

George réfléchit, puis secoua la tête.

— Je ne crois pas.

— Quelles boîtes ? hurla Jocy.

Tad pivota sur place et saisit la feuille de papier quadrillé.

— Attends une minute !

— Tu deviens aussi fou que lui, ma parole !

— C'est une carte ! Il a enterré son argent enfermé dans des boîtes ! Ceci c'est la carte. L'X représente la maison, tu vois ? Les cercles désignent les endroits où il a enterré son argent et l'échelle se trouve dans le coin !

Tad se précipita en courant hors de la pièce, et la porte se referma derrière lui avec fracas.

En pleine confusion, George porta ses regards vers la photo de sa mère qui était restée dans sa main. Il sourit, sachant ce qu'il allait en faire. Il la tendit à Jocy.

— C'est le portrait de ma maman.

— Oh, la ferme !

George sortit et vit Tad qui quittait la grange au galop, une pelle dans une main, un papier flottant dans l'autre. Ses jambes travaillaient comme des bielles l'entraînant vers les terres du nord. George haussa les épaules puis il se dirigea vers son arbre magique. Arrivé près du tronc, il fit choir précautionneusement la photo dans le trou.

Il s'assit ensuite, le dos contre l'arbre, et s'endormit, car il n'avait pas fermé l'œil de la nuit précédente.

Il se réveilla soudain. Tad, sale et suant, ses blonds cheveux en désordre, l'avait mis sur pieds en le soulevant par les bretelles de sa combinaison.

— Rien ! criait-il. Où a-t-il donc enterré ces boîtes ?

George le regarda avec des yeux ronds, le cœur battant d'une peur soudaine.

— Mon papa ?

— Où a-t-il enterré ces boîtes ?

George secoua lentement la tête.

— Lorsqu'il reviendra...

161

— *Où ?*

— Je ne me souviens pas.

Tad le gifla brutalement en travers de la bouche, et George sentit le goût du sang. Soudain il se mit à pleurer, car il n'avait jamais été frappé de sa vie. Tad lui lança une nouvelle gifle, plus forte cette fois, et le garçon tomba sur les genoux, dodelinant de la tête, larmes et sang ruisselant le long de son menton. Il jeta à Tad un regard implorant.

— J'ai mis la photo de ma maman dans l'arbre magique.

Tad se tenait au-dessus de lui, les jambes écartées, les yeux pleins de fureur, puis il fit volte-face et courut en direction de la grange.

George essuya de la main sa bouche douloureuse, la vit tachée de sang et ses pleurs redoublèrent.

— Papa ? dit-il.

Puis il vit que Tad revenait vers lui, au volant du tracteur. Il commença à battre en retraite, jusqu'au moment où Tad bondit de la machine, une hache à large lame à la main. Il assena un coup au centre de l'arbre. George hurla comme si l'acier avait pénétré dans sa chair. Il se jeta sur Tad, mais l'homme l'envoya rouler sur le sol d'une bourrade sur le nez qui le fit encore saigner. La lame de la hache luisait dans le froid soleil tandis qu'il attaquait de nouveau le tronc. Des haricots pourris, des bibelots rouillés ou argentés volèrent sur le sol.

Tad s'interrompit pour lui lancer des regards furibonds.

— Tu ne te souviens toujours pas, abruti ?

George geignit et se leva pour tenter de le retenir, mais Tad lui lança un coup de manche de hache dans l'estomac. Il poussa un gémissement et s'assit de nouveau gauchement. A travers une brume rouge, il vit le sommet de son précieux arbre s'incliner et venir s'écraser sur le sol aride. Puis

Tad tira une chaîne du tracteur qu'il passa autour de la partie inférieure du tronc. Il bondit sur le siège de l'engin et le lança en avant. La chaîne se tendit. Le tracteur s'immobilisa un instant, tirant de toute sa puissance, puis le tronc fut arraché de la terre, exposant à la lumière la blancheur de ses racines mortes.

— *Non !* murmura George, se contraignant à se lever.

Il se précipita en vacillant à la poursuite du tracteur, suivant la souche qui cahotait au bout de la chaîne. Il tomba, se releva tout en pleurs, et Tad poursuivit sa route jusqu'à la maison.

— Allume du feu dans la salle de séjour, Jocy ! cria-t-il. Nous allons brûler ce maudit arbre magique !

La bouche de George était tout ensanglantée et la boue se mêlait aux larmes sur son visage. Pétrifié d'horreur, il regardait Tad auquel la fureur donnait une force incroyable, défaire la chaîne à coups de pied et soulever le tronc de l'arbre mort pour le transporter dans la cuisine.

— *Il est à moi !* dit George qui se précipita dans la cuisine en trébuchant. Il entendit la souche tomber dans la vaste cheminée et le petit bois crépiter.

Jocy était là et Tad se redressait devant le foyer avec dans les yeux des flammes semblables à celles qui léchaient le bois.

— *Non !* dit George d'une voix plaintive en chancelant vers Tad qui, d'une poussée, l'envoya s'étaler sur le sol, heurtant le mur au-dessous du 23e Psaume. Il se redressa lourdement, fixant le trou béant donnant sur la cavité intérieure qui faisait face à la salle. Les flammes s'élevaient de plus en plus haut.

— Du whisky ! rugit Tad.

Et Jocy, apeurée, se précipita à la cuisine d'où elle rapporta une bouteille. Tad la déboucha, intro-

163

duisit le goulot entre ses lèvres et la renversa. Le liquide gargouilla en coulant dans sa gorge. Puis il se tourna vers George.

— Le voilà, ton arbre magique, crétin, et tout le bric à brac que tu y as fourré !

La fureur lui gonflait le cou. Il but de nouveau, puis abaissa son regard sur la souche qui brûlait à présent avec davantage de chaleur et de flammes. Soudain, il lâcha la bouteille et tomba à genoux, criant :

— Les boîtes ! Il a dû les déterrer les unes après les autres sur les traces du vieux et ensuite...

Il se pencha sur le tronc embrasé, hurlant lorsque la flamme lui mordait les mains.

— De l'eau ! cria-t-il. Apporte de l'eau !

Jocy courut vers la cuisine dans une véritable panique. Alors explosa la première cartouche. La balle jaillit de la cheminée en miaulant depuis le sac qui brûlait dans la cavité du tronc où George l'avait jeté pour sauver le vieux coyote de la mort. Elle vint frapper Jocy dans le dos. Elle poussa un hurlement. Alors les autres explosèrent à leur tour. Trois balles vinrent se loger dans le corps de Tad, qui se leva à demi, puis s'écroula de nouveau.

Pétrifié, George contemplait la scène, insensible à la douleur que lui causaient ses blessures, cependant que les boîtes se convulsaient sous l'effet de la chaleur et que leur contenu fusait en jets de flammes. Il se souvint, dans quelque compartiment écarté de son cerveau, que son père avait bien enfoui ces boîtes, de si jolies boîtes — les côtés peints en rouge avec des lettres gracieuses, le fond et le couvercle brillants comme de l'argent. Peu lui importait ce qui se trouvait à l'intérieur : du papier vieux, sale, de couleur verte. Mais les boîtes l'avaient séduit, c'est pourquoi il avait attendu le départ de son père, les avait déterrées pour les glisser les unes après les autres dans l'arbre magique.

A présent l'arbre magique était en feu, mais soudain, il n'y attacha plus la moindre importance. Jamais il n'avait entendu pareil concert de crépitements, de sifflements et de détonations dans la cheminée, et des flammes qui montaient et bondissaient aussi allégrement dans le foyer. La vieille lampe était allumée et rougeoyait de l'intérieur, mais elle réfléchissait également les flammes sur ses panneaux de verre, et les perles qui bordaient l'abat-jour n'avaient jamais jeté de tels feux.

Soudain George fut envahi par une sensation de bien-être. Même qu'il se rappelait de nouveau ce verset du Psaume « ... et j'habiterai pour toujours la maison du Seigneur. »

C'est ici que devait se trouver cette maison, car elle était tellement jolie, avec ce feu qui brûlait avec tant d'ardeur, la jolie lampe ou les flammes et les explosions faisaient naître des reflets rouges. Il avait le sentiment, en cet instant, qu'il ne tarderait pas à voir sa mère — et son père aussi. A cet endroit même. Parce que la maison du Psaume était bien celle-ci. Et tandis qu'une balle traversait la pièce en miaulant, se dirigeant droit sur son front, il sourit largement et cria :

— Qu'est-ce que tu racontes, Seigneur ? Jamais il n'avait été aussi heureux.

The magic tree.
Traduction de Pierre Billon.

DEUX FOIS QUINZE

par Anthony Marsh

Plaisante mais ferme, la voix de l'opératrice retentit dans les haut-parleurs :

— Les visites sont terminées. Les visites sont terminées. Vous êtes priés de quitter les lieux.

Petit à petit, les visiteurs commencèrent à sortir des salles pour converger vers le poste des infirmières, et la sortie toute proche. Ils quittaient le bâtiment un à un ou bien en couple — la règle strictement appliquée ne prévoyait que deux visiteurs par patient. Une variété d'attitudes les différenciait dans leur façon de marcher : avec rapidité, comme s'ils devaient faire quelque course urgente dès la porte passée ; échangeant des regards empreints de sérieux avec la personne qui les accompagnait ; ou bien bavardant avec animation et se rapprochant d'autres groupes comme s'ils cherchaient à se consoler mutuellement de l'état de santé de leurs malades respectifs. Certains s'arrêtaient devant le bureau pour obtenir un service de dernière minute en faveur de leur être cher, ou pour demander, une fois de plus, une précision quant à l'évolution de l'affection dont il était atteint. Sans jamais se départir de son sourire, Mlle Bradley — l'infirmière chef — répondait à tous avec tact et assurance.

Lorsque tout le monde était satisfait et le dernier visiteur parti, Mlle Bradley retournait s'asseoir à son bureau pour continuer le travail d'écriture dont elle semblait ne jamais voir la fin : le moment était venu d'établir le roulement de nuit pour les infirmières et les aides-soignantes sous ses ordres. Le silence momentané fut rompu par un bruit de pas provenant de l'une des chambres privées sur sa droite. Il s'agissait du retardataire habituel, celui qui, inévitablement, demanderait une faveur supplémentaire ; Mlle Bradley le reconnut au moment où il arrivait à mi-chemin du couloir : il s'agissait de Martin Spaulding. Garçon d'allure plutôt frêle qui, en dépit de ses trente ans, avait le crâne déjà bien dégarni. Martin Spaulding était le neveu de Randolph Thompson, hospitalisé au 331.

— Mademoiselle Bradley, mon oncle voudrait une carafe d'eau fraîche. Pouvez-vous faire le nécessaire, je vous prie ?

— Oui, monsieur Spaulding.

Voyant qu'il ne bougeait pas et sachant à qui elle avait affaire, Mlle Bradley appuya sur la sonnette de son bureau pour appeler une aide-soignante.

— Jenny, voulez-vous apporter une carafe d'eau à M. Thompson, chambre 331, s'il vous plaît ?

— Oui, madame, répondit la jeune femme.

M. Spaulding ne daigna partir que lorsqu'il vit Jenny sortir de l'office la carafe à la main. Il ne les remercia même pas.

Lorsque Jenny revint vers elle, Mlle Bradley lui demanda de commencer à prendre les températures en débutant par les malades du couloir de droite. Entre-temps, les autres membres de l'équipe de nuit s'étaient regroupés en attendant de recevoir leurs instructions — lesquelles étaient souvent interrompues par des appels téléphoniques ou bien par les patients eux-mêmes : ceux capables de se déplacer se retrouvaient souvent à plusieurs près du poste des infirmières, en général pour parler d'un problème personnel, mais souvent aussi dans le seul but de bavarder un moment. Mlle Bradley parvint à répondre à chacun d'entre eux avec sa courtoisie habituelle mais poussa un soupir de soulagement lorsqu'enfin elle se retrouva seule dans son bureau.

Son répit fut de courte durée : l'air affolé, Jenny arrivait en courant :

— Mademoiselle Bradley, mademoiselle Bradley ! Je crois que M. Thompson est mort !

D'un bond, l'infirmière s'était levée :

— Appelez le docteur Coran pendant que je vais voir.

Mlle Bradley marcha en toute hâte vers la chambre 331. En dépit de sa stupeur, Jenny avait eu la bonne idée de tirer la porte de la chambre de M. Thompson ; Mlle Bradley la repoussa et entra.

M. Thompson avait basculé d'un côté du lit mais la partie inférieure de son corps était encore maintenue sous les couvertures. Il avait les traits déformés, la peau de son visage et de ses mains était livide. Pour Mlle Bradley, l'état de M. Thompson ne faisait aucun doute mais elle s'approcha néanmoins pour vérifier son pouls. Elle s'interrompit lorsque la porte s'ouvrit devant le docteur Coran.

— J'allais justement monter ici quand vous m'avez fait appeler. Que se passe-t-il ?

La réponse n'était même pas nécessaire ; sortant son stéthoscope, le médecin avança vers le lit. Il dégagea la poitrine de son patient et écouta au niveau du cœur. Très grand et utilisant toujours des tubes assez courts pour ses stéthoscopes, le docteur

Coran était pratiquement cassé en deux pour ce faire.

Lorsqu'il se fut redressé, Mlle Bradley l'interrogea :

— Croyez-vous qu'il s'agisse d'une crise cardiaque, docteur ?

— Très peu probable : je n'ai relevé aucune anomalie lors de ma dernière visite. On a même fait un électrocardiogramme ; tout à fait normal. L'opération s'est passée comme un charme ; il n'avait donc aucune raison de mourir quatre jours plus tard.

— Et une congestion cérébrale ?

Le médecin secoua la tête :

— Pas plus de motif pour ça que pour une crise cardiaque. Bien trop jeune : il n'avait que cinquante-deux ans. Quand est-il mort ?

— Il n'y a pas très longtemps, docteur. Et je sais qu'il était toujours en vie lorsque son neveu est parti après la fin des visites.

— Qui est la dernière personne à l'avoir vu vivant ?

— Ce doit être Jenny Markus, l'une de nos aides-soignantes. Voulez-vous lui parler ?

— Oui, faites-la venir, s'il vous plaît.

Mlle Bradley sortit de la pièce. Pendant qu'il l'attendait, le docteur Coran ouvrit le tiroir de la table de chevet et se mit à fouiller à l'intérieur. Il en sortit un petit flacon rempli de capsules jaunes et étouffa un juron en lisant l'étiquette. L'infirmière revint suivie de Jenny ; le médecin se tourna vers la jeune femme :

— Êtes-vous la dernière personne à avoir vu M. Thompson vivant ?

— Je pense que oui, docteur.

— Quand cela s'est-il passé ?

— Quelques minutes seulement avant que j'ap-

169

pelle Mlle Bradley. J'allais vers la chambre qui se trouve juste après la sienne pour prendre la température de M. Pollard. Comme toutes les autres portes, celle de M. Thompson était ouverte ; je l'ai vu assis dans son lit. Quand j'en ai eu terminé avec M. Pollard, je suis revenue ici pour prendre la température de M. Thompson et c'est là que j'ai immédiatement prévenu Mlle Bradley.

Le médecin hocha la tête :

— Cela s'est donc produit très soudainement.

Il leur tendit le flacon de gélules.

— Est-ce que l'une d'entre vous peut me dire comment ceci est arrivé ici ?

Les deux femmes secouèrent la tête.

— Je n'en ai aucune idée, dit Mlle Bradley. Qu'est-ce donc ?

— Un flacon de Gélules Toniques Thompson. M. Thompson les fabrique... Je suppose que je devrais dire "les fabriquait".

— J'en ai entendu parler, dit l'infirmière, mais que font-elles ici ?

— C'est ce que j'aimerais savoir — bien que j'aie ma petite idée. Justement ce matin nous avons eu un entretien orageux à ce sujet. Il voulait que je les lui prescrive pour l'aider à récupérer après l'opération. Je lui ai répondu qu'aussi longtemps que je serais responsable de sa santé à l'hôpital il devrait prendre les médicaments de l'établissement, libre à lui de faire ce qu'il voudrait une fois rentré chez lui. Et j'ai bien peur qu'il n'ait pas vraiment apprécié. Je suppose qu'il a appelé son neveu et lui a demandé d'en apporter.

— Pensez-vous qu'elles aient pu lui faire du mal ? s'enquit Mlle Bradley.

— Non ! Mais elles ne risquaient pas non plus de lui faire du bien — en fait ce n'est rien d'autre qu'un mélange vitaminé bon marché. Un de plus !

Il recommença à fouiller dans le tiroir.

— Voyons ce que va encore nous révéler cette boîte à surprises...

Ce fut une petite fiole en verre, à demi remplie d'une poudre blanche détrempée, formée en grumeaux plus ou moins gros.

— Et ça alors ?

Ayant enlevé le bouchon, il huma le contenu de la fiole et la brandit sous le nez de Mlle Bradley :

— Avez-vous déjà senti une odeur pareille ?

Elle fit la grimace :

— C'est plutôt âcre ; ça ne sent pas bon...

— Non... Odeur et apparence typiques du cyanure... Il semblerait bien qu'on ait affaire à un suicide...

— Mais ce n'est pas possible ! intervint Jenny. Il était de si bonne humeur et si enjoué la dernière fois que je l'ai vu ! Il m'a fait un signe de la main et m'a envoyé un baiser quand je suis passée devant sa porte pour aller chez M. Pollard. Vous savez, il n'arrêtait pas de flirter avec le personnel — gentiment, je veux dire...

— D'accord avec vous pour dire que ça ne me semble pas très plausible, confirma le médecin ; jamais il ne m'a donné l'impression d'être dépressif. En général, le cyanure agit en quelques secondes, une minute au grand maximum. Il a dû l'avaler quand vous étiez occupée avec M. Pollard... Il s'agit sans doute d'un suicide... à moins qu'on l'y ait aidé ! Mais il m'est difficile d'imaginer une personne faisant avaler de force une capsule de cyanure à quelqu'un.

— Excepté les infirmières, il n'y avait personne dans le couloir, précisa Mlle Bradley. Et de mon bureau, j'ai une vue d'ensemble sur tout l'étage...

— De toute façon, et quoi qu'il se soit passé, nous devons prendre des dispositions particulières.

Voulez-vous appeler l'administrateur, s'il vous plaît ?
Non ! Attendez, je vais le faire moi-même.

Il souleva le combiné :

— Allô ! Mademoiselle ? Pouvez-vous essayer de joindre M. Abel Brown chez lui, je vous prie ? Il faut que je lui parle de toute urgence.

— Avez-vous encore besoin de Jenny ? demanda Mlle Bradley.

Sur un signe négatif du médecin, Mlle Bradley demanda à la jeune femme d'en terminer avec les températures. Le docteur Coran se mit brusquement à parler dans l'appareil :

— Monsieur Brown ? Docteur Coran. Je suis dans la chambre de M. Randolph Thompson — pièce 331. Il semblerait qu'il se soit suicidé — cyanure. Je pense qu'il serait bon que vous veniez dès que possible.

Ayant reposé le combiné, il s'adressa à l'infirmière :

— Allons attendre dehors, mademoiselle Bradley. Il faut faire en sorte qu'on ne touche à rien.

M. Abel Brown arriva exactement vingt minutes plus tard : petit homme replet, il n'en semblait pas moins particulièrement efficace. Il s'entretint immédiatement avec le médecin, Mlle Bradley et Jenny Markus. Chacun à son tour lui raconta ce qu'il savait de l'affaire.

— Êtes-vous certain qu'il s'agisse d'un suicide ? demanda l'administrateur au médecin.

— Je n'arrive pas à trouver une autre explication rationnelle.

— Mais vous êtes tous d'accord pour dire que M. Thompson était très alerte et plein de vie. Pourquoi, alors, décider de s'empoisonner ?

Le docteur Coran haussa les épaules :

— Un suicide est toujours étrange : il arrive que certaines personnes passent à l'acte sous le coup d'une impulsion soudaine et totalement imprévisible. Et parfois on en vient à se demander si elles-mêmes savent pourquoi elles l'ont fait. A mon avis, c'est ce qui a dû se passer ici ; c'est tout ce que je peux dire pour le moment...

— N'est-il pas possible qu'il soit mort d'autre chose ?

— Mlle Bradley m'a déjà posé la question — crise cardiaque ou congestion cérébrale ? C'est possible, bien sûr, mais hautement improbable ; une embolie pulmonaire, peut-être... Bien entendu, le médecin légiste pourra nous donner plus de précisions. Mais je persiste à croire qu'un empoisonnement au cyanure est le plus vraisemblable. Sinon, quelle autre raison avait-il d'introduire ça ici ?

L'administrateur se tourna vers Mlle Bradley :

— Depuis combien de temps croyez-vous que cette fiole était en sa possession ?

— Je n'en ai aucune idée. D'une façon générale — ou à moins que nous ayons une bonne raison de le faire — nous ne vérifions pas les biens personnels des patients. Je suppose qu'il l'avait avec lui le jour où il a été admis à l'hôpital.

— Dois-je comprendre que c'était ici depuis cinq jours et que, soudainement, ce soir, il a décidé de s'en servir ?

Sans ciller, Abel Brown fixait le docteur Coran.

— Je peux seulement vous dire ce que je sais, répondit celui-ci. Le médecin légiste, lui, pourra vous donner le diagnostic définitif. Et le cas échéant, il lui sera très facile de trouver des traces de cyanure dans les tissus.

Pensif, l'administrateur se frottait le menton.

— Docteur, je vais être franc avec vous. Vous vous souvenez de l'histoire que nous avons eue voilà environ deux mois ? Cet homme qui s'est jeté dans le vide d'une fenêtre du cinquième étage ? Là,

173

aucun doute possible, il s'agissait bien d'un suicide ; mais la famille attaque l'hôpital pour négligence et demande un demi-million de dollars de dommages. Il paraît que nous aurions dû nous attendre à quelque chose de ce genre et prendre les précautions nécessaires...

— Mais je ne vois pas ce qu'on aurait pu faire pour empêcher cet homme d'avaler du poison.

— A vrai dire, moi non plus, mais vous comprendrez que je devienne hypersensible sur le sujet... Je vais appeler un de mes amis, l'inspecteur Rogers, pour qu'il vienne jeter un coup d'œil. Il est possible que je puisse le joindre immédiatement, alors faites en sorte qu'on ne touche à rien dans cette chambre.

— Mais il dépend de la Criminelle, n'est-ce pas ?

— Oui, et je crois que ça ne sera pas de trop. Il n'y verra pas d'inconvénient, c'est un très vieil ami, répondit Brown le visage tendu.

L'air accommodant mais sûr de lui, l'inspecteur Everett Rogers était un homme qui présentait bien et s'exprimait d'une façon parfaite. Ses cheveux coupés court semblaient devoir virer précocement au poivre et sel. Dès les présentations terminées, il commença ses interrogatoires par le docteur Coran :

— Parlez-moi de votre patient. De quoi souffrait-il ?

— Je l'ai opéré de la vésicule biliaire voici quatre jours — il avait un calcul. Un problème courant.

— Quand a-t-il été admis à l'hôpital ?

— La veille de l'opération.

— Comment était-il ?

— Le calcul mis à part, sa condition physique était excellente. Il allait parfaitement bien — jusqu'à ce que ceci arrive...

— Depuis combien de temps connaissiez-vous M. Thompson ?

— A peu près deux ans.

— Quel sorte d'homme était-ce ? Était-il sujet à des troubles émotifs ?

— D'une façon générale, je crois pouvoir dire que c'était un homme qui prenait les choses très au sérieux, mais il avait un grand sens de l'humour.

— Le type d'homme susceptible de mettre fin à ses jours ?

Le médecin fit la moue :

— Je n'essaie plus de classifier les gens de cette façon, inspecteur. J'ai vu se produire trop de choses curieuses et totalement imprévisibles.

— D'accord, oublions ceci pour le moment. Si j'ai bien compris, il s'agit de Randolph Thompson de la société Thompson Toniques.

— Oui, en effet.

— Le cyanure pourrait donc provenir de son propre laboratoire.

— C'est un réactif couramment utilisé dans de nombreuses officines.

Un léger sourire effleura les lèvres de l'inspecteur :

— En admettant que le poison ne provienne pas de chez lui, j'imagine qu'il ne doit pas être très difficile de le fabriquer à partir de quelques substances chimiques simples...

Puis, se tournant vers Mlle Bradley :

— Quand avez-vous vu M. Thompson en vie pour la dernière fois ?

— Il était environ 18 h 30, juste avant l'heure des visites.

— Quelqu'un est venu le voir ?

— Oui, son neveu, M. Spaulding.

L'inspecteur baissa les yeux un instant.

— Ce serait donc le fils de sa sœur. Dites-moi, mademoiselle Bradley, quel genre d'homme est ce M. Spaulding — franchement ?

Elle hésita quelques secondes :

— Eh bien, ici, on ne l'aime pas beaucoup ; il est assez désagréable ; toujours à faire l'important. Ce soir, par exemple, il aurait dû partir à 20 heures, à la fin des visites, mais il faut toujours qu'il abuse — et il est resté dix minutes de plus...

— Vous en êtes certaine ?

— Oui, il est venu au bureau à 20 h 10 et m'a demandé de faire porter de l'eau fraîche à son oncle. Et il est resté planté là jusqu'à ce que je dise à Jenny — Mlle Markus — de le faire.

— Et à quelle heure M. Thompson est-il mort ?

— Jenny m'a appelée une minute ou deux avant 20 h 45.

— Jenny ?

Il tendait le doigt vers la jeune aide-soignante ; Mlle Bradley acquiesça d'un signe de tête.

— Jenny, à quelle heure *avez-vous vu* M. Thompson en vie pour la dernière fois ?

— Souvent inspecteur, car je suis passée à plusieurs reprises devant sa porte. Les patients ne sont pas toujours prêts quand j'arrive pour prendre leur température, alors je n'arrête pas d'aller et venir dans le couloir.

— Avait-il l'air normal ?

— Exactement comme d'habitude, inspecteur.

De toute évidence Jenny était heureuse de parler à cet homme important et impressionnant.

— Bon, alors, quand l'avez-vous vu en vie pour la toute dernière fois ?

— Ça ne pouvait pas être plus de quelques minutes avant sa mort : je suis passée devant sa porte en allant chez M. Pollard ; à ce moment-là il vivait encore. Quand je suis revenue pour prendre sa température, il était mort.

L'inspecteur se tourna vers le docteur Coran :

— On pourrait dire que c'est typique du cyanure, n'est-ce pas, docteur ?

— Tout à fait, inspecteur.

— Mademoiselle Bradley, êtes-vous certaine que M. Spaulding ait quitté le bâtiment ?

— Je l'ai vu partir, inspecteur.

— Il n'y a pas d'autre issue possible ?

— Il y a une sortie de secours à l'extrémité du couloir mais, vraiment, pendant notre service, il est impossible que quelqu'un circule à l'étage sans qu'aucun membre du personnel ne le voie.

— D'accord. On peut donc dire que M. Thompson est mort presque exactement une demi-heure après le départ de son neveu. Allons faire un tour jusqu'à la chambre, voulez-vous ? Je suppose que rien n'y a été touché ?

— J'ai donné des ordres dans ce sens, dit Abel Brown.

L'inspecteur Rogers tourna la tête vers Jenny qui trottait à son côté :

— Cela ne vous ennuie pas, j'espère ?

Elle se mit à rire :

— Il y a trois ans que je travaille ici, alors, ce genre de chose ne me tracasse plus...

M. Brown ouvrit la porte de la chambre et tous se rassemblèrent autour du lit. Un moment s'écoula au cours duquel l'inspecteur ne fit que contempler le corps allongé devant eux.

— J'ai eu l'occasion de constater des empoisonnements au cyanure auparavant et je crois pouvoir dire que nous sommes en présence d'un tel cas. Qu'en pensez-vous, docteur ?

— Vous en avez sans doute vu plus que moi... le but de ceux qui viennent me consulter serait plutôt de rester en vie...

L'inspecteur souleva le bouchon de la carafe d'eau.

— Est-ce celle-ci que vous avez apportée, Jenny ?

— Oui, inspecteur.

— Approchez-vous un peu — elle me semble pleine...

— Oui, exactement telle que je l'ai laissée.

— Il ne s'en est donc pas servi pour avaler le poison. Alors, comment a-t-il fait ?

— Il lui en restait peut-être un peu, dit Mlle Bradley en désignant le verre posé à côté de la carafe.

— Jenny, en restait-il dans le verre ? demanda l'inspecteur. Vous en souvenez-vous ?

— A dire vrai, je n'ai pas fait attention. Je me dépêchais pour commencer à prendre les températures.

Un fond de liquide clair était resté dans le verre. L'inspecteur Rogers se pencha pour le sentir :

— Je ne retrouve pas l'odeur du cyanure. Ça n'a donc pas été dissous là-dedans. Il a dû poser la poudre sur sa langue et la faire glisser avec une gorgée d'eau. Mais ce poison est si rapide que parfois la personne n'a même pas le temps de reposer son verre... Ce gars-là devait être un peu plus costaud que la moyenne.

— C'était une force de la nature, confirma le docteur Coran.

— Bon, eh bien, on ne peut pas aller beaucoup plus loin pour le moment. Je vais faire prendre des photos et vérifier les empreintes mais il y a eu tellement de monde ici que je doute fort d'y trouver quelque chose d'intéressant. Et je crois préférable, Abel, que le médecin légiste soit quelqu'un de chez nous, plutôt que celui de l'hôpital. Vois-tu, dans le cas présent, il s'agit d'un travail assez spécial.

— C'est sans problème, répondit l'administrateur.

Puis, lorsque le médecin et les infirmières les eurent précédés dans le couloir, il ajouta :

— Everett, dis-moi ce que tu en penses ?

L'inspecteur se gratta la tête :

— Pour dire la vérité, je n'en sais rien. Dans cette histoire, quelque chose me chiffonne mais je n'arrive pas à déterminer exactement quoi. Au fait, qui est le parent le plus proche ?

— Son neveu, M. Spaulding.

— Sais-tu ce qu'il fait ?

— Je crois qu'il travaille avec son oncle.

— Tu ferais bien de l'appeler pour le prévenir. De mon côté, je te tiendrai au courant si je découvre quoi que ce soit d'important.

Tôt le lendemain, l'inspecteur Rogers appelait Martin Spaulding. C'est Mme Spaulding qui répondit.

— Pourrais-je parler à votre mari, je vous prie ?

— Il est déjà parti à l'usine.

— Tant pis, je le joindrai là-bas. Je vais chez Thompson Toniques, dit-il à sa secrétaire avant de sortir.

Pour entrer dans l'usine, il fallait traverser le service « Expéditions ». Quatre employés en bras de chemise étaient occupés à préparer de grands cartons adressés aux quatre coins des États-Unis. Le contenu des emballages était imprimé en énormes lettres rouges : GÉLULES TONIQUES THOMPSON.

— Les bureaux sont au fond, monsieur, lui précisa l'un des employés. Il faut passer par l'entrepôt.

Personne ne tenta de l'arrêter pendant qu'il traversait le bâtiment et il n'eut aucune peine à trouver l'aile réservée aux bureaux. La première porte qu'il atteignit portait le nom de Randolph Thompson ; sur le panneau de verre dépoli de la suivante était inscrit le nom de Martin Spaulding. Il frappa et M. Spaulding lui dit d'entrer.

— On m'a prévenu de votre arrivée, inspecteur. Asseyez-vous, je vous prie. Que puis-je faire pour vous ?

L'inspecteur ne répondit pas immédiatement et, tout en s'asseyant sur le siège qui lui était offert, il prit le temps d'observer le visage de renard, le crâne rosé et quelque peu dégarni de son hôte. Les cheveux épars avaient été savamment étalés et aplatis mais le résultat n'était pas très heureux.

— C'est au sujet de votre oncle, bien sûr. J'aurais aimé vous poser quelques questions — de la routine...

— Vous avez eu le rapport du médecin légiste ?

— Non, pas encore. Mais entre-temps j'aimerais que vous m'entreteniez des habitudes et du passé de votre oncle. Comme vous le savez, le docteur Coran pense qu'il s'est suicidé au cyanure. Cela vous a-t-il surpris ?

Martin Spaulding avait l'air très grave.

— Pour être honnête, inspecteur, pas du tout ! Oncle Randolph agissait bizarrement ces derniers temps ; depuis un an ou deux, en fait.

— Et comment cela se manifestait-il ?

— Difficile de l'expliquer, inspecteur ; il s'était... converti en quelque sorte.

— A quelle religion ?

— Enfin, ce n'est pas exactement ça... Il s'était trouvé, disons, une mission à accomplir — et ça ne lui ressemblait pas du tout !

— Pouvez-vous être plus explicite ?

— Eh bien, en son temps, Oncle Randolph a été un excellent homme d'affaires. Cette entreprise ? Il l'a bâtie à partir de rien — et c'est devenu immense ! Vous avez pu vous en rendre compte en traversant l'entrepôt et le service des expéditions. Nous vendons dans tout le pays, sans oublier le Canada et l'Amérique du Sud. Les Gélules Toniques Thompson sont bonnes, inspecteur, et même si elles ne l'étaient pas, je crois que le nom seul parviendrait à les faire vendre ! Oncle Randolph avait trouvé le filon jusqu'à ce que lui vienne cette idée de mission qu'il devait accomplir : il a créé un Bureau de Recherche !...

— Consacré à quoi, exactement ?

— C'est la question à soixante-quatre mille dollars ! Il voulait trouver un nouveau produit miracle — celui qui prendrait le pas sur tous les autres déjà existant — le baume qui, d'un seul coup d'un seul, soulagerait notre pauvre humanité de tous ses maux. Alors, je vous le demande, quand un homme se met à avoir des idées pareilles, on ne peut pas dire qu'il soit exactement...

L'index de Martin Spaulding faisait des cercles évocateurs dans la région de sa tempe droite.

— Vous pensez que votre oncle était dérangé mentalement ?

Les petits yeux le regardèrent en coin :

— Pas comme le verraient un médecin ou un psychiatre, mais pour ce que j'en sais, il n'était pas normal — il avait carrément flippé...

L'inspecteur Rogers réfléchit un moment.

— Je dois dire que ceci change les données du problème, quoique je ne vois pas pourquoi un homme poursuivant une mission si pressante souhaiterait soudain mettre fin à ses jours.

— Par moments, il était profondément déprimé par tout cela, inspecteur. Car, dans son for intérieur, voyez-vous, il savait que c'était impossible et cela le rendait très dépressif. Certains jours, nous pouvions à peine lui parler.

— Je suppose que, maintenant, c'est vous qui allez reprendre l'affaire, monsieur Spaulding ?

— Alors là ! Sans problème ! Et j'ai, moi aussi, quelques petites idées. Regardez !

Il se pencha, prit deux flacons sur une étagère proche de son bureau et, tel un joueur qui avancerait triomphalement ses pions sur un jeu d'échecs, il les déposa devant son visiteur.

— Ceci est notre produit, les Gélules Toniques Thompson. Comme vous le voyez, nous les fournissons en deux modèles : la taille 1 — pour les enfants — qui aide les petits corps à devenir grands et forts ; et la taille 2 — adulte — qui rend encore plus forts les hommes forts. Maintenant, inspecteur, que manque-t-il ?

— Je ne sais pas... Il me semble que vous couvrez-là toutes les possibilités.

— Oh, non, inspecteur ! Et nos chères petites dames, alors ? Rien n'est prévu pour les dames ; nous devons donc avoir une taille intermédiaire. Voilà plus d'un an que j'essayais d'intéresser mon oncle à ce projet mais croyez-vous qu'il m'aurait écouté ? Non. Il était obnubilé par sa mission de trouver ce fichu produit miracle, alors qu'il l'avait depuis toujours, ici, sous son nez. Je vous le dis, inspecteur, ce sont les femmes qui font marcher ce pays. Faites quelque chose pour elles et c'est comme si votre argent était déjà placé en banque. Vous avez des enfants, inspecteur ?

— Oui. Deux garçons.

— Parfait. Prenez ces deux flacons, je vous les offre : un pour eux, un pour vous. Revenez au printemps et il y en aura un autre pour votre épouse. Et n'oubliez pas d'en parler à vos collègues, certains pourraient être intéressés...

— Merci. Je n'y manquerai pas.

L'inspecteur Rogers mit les flacons dans sa poche et se leva pour partir. Sur le pas de la porte, il lança une dernière question à Spaulding :

— Je suppose que c'est vous qui avez apporté les gélules à M. Thompson, à l'hôpital ?

— Il n'y a rien de mal à ça, inspecteur.

— Mais vous n'êtes pas sans savoir que le médecin les avait interdites ?

— Oh ! Le vieux Coran ? C'est un bon chirurgien

et tout le reste mais en ce qui concerne les forti-
fiants, il a encore beaucoup à apprendre. Mon oncle
avait besoin d'un remontant après l'opération ; que
pouvait-il trouver de mieux que les Gélules Toniques
Thompson ?

— C'est lui qui vous les avait demandées ?

— Absolument. Et quand Oncle Randolph voulait
quelque chose, on obéissait. Il pouvait être un
véritable tyran quand il s'y mettait !... Laissez-moi
vous montrer le chemin.

Il fit un pas vers l'inspecteur :

— Vous n'avez pas besoin de repasser par l'entrepôt, il y a une entrée privée à l'extrémité de cette
rangée de bureaux. Une fois dehors, vous tournez à
droite. Faites-moi connaître le résultat de l'autopsie
dès que vous l'aurez, voulez-vous ?

— Entendu, monsieur Spaulding.

A grandes enjambées, l'inspecteur Rogers passa
devant un alignement de portes. A mi-chemin, il
s'arrêta pour lire un nom — Ridgeway Pomeroy.
D'un seul coup, son visage s'illumina. Il frappa
avant de passer la tête par l'entrebâillement de la
porte. Il lut la surprise sur le visage aimable de
l'homme qui était assis derrière le bureau, avant
qu'il ne s'exclame en souriant :

— Mon vieil Everett ! Ça fait une paye, dis donc !
Qu'es-tu devenu pendant tout ce temps ? Et que
fais-tu ici ?

— Je suis en service commandé : j'enquête sur
la mort de Randolph Thompson. Mais je pourrais te
poser la même question : que fais-tu ici ?

— Oui, sale affaire pour le vieux... Donc, tu es
dans la police ! Je m'en souviens : déjà, au collège,
c'est ce que tu voulais faire. C'est dommage, car tu
aurais pu être un excellent chimiste.

— Je n'ai pas à me plaindre : pour l'instant je
suis inspecteur — et ce n'est pas fini !

— Bravo, Ev ! Alors ? Raconte ! Qu'est-il arrivé à M. Thompson ? Il a vraiment avalé du cyanure ?

— Nous n'avons pas encore reçu le rapport du médecin légiste mais je suis à peu près convaincu qu'il a été empoisonné.

— Comme ça, *Il a été empoisonné* ? On lui aurait fait prendre du cyanure sans qu'il s'en aperçoive ? Ça semble difficile étant donné le goût ; non pas que j'en aie moi-même déjà fait l'expérience...

— Disons que j'ai encore quelques doutes... Mais tu n'as pas répondu à ma question : c'était bien la biochimie que tu étudiais, non ? Alors, que fais-tu dans cette boîte ?

— Eh bien, tu me croiras ou non, mais je suis employé pour faire de la recherche en biochimie — ou plutôt, maintenant je crois qu'il serait plus correct de dire "j'étais employé" — car je vois mal le jeune Spaulding renouveler mon contrat quand celui-ci viendra à expiration à la fin de l'année ; à moins que j'accepte de devenir l'un de ses super-vendeurs — ce que je refuse absolument. Je ne ferai jamais que de la recherche.

— C'est donc toi qui devais trouver le produit miracle ?

— Mais qu'est-ce qu'il me chante, celui-là ? Qui t'a raconté un truc pareil ?

— Ton nouvel employeur, mon cher, Martin Spaulding.

Immédiatement, Ridge Pomeroy redevint sérieux.

— Je t'assure, Everett, tu es dans l'erreur la plus complète, les recherches que je fais, sont tout à fait légitimes.

— Tu m'intéresses. Raconte-moi ta version de l'histoire.

— Ça n'a rien de compliqué. Comme tu le sais sans doute, Randolph Thompson a bâti son entreprise sur ses gélules fortifiantes. Si tu veux savoir la vérité, tout ce qu'elles contiennent ne sont que quelques vitamines et des minéraux ; elles ne sont ni meilleures ni pires que des centaines d'autres marques déjà sur le marché. Mais le vieux Randolph était un homme d'affaires astucieux et rien que sur la marque Gélules Toniques Thompson, il semblait capable, non seulement de vendre son produit, mais en outre de battre tous ses concurrents. Donc, M. Thompson est devenu riche, très riche, si bien qu'un jour, il a eu le sentiment, qu'en retour, il devait faire quelque chose de bien pour l'humanité ; il en avait les moyens. Il m'a donc engagé pour créer un laboratoire de recherche et je dois dire qu'il savait se montrer extrêmement généreux : il m'avait donné carte blanche absolue.

— Pour découvrir la merveille des merveilles ?

— Non, Ev, je me tue à te le dire, Thompson n'était pas comme ça ! Sa joie aurait été immense s'il avait pu découvrir ne serait-ce qu'un seul bon remède pour une maladie particulière. Et le champ est vaste : cancer, arthrite, sclérose en plaques, pour n'en citer que quelques-unes. La profession n'a de cesse de réclamer des médicaments qui puissent guérir ou soulager l'un ou l'autre de ces fléaux. Il y a des moyens légitimes de faire des recherches dans ces secteurs, et c'est tout ce que M. Thompson voulait !

— Ceci est très différent du récit que vient juste de me faire M. Spaulding. A première vue, celui-ci n'était pas vraiment en faveur d'une telle entreprise ?

— Ça, tu peux le dire. En fait, il était absolument contre. Tout ce qui l'intéresse c'est de faire du fric le plus vite possible. Un labo de recherche coûte énormément d'argent — qui vient en déduction des bénéfices de la société — et il peut se passer beaucoup de temps avant que tu puisses espérer pouvoir rentrer dans tes fonds... à supposer que cela se produise un jour... Dans le cas contraire, tout ce qui te reste est le prestige lié à la recherche. Non, Spaulding n'est rien d'autre qu'un affairiste. En fait, ce que le vieux voulait, c'est que Spaulding fasse lui-même de la recherche ; il m'en avait parlé quand il m'a engagé.

— Spaulding est chimiste ?

— Pas vraiment, mais il en sait suffisamment pour comprendre ce qui se passe à l'usine. M. Thompson voulait qu'il retourne à l'université pour faire des études supérieures. L'argent n'était pas un problème. Il aurait pu faire une maîtrise ou une licence dans le luxe le plus complet — pas comme toi et moi qui avons dû batailler pour y arriver. Mais le jeune Spaulding n'a rien voulu savoir. Il ne voyait pas pourquoi il irait perdre son temps et son énergie dans des études dont il n'avait nul besoin pour continuer à ramasser beaucoup d'argent.

— Tout ceci est extrêmement intéressant. Je dois m'en aller, mais avant de partir laisse-moi te poser encore une ou deux petites questions. Tu devais connaître assez bien Randolph Thompson — penses-tu qu'il était le type d'homme susceptible de se suicider ?

— Absolument pas. Il avait trop d'intérêts en jeu et il n'avait surtout aucune raison valable de se supprimer.

— Parfait.

De sa poche, l'inspecteur sortit un flacon rempli de gélules.

— Un flacon identique à celui-ci a été trouvé dans la chambre de M. Thompson. Il est en notre possession et M. Spaulding a reconnu l'avoir lui-même apporté à la demande de son oncle.

Ridge Pomeroy interrompit son ami :

— J'ajouterai quelque chose en ce qui concerne le vieux Randolph ; il a toujours eu pleinement confiance dans tout ce qu'il mettait en vente. C'est possible qu'il ait commis des erreurs, mais il soutenait toujours ses produits à fond.

L'inspecteur agita le flacon :

— La poudre est placée dans ces capsules — dont la taille est relativement grande. Combien de temps crois-tu nécessaire à l'une d'entre elles pour se dissoudre dans l'estomac ?

— Dix à quinze minutes, tout au plus.

— Je vois.

L'inspecteur semblait déçu lorsqu'il remit le flacon dans sa poche. Mais les yeux de Pomeroy s'étaient mis à briller :

— Tu ne veux pas dire que M. Sp... — quelqu'un ! — aurait injecté du cyanure dans une gélule et l'aurait placée parmi celles que M. Thompson devait prendre ?

— Combien y en a-t-il par bouteille ?

— Cent.

— Si tu voulais assassiner quelqu'un, tu t'y prendrais comme ça ? C'est pire que les machines à sous de Las Vegas... seulement une chance sur cent de toucher le gros lot ! Enfin, c'était quand même une idée...

L'inspecteur se mit debout.

— Il faudrait qu'on déjeune ensemble, un de ces jours, dit Pomeroy.

— Dès que j'en aurai fini avec cette histoire.

De retour à son bureau, l'inspecteur Rogers demanda qu'on lui apporte un verre d'eau tiède et, à la grande surprise de sa secrétaire, il entreprit d'y faire tomber quelques capsules qu'il regarda se dissoudre. Et dans les intervalles que lui laissaient ses obligations professionnelles, il continua ce petit jeu tout l'après-midi. A cinq heures, il descendit au laboratoire où il fit quelques emprunts avant de rentrer chez lui.

Le lendemain, à onze heures, il appelait Martin Spaulding.

— Je viens de recevoir le rapport d'autopsie. J'aimerais que vous passiez à mon bureau pour en parler tranquillement.

M. Spaulding ne se montra pas très enthousiaste :

— Malheureusement, je suis très pris aujourd'hui ; M. Pomeroy et moi-même devons participer à un déjeuner d'affaires de la plus grande importance.

Rogers répondit avec fermeté :

— Ce que j'ai à vous dire est aussi très important. Pourquoi ne venez-vous pas avec M. Pomeroy ? Je suis certain qu'il sera intéressé. Vous pourrez aller déjeuner après...

Une demi-heure plus tard, les deux hommes étaient assis face à l'inspecteur. Martin Spaulding semblait particulièrement impatient :

— Alors, qu'a découvert le médecin légiste ?

L'inspecteur n'avait aucune intention de se laisser bousculer : .

— Le rapport donne trois éléments d'information importants. En premier lieu, il ne fait aucun doute que votre oncle soit mort d'un empoisonnement au cyanure.

— Donc, il s'agit d'un suicide ! Il a dû prendre le poison qui était dans le flacon de sa table de chevet...

L'inspecteur continua, sans altérer le ton de sa voix :

— La seconde information ne corrobore pas exactement cela.

Martin Spaulding releva brusquement la tête pour le regarder :

— Que voulez-vous dire ?

— Eh bien, comme M. Pomeroy pourra le confirmer, le cyanure est une substance extrêmement corrosive. Normalement, elle laisse des traces dans la bouche et sur les lèvres. Le médecin légiste a constaté qu'il n'y avait aucune marque de ce genre chez votre oncle. En fait, il n'y avait trace de cyanure ni dans l'œsophage, ni même dans l'estomac. Le poison n'a été d'aucun effet avant d'arriver dans l'intestin grêle.

— Mais je ne vois pas comment cela est possible, intervint Pomeroy. Tu as dit qu'il avait cette poudre en sa possession ; or, sous une telle forme, le poison aurait dû être absorbé directement par les muqueuses et M. Thompson serait mort bien avant que le cyanure ait eu le temps de descendre même à mi-chemin de l'œsophage.

— Mon cher ami, à mon avis, cette fiole a été placée là pour brouiller les pistes. Pour fournir un bon alibi. Tu vois ce que je veux dire ? M. Thompson meurt d'un empoisonnement au cyanure une demi-heure après le départ de son visiteur. Mais on sait qu'avec ce poison particulier, la mort est instantanée. Cela signifie donc que M. Thompson l'a pris une demi-heure après le départ de son visiteur. Cependant il n'y a aucune trace de brûlure — et c'est là le problème. Je peux ajouter que le visiteur en question pensait certainement ne rien avoir laissé au hasard : avant de s'en aller, il s'est arrangé pour qu'une infirmière apporte à la victime une carafe d'eau fraîche, afin que des témoins puissent affirmer que M. Thompson était toujours en vie après son départ. Ma découverte que la victime n'avait jamais eu vraiment besoin de cette eau a été la première chose qui ait retenu mon attention...

— Mais je vous ai dit que mon oncle me l'avait demandée juste avant que je parte !

— Je suis désolé, mais personne ne pourra jamais prouver que c'est vrai.

— Comme tout le reste d'ailleurs...

Les lèvres fines de Martin Spaulding s'étaient étirées en une affreuse grimace.

— C'est ce que nous verrons, continua l'inspecteur sans se troubler. Maintenant, mon cher Pomeroy, venons-en à ta théorie. Supposons que le poison ait été incorporé à l'une de ces gélules. C'était une façon ingénieuse de le faire passer dans la bouche, l'œsophage, et même l'estomac, avant que la capsule finisse par se dissoudre dans l'intestin, provoquant, à cet instant précis, une mort instantanée.

— Mais ces capsules mettent un quart d'heure à fondre ! hurla Spaulding.

— Très intéressant, dit l'inspecteur. Vous êtes donc, vous aussi, au courant de cela... Cependant, nous avons un petit problème mathématique. Peut-être votre biochimiste pourra-t-il m'aider ? Monsieur Pomeroy, que font deux fois quinze ?

Sur le visage de Pomeroy, l'expression de plaisir que lui apportait une telle démonstration, céda la place à une surprise totale.

— Y a-t-il un piège dans la réponse ou puis-je simplement dire que cela fait trente ?

— Trente fera l'affaire ; trente minutes. J'ai la preuve que le cyanure a été administré trente minutes avant la mort de la victime ; en d'autres termes, juste avant le départ du visiteur précédemment mentionné.

— Vous êtes fou ! glapit Spaulding.

L'inspecteur Rogers ouvrit le tiroir de son bureau :

— J'ai ici la troisième preuve, fournie par notre médecin légiste.

Il déposa devant les deux hommes une petite bouteille qui, à première vue, ne semblait contenir que de l'eau.

— Ceci est du formol. Agent conservateur que vous connaissez tous les deux, j'en suis certain. Cette fine pellicule que vous pouvez distinguer dans le fond est un spécimen important prélevé sur la victime.

— Quelle que soit cette chose, ça n'a rien à voir avec moi !

Spaulding avait la voix rauque.

— Je n'en serais pas si certain, continua calmement l'inspecteur. Depuis hier, monsieur Spaulding, je me suis amusé à faire moi-même quelques expériences avec les gélules dont vous avez eu l'obligeance de me faire cadeau. Et j'ai découvert des choses intéressantes : en les plaçant dans de l'eau tiède, j'ai pu constater qu'il fallait à peu près un quart d'heure à l'enveloppe pour se dissoudre et libérer la poudre vitaminée. Néanmoins, il est très rare que toute la capsule se dissolve d'un seul coup. Généralement, une extrémité commence par fondre et plusieurs autres minutes sont nécessaires pour que le reste disparaisse à son tour. Le spécimen que vous voyez dans ce flacon est ce qui a été retrouvé dans le corps de la victime.

— Je vous répète que cela n'a rien à voir avec moi, marmonna Spaulding.

— Je vous demande d'y regarder d'un peu plus près, cher monsieur, et vous changerez d'avis. Les restes dans ce liquide ne proviennent pas d'une seule capsule mais de deux. La taille 1 ayant été, avec beaucoup d'ingéniosité, placée à l'intérieur de la taille 2, on a ainsi obtenu une double épaisseur. Il a donc fallu quinze minutes à la pellicule extérieure pour se dissoudre et quinze minutes supplémentaires à la pellicule intérieure pour faire de même ; et deux fois quinze — comme mon ami vient justement de nous le dire — font trente. Trente minutes, monsieur Spaulding. J'ai ici la preuve que ce petit remontant a été administré à votre oncle en guise de dernière gentillesse juste avant de lui dire au revoir.

Le visage de Martin Spaulding avait la couleur du ciment. Il eut peine à empêcher sa mâchoire de trembler lorsqu'il dit :

— C'est un peu mince pour me déclarer coupable.

Froidement, l'inspecteur Rogers le regarda :

— Mon travail n'est pas de vous reconnaître coupable ou non, monsieur Spaulding, mais je suis convaincu que vous finirez par vous condamner vous-même...

Il appuya sur une sonnette placée sur son bureau et deux policiers en uniforme entrèrent.

Les deux amis restèrent un long moment silencieux après que Spaulding eut été emmené. C'est Pomeroy qui parla le premier :

— C'était bien pensé, Ev. Je retire ce que j'ai dit au sujet de ton entrée dans la police. Incroyable !... J'avais presque l'impression d'entendre ta cervelle embrayer à chaque fois que le moment opportun se présentait ! Une seule chose m'intrigue : où as-tu réellement déniché ces spécimens ?

— Je te l'ai dit : sur la victime.

Pomeroy secoua la tête :

— Oh, non ! N'oublie pas que tu t'adresses à un biochimiste ! Les sucs digestifs continuent de travailler pendant des heures — même après la mort. Cette capsule aurait été entièrement dissoute. Il ne serait rien resté.

Rogers se mit à sourire :

— Tu le sais, et moi aussi — c'est — c'est un des avantages de l'enseignement supérieur. Malheureusement pour Spaulding, il n'est pas aussi bien renseigné. S'il avait accepté l'offre de son oncle de reprendre ses études, il se serait évité la fâcheuse situation dans laquelle il se trouve actuellement. Ce qui tend simplement à prouver, mon cher ami, que l'instruction prise à la légère peut devenir extrêmement dangereuse.

Twice Fifteen.
Traduction de Christiane Aubert.

LE FIN FOND DE L'HISTOIRE

par Lee Millar et Wayne Hamilton

Je ne sais pourquoi, la plupart des gens s'imaginent que si vous avez beaucoup d'immeubles ou de terres vous êtes très riche. J'aimerais que ce soit vrai. Avez-vous jamais entendu parler des pauvres propriétaires ? Les impôts, vous savez... Eh bien, c'était exactement ma situation, sinon je n'aurais pas pensé à vendre ces vieux immeubles situés en bordure sud de la ville. Non qu'ils aient été condamnés, mais j'avais besoin de l'argent, et ces bâtiments ne me servaient à rien. Aussi, quand les édiles vinrent me proposer de les vendre pour qu'on puisse les démolir et construire à la place un nouveau centre social, je fus d'accord.

La plupart des boutiques qui s'y trouvaient étaient vides, et celles qui ne l'étaient pas ne payaient que très peu de loyer. Le dépôt rapportait encore un peu, de même que le garage, mais tout le reste était vide et plutôt décati. Les impôts avaient doublé depuis un an et je me demandais justement quoi faire quand ils vinrent me trouver.

Quand je leur donnai mon accord, ils pensèrent

que j'avais vraiment le sens civique très développé. Et comme je ne discutai pas leurs plans, je m'aperçus qu'ils acceptaient toutes les petites conditions que je mis, comme de me donner suffisamment de temps pour que je sache quoi faire du peu de mobilier qui pouvait rester dans les bâtiments et de laisser également un délai convenable aux locataires pour s'en aller.

Ceux du garage rouspétèrent un peu, et la société qui occupait le dépôt fut furieuse, mais ce n'était qu'un détail, et assez rapidement les lieux furent vides et prêts à être démolis.

Quatre jours avant la date fixée pour le commencement des travaux, je décidai de faire un dernier tour, au cas où j'aurais oublié quelque chose que je pourrais vendre. Je me baladai dans les boutiques vides et les logements vétustes et j'arrivai finalement au vieux bureau de tabac. Tous les boutons de porte et les verrous avaient déjà été retirés, aussi les portes battaient-elles et certaines grinçaient quand le courant d'air les faisait bouger. Je poussai la porte d'entrée. Je m'aperçus que c'était la première fois que j'entrais dans l'endroit. Quand mon oncle m'avait laissé ces immeubles en 1962, le magasin était déjà fermé, et, d'après ce que je vis à travers la vitrine après avoir essuyé celle-ci il l'était depuis longtemps. Depuis, personne n'avait jamais demandé à le louer, et je n'y avais plus pensé.

A l'intérieur du magasin qui sentait le moisi, il y avait encore la vitrine d'étalage, mais le dessus et la glace de côté étaient cassés et il semblait que l'on n'en pût rien récupérer.

J'ouvris une porte qui menait à une petite pièce qui devait servir de réserve et entrai. Il n'y avait pas de fenêtre, et la seule lumière était celle qui filtrait à travers la vitrine crasseuse de la boutique. Je jetai un coup d'œil aux gravats et aux saletés qui s'y

trouvaient et me préparais à sortir quand je m'aperçus qu'il y avait une autre petite porte dans le fond.
J'avais failli ne pas la voir car il y avait devant tout
un tas de cartons et de boîtes vides. Je me frayai un
chemin, et tâtai la poignée. J'eus là ma première
surprise, la poignée ! Les ouvriers n'avaient donc
pas aperçu cette porte, comme j'avais manqué le
faire moi-même.

Ma seconde surprise fut quand je vis le cadenas.
Il était vieux et rouillé, mais je ne pus le faire
bouger d'un centimètre quand j'essayai de l'ouvrir.
Je pensai qu'il y avait peut-être quelque objet de
valeur derrière cette porte et décidai d'entrer. Avec
le manche de mon cric je forçai la porte.

Juste au moment où j'allais la pousser, j'y remarquai une petite fente au niveau des yeux fermée de
l'autre côté par une planche de bois. J'ouvris vivement la porte. De l'autre côté se trouvait en effet
une planche coulissante qui couvrait la fente et
était attachée par un crochet. J'ôtai ce dernier et la
fis coulisser sur le côté.

Une pensée commençait à me tourmenter et je
me retournai pour voir ce qu'il y avait au-delà de
la porte, mais tout ce que je vis était le début d'une
descente d'escalier et un noir profond. Mais j'étais
à peu près sûr que je venais de découvrir un vieux
cabaret clandestin !

En reglissant le panneau à sa place, je ne pus
m'empêcher de rire en pensant au nombre de fois
que ce geste avait été fait du temps où l'endroit
était en activité. Une espèce de grand bandit, probablement avec un nez cassé et une cicatrice de
coup de couteau sur la joue, devait se tenir près de
la porte, attendant les coups réglementaires, le
signal. Puis, dans le bureau de tabac un couple bien
habillé entrerait pour acheter des cigarettes ou un
cigare. Vite, dès que la voie serait libre, on les ferait

passer par la porte menant à la réserve, puis vers la porte au panneau. L'homme frapperait suivant un signal convenu et le panneau glisserait. Le bandit de l'intérieur les examinerait. Peut-être l'homme aurait-il une hésitation en se voyant jaugé par les yeux féroces ou, si c'était un habitué, ne bougerait-il même pas un cil. En tout cas, il regarderait le gardien féroce et dirait : « C'est Joe qui m'envoie ! » ou quelque chose comme cela, et ils entreraient.

Et alors je pensai que j'avais sans doute vu récemment trop de vieux films et que ce n'était pas du tout ce que je pensais. Mais j'allais sûrement aller voir !

Le courant avait été remis pour les travaux de récupération et quand je tournai le bouton de la boutique une ampoule nue s'éclaira.

A l'intérieur de la réserve il y avait un autre bouton. Si je disais que je le tournai sans penser à rien, je mentirais car j'avais l'estomac serré en le faisant. Je n'avais pas la moindre idée de ce que j'allais trouver en bas ; j'avais même essayé de me dire que ce n'était probablement qu'une autre resserre, mais le nœud que j'avais à l'estomac n'était pas sans fondement car ce que je vis de l'escalier était absolument incroyable ! J'eus l'impression que je venais de pénétrer dans un vieux décor de cinéma, car c'était bien une boîte de nuit qu'il y avait dans cette cave !

Je crois avoir descendu trois marches à la fois, car en moins de temps qu'il n'en faut pour le dire je me trouvai au milieu de la pièce, regardant autour de moi.

Au moins une douzaine de lustres de cristal pendaient au plafond : ils brillaient comme des bijoux sales et envoyaient des ombres comme des toiles d'araignées autour de la pièce. Seule une chose ne collait pas : il n'y avait personne ! Cela peut sembler étrange, car comment pouvait-on penser trouver des gens dans un cabaret qui était fermé depuis plus de trente-cinq ans ? Je n'ai qu'une raison pour dire cela, c'est que l'endroit donnait l'impression qu'il *aurait dû* y avoir des gens.

Sur les nombreuses tables autour de la salle, se trouvaient des verres à whisky et à cocktail, maculés de la saleté laissée par les boissons évaporées depuis longtemps. Il y avait des tas de bouteilles de whisky, de gin et d'autres boissons dont beaucoup n'étaient pas ouvertes.

Le pied de l'escalier était occupé par un petit vestiaire dans lequel étaient encore pendus des vêtements poussiéreux ; un boa de femme, trois chapeaux claque et un manteau d'homme. Dans un coin, s'empilaient des effets qui semblaient être de la fourrure.

Je regardai par-dessus la demi-porte. Sur le sol, un plateau qui avait sûrement appartenu à une vendeuse de cigarettes. Son contenu s'était répandu dans toute la pièce et je pus apercevoir parmi d'autres de marques connues, des paquets de Melachrinos et de Fatimas. Il y avait également une demi-douzaine de boutonnières fanées et tellement séchées qu'elles étaient prêtes à tomber en poussière au moindre souffle d'air.

A l'autre bout de la salle, il y avait une scène pour les attractions. Des draperies rouges, qui avaient dû paraître luxueuses en leur temps, pendaient maintenant lamentables et dégoûtantes. Sur la scène, il y avait une batterie et un piano droit, des chaises et des pupitres pour une demi-douzaine de musiciens, mais pas les instruments de musique, bien qu'un étui de clarinette traînât par terre à côté de la batterie.

Je montai sur la scène et allai au piano. Il y avait dessus de vieilles partitions jaunies. Je pris la première, soufflai sur la poussière et pus lire le titre *Ain't she sweet ?*

Un bruit de verre cassé me fit retourner brusquement et je regardai vers l'autre côté de la salle où le long bar recouvert de cuir pourrissait. Personne. Je retins ma respiration un instant tandis que mon cœur cognait. Pendant ce moment de silence, j'entendis comme un gargouillis venant du bar et aperçus ensuite un filet de liquide qui tombait comme une cascade sur un des tabourets sales. Mon cœur reprit un rythme normal quand je vis un grand rat lustré filer derrière le bar où il avait fait tomber une bouteille de champagne dont le contenu s'écoulait rapidement.

Du point surélevé où je me trouvais j'examinai ce qui m'entourait et le tableau commença à s'éclaircir : des choses que je n'avais pas vues au premier abord me frappèrent. Des chaises étaient renversées, une table ou deux couchées sur le côté. Par terre, des verres et des bouteilles cassées.

Je descendis de la scène et parcourus lentement la salle, notant tout ce que je pouvais. Un long collier de perles cassé était sur le plancher, à côté d'un sac brodé. Je le ramassai et l'ouvris. Dedans je trouvai un poudrier, du rouge à lèvres, un petit mouchoir, une pince à billets avec cinq billets d'un dollar (les grands, du modèle ancien) et un autre de dix dollars, un petit porte-monnaie contenant quelques pièces d'argent, une pièce de cinq dollars en or et quelques cents, un porte-cartes qui ne contenait qu'un permis de conduire.

Ce permis avait été délivré à une certaine Edna Balzer, domiciliée 1710 Waring Street, née le 13 juin 1903, yeux bleus, cheveux blonds, teint clair. Il expirait en 1928.

Je refourrai le tout dans le sac et mis celui-ci

dans ma poche ; ce pourrait être amusant d'essayer de retrouver cette femme, si la chose était possible.

Les choses paraissaient maintenant assez claires ; un événement s'était produit — une descente de police probablement — et tous s'étaient enfuis à toute vitesse sans s'occuper de ce qu'ils pouvaient laisser derrière eux afin de ne pas se trouver mêlés à un scandale de boîte de nuit clandestine, surtout ceux qui étaient là en compagnie d'une femme qui n'était ni leur épouse ni leur fiancée.

Mais plus je pensais à cette descente de police, plus quelque chose me troublait. Bien sûr, les descentes de police étaient fréquentes en ce temps de prohibition, mais d'habitude quelqu'un revenait ensuite sur les lieux. Même quand on les obligeait à fermer, ils revenaient, ne serait-ce que pour vendre le matériel.

Non, je me rendais compte qu'il n'avait pas pu y avoir une descente de police, ne serait-ce que pour une raison. Les bouteilles étaient intactes, et tout le monde sait que lorsque les policiers faisaient une descente dans une boîte clandestine, ils détruisaient toujours toutes les bouteilles d'alcool. Cela avait dû être autre chose ! Tout à coup me vint une idée. Après tout, j'étais toujours le propriétaire de tout ce qui se trouvait dans ces immeubles, alors pourquoi ne pas inventorier le stock de boissons que je venais de découvrir ?

Il y avait des tas d'étiquettes que je ne connaissais pas, mais du whisky c'est du whisky, et j'ouvris une bouteille de Scotch au hasard et en pris une gorgée. Il était merveilleux et je commençai à penser que j'avais vraiment trouvé un trésor. Puis une autre porte me sauta aux yeux et je me dirigeai vers elle.

Cette porte menait à un couloir et à des loges d'artistes que je ne pris pas la peine de visiter immédiatement. Au bout du couloir il y avait quatre autres portes. L'une d'elles menait à une grande réserve et je notai avec joie qu'elle était remplie de caisses de bouteilles encore cachetées. Deux autres allaient à des loges que je décidai de visiter ultérieurement, et la dernière à un petit bureau très décoré et aux meubles recouverts de peluche.

Qui que fût le directeur de cet endroit, il ne s'était pas privé de décors luxueux. Tout était de la meilleure qualité et du meilleur goût — pour les années 30.

Il ne semblait y avoir rien d'important ; le bureau avait été poussé contre un mur, et pour une raison quelconque, trois chaises étaient empilées dessus ; je pouvais voir également que les tiroirs avaient été ouverts et vidés en vitesse. En dehors du grand bureau, le mobilier consistait en un canapé, des tables, des chaises, des lampes, etc. Au moment où je sortais, j'aperçus un grand tableau qui pendait de travers sur un des murs comme s'il était fixé sur un pivot plutôt que suspendu à des cordes. Je vérifiai et trouvai derrière un coffre-fort. Ouvert et vide !

Une des loges était manifestement celle de l'orchestre car il y avait par terre des cartons de chemises et des mégots plein les cendriers. Rien d'autre d'intéressant sinon un placard vide avec quelques portemanteaux sur le sol. Dans l'autre loge, c'était autre chose.

Sur des planches et dans le placard pourrissaient des tas de vêtements et costumes féminins — des machins à taille basse avec beaucoup de perles et de broderies. Quelques chapeaux cloches voisinaient avec des sacs brodés de perles. Sur la table, un tas de tubes de maquillage, de pots, de serviettes, et de toutes les choses dont se servent les danseuses.

Dans un coin, le long du mur, il y avait une malle. Elle était fermée, mais je réussis à l'ouvrir. Au premier abord il n'y avait pas grand-chose à voir à l'intérieur et je me demandai pourquoi on s'était donné la peine de la fermer à clef. Aussi étonnant que cela paraisse, elle ne contenait pas de vêtements féminins ; seulement des affaires masculines. Deux costumes rayés, une paire de guêtres, quelques chemises de smoking, de luxueux boutons de manchette, une épingle de cravate en or incrustée d'un diamant que je découvris plus tard être véritable. C'était tout, en dehors d'une cravate luxueuse et tape-à-l'œil sur laquelle était brodé le monogramme : *A.C.*

Ce monogramme me fit réfléchir, et j'examinai les choses plus à fond. Je retournai les boutons de manchette et vis qu'ils étaient gravés au dos : *de E.B. à A.C.* Bien sûr ce *E.B.* me dit tout de suite quelque chose et je me demandai si ce ne pouvait pas être Edna Balzer, la femme dont j'avais le sac. Probablement pas, mais cela valait la peine d'essayer de savoir.

Deux heures plus tard, j'émergeai à la lumière du soleil de 1964, laissant derrière moi l'ombre de l'époque agitée des années 20.

Je pense que les gens de la mairie me crurent un peu fou quand je leur demandai de retarder les travaux de démolition, mais quand je leur expliquai la raison de ma requête, ils acceptèrent. Naturellement les journalistes eurent vent de l'affaire et en firent de grands titres pendant deux jours. Ils prirent des photos et m'interviewèrent, et même un magazine à grand tirage fit un article. Vous vous en souvenez peut-être.

C'est une chance que j'aie eu toute cette publicité, car autrement je n'aurais sûrement pas pu me débarrasser de tout ce matériel aussi rapidement. Par chance pour moi, un millionnaire un peu fou décida qu'un cabaret 1929 était *exactement* ce qu'il fallait comme attraction pour touristes au même

titre que le musée de cire du cinéma ou Disney-
land... Il acheta le tout.

Pendant que tout cela se faisait, je décidai d'aller
voir à l'adresse indiquée sur le permis de conduire
d'Edna Balzer. Je pensais bien qu'elle ne devait plus
y être mais je n'avais rien d'autre à faire.

La maison n'avait pas l'air mal, en dépit de son
air tarabiscoté. La peinture était en bon état, le
jardin bien entretenu, aussi en marchant vers la
porte je me dis que peut-être la femme Balzer vivait
encore là.

Une vraie poupée m'ouvrit, et pendant un instant
j'hésitai à demander une femme qui avait habité là
trente-cinq ans auparavant. Elle allait me croire fou,
mais je lui demandai quand même — et voilà : elle
me crut fou.

Il se trouva que cette poupée se nommait Anna
Marie Balzer, la nièce de la femme que je cherchais.
Elle était très gentille et me demanda d'entrer
prendre le café. Alors elle me raconta toute l'histoire, ou tout au moins ce qu'elle en savait. C'était
à peu près ceci :

Elle n'avait jamais connu sa tante Edna, et avait
hérité de son père, le frère d'Edna, cette maison de
l'horrible époque victorienne. Non qu'Edna fût
morte. Elle avait disparu à la fin de 1928, et on
n'avait jamais plus entendu parler d'elle. En tant
que seul parent, son frère avait reçu la maison
quand, en 1935, on avait déclaré sa propriétaire
légalement morte, sept ans après sa disparition. A
la mort de son père, Anna Marie avait elle-même
hérité.

Il y avait encore une vieille malle appartenant à
tante Edna dans le grenier et j'obtins la permission
de la fouiller. Je grimpai aussitôt dans les combles
et, dans un coin je trouvai la malle cabine. Elle était
remplie d'un tas d'objets souvenirs : des paquets de

lettres, un journal, une boutonnière séchée, la photo d'une très jolie femme que je supposai être Edna, et autres babioles qui n'ont d'importance que pour celui qui les garde. Je feuilletai rapidement les tas de lettres jusqu'à ce que je trouve celui que j'espérais découvrir. Ces lettres n'étaient pas dans leurs enveloppes, aussi le nom de « Al » me sauta-t-il aux yeux. J'ôtai la ficelle et commençai à lire celle du dessus.

Au bout de deux heures, Anna Marie vint voir ce que je devenais. Elle était habillée pour sortir et sembla déçue de voir que j'étais tellement plongé dans la lecture des lettres que je ne la remarquai pas avant qu'elle n'ait parlé.

Je lui adressai un petit sourire, rattachai le paquet de lettres et le remis en place, fermai la malle et me redressai.

Elle me sourit à son tour.

— Avez-vous trouvé ce que vous cherchiez ?

Je fronçai les sourcils en me demandant si vraiment je l'avais trouvé.

— Peut-être, dis-je. J'en saurai davantage quand j'aurai pu vérifier à la police.

Elle sembla effarée.

— La police ?

Je réalisai qu'elle avait peur tout à coup que je remue de la boue et salisse le nom de sa famille, aussi je la rassurai.

— Ce n'est pas à propos de tante Edna, dis-je, mais à propos d'un homme qu'elle connaissait très bien.

Je me rappelle les grands yeux qu'elle fit en me demandant — Qui ?

— Al Cartelli, dis-je.

* * *

Avant de faire mon enquête sur Cartelli, je décidai de tâcher de savoir qui avait loué le bureau de tabac vers 1927 ou 1928. Ce serait probablement un faux nom, mais cela valait la peine de vérifier.

La première chose que je fis fut de demander à la police de me permettre de regarder leurs vieilles listes des boîtes clandestines — celles où ils étaient allés — et de me dire qui s'en occupait. Cela ne donna rien car il n'était nulle part fait mention d'un local de ce genre dans mon immeuble, nouvelle preuve de ce que ma théorie était juste quand je disais qu'il n'y avait pas eu de « descente ».

Les bureaux de la mairie, les archives de toutes sortes occupèrent tout mon temps pendant les trois jours suivants jusqu'à ce que je trouve le dossier concernant le bureau de tabac. J'hésitai un moment avant de glisser mon doigt le long de la page pour trouver le nom. J'étais sûr que ce serait celui d'Al Cartelli. J'avais tort. C'était celui d'Edna Balzer !

Mais j'avais quand même raison. Le *A.C.* devait être Al Cartelli si *E.B.* (manifestement le *E.B.* sur les boutons de manchette) avait dirigé le bureau de tabac-boîte de nuit. Cartelli était donc le suivant sur la liste pour mon enquête.

Aussi étonnant que cela paraisse, le capitaine de la police se rappelait bien Cartelli ; il avait pour cela une bonne raison. C'est lui qui l'avait arrêté et envoyé à Alcatraz pour trafic d'alcool et fausse monnaie.

L'histoire que le capitaine me raconta était longue et intéressante. Cartelli avait été libéré sur parole en 1928, mais il avait commis la faute d'annoncer publiquement qu'il allait « avoir ce cochon de Mickey Foster même si c'était la dernière chose qu'il ferait au monde ! » Cette déclaration se montra prophétique car, pour autant que l'on *sache*, c'est la dernière chose que fit Cartelli. Il était bien connu que Mickey Foster avait « dénoncé » Cartelli, et que c'était à cause de lui qu'Al était allé en prison. Foster n'avait pas assez pris au sérieux les menaces de Cartelli car il croyait en la loi du milieu... « Le chef d'un gang n'est-il pas *supposé* devoir donner son adversaire ? » avait-il dit en privé, bien que la police ait eu vent de la chose.

Ainsi, deux semaines environ après la libération d'Al, une voiture noire était brusquement sortie d'une petite rue, et une mitrailleuse, par la vitre arrière, avait transformé Foster en écumoire.

Malheureusement, Al avait eu le tort de se faire voir de neuf ou dix personnes qui toutes étaient prêtes à témoigner. Et ce fut la fin de l'histoire. On n'avait plus jamais vu ni entendu parler d'Al Cartelli depuis, bien que le gouvernement ait mis sa tête à prix, mort ou vif, pour 5 000 dollars. (Le gouvernement avait pris cette mesure non seulement parce qu'il avait tué Foster mais parce que, avant le meurtre, Cartelli avait mis en circulation un peu de la fausse monnaie qu'il avait retirée d'une cachette que la police n'avait pas découverte lors de son arrestation.)

Petit à petit, au fur et à mesure que les autres se faisaient arrêter, le nom de Cartelli avança sur la liste fameuse des « Dix hommes les plus recherchés », et, autant que le capitaine le sût, il s'y trouvait toujours, bien que personne ne semblât plus se soucier de le rechercher.

— Il vit probablement comme un respectable citoyen, banquier ou autre chose, dans une petite ville quelconque, dit le capitaine en me souriant. Oui, me dis-je, c'est déjà arrivé. Et je me mis à penser aux lettres adressées à Edna que j'avais lues, les lettres d'amour de Cartelli. N'avait-elle pas disparu à la même époque ? Cela prenait figure ! Cela expliquait aussi pourquoi personne n'était revenu au club et pourquoi il avait été évacué si rapidement. Je pouvais l'imaginer facilement.

La police est aux trousses d'Al et se rapproche. Il court au club, dit à Edna ce qui arrive, elle se précipite dans la salle et annonce à tout le monde qu'il va y avoir une descente de police. Ils sortent tous précipitamment, renversant des tables, des verres, les tabourets de bar. L'orchestre fuit en vitesse, la clarinettiste en oubliant l'étui de son instrument ; les danseuses laissent leurs robes de scène puisqu'elles ne leur appartiennent pas de toute façon ; panique générale, bientôt tout le monde est parti — sauf Al et Edna. Tout va bien maintenant, le club est fermé et silencieux, de telle sorte que personne ne viendra voir ce qui s'y passe et trouver Al, mais il faut quand même qu'ils se dépêchent.

Piliers de la bonne société d'une petite ville, maintenant, pensai-je. Le mystère éclairci de fond en comble !

Dans tout cela, la chose agréable était Anna Marie. Si je n'avais pas trouvé ce sac, je ne l'aurais peut-être jamais rencontrée. Bien entendu, quand j'eus l'histoire bien claire dans mon esprit, je la lui racontai et elle fut fascinée d'apprendre qu'elle était parente d'un gangster.

Finalement, le jour où les démolisseurs devaient commencer les travaux, je décidai que je devrais lui montrer les lieux.

Les ouvriers commençaient par l'autre côté de l'immeuble ; rien ne s'opposait donc à ce que nous entrions dans le club, en dépit de l'écriteau « Défense d'entrer » qu'ils avaient mis.

Nous nous frayâmes un chemin jusqu'à la petite porte et je l'ouvris. Nous n'avions pas de lumière, mais j'avais apporté ma torche électrique, et Anna

Marie en avait une aussi, par conséquent tout allait bien.

Je lui fis visiter les lieux en lui montrant différentes choses. Là où avait été la scène, il n'y avait plus qu'un trou, mais elle pouvait l'imaginer car elle avait vu les photos du magazine et savait que je l'emmènerais voir le cabaret reconstitué, quand il serait terminé.

Dans la pièce d'habillage du fond, la malle était partie car je l'avais donnée au théâtre amateur local mais je lui montrai où elle était. Puis, d'un geste théâtral, je sortis de ma poche les boutons de manchette, l'épingle de cravate, la pince à billets et la pièce en or. J'avais toujours pensé les lui donner mais je voulais le faire dans le lieu où je les avais trouvés, comme elle d'ailleurs, plus ou moins. Elle fut ravie !

En entrant dans le bureau on pouvait entendre les coups des démolisseurs et même sentir les trépidations.

Quand ces vibrations devinrent vraiment fortes, je décidai qu'il était temps que nous sortions. Dans un immeuble aussi vieux, qui sait ce qui pourrait arriver ? De toute façon, des morceaux de plâtre commençaient à tomber, et nous nous précipitâmes vers la sortie. Je crois que ce fut le curieux bruit de craquement qui nous fit nous arrêter et revenir.

Une partie du mur du bureau s'ouvrait lentement, et nous réalisâmes tout à coup qu'en fait, ce n'était pas un mur, mais une porte secrète. C'était le mur contre lequel était poussé le bureau. Nous restâmes fascinés en regardant l'ouverture s'agrandir à chaque trépidation. Enfin, il s'immobilisa. Au bout d'un moment nous nous dirigeâmes vers l'entrée. Je passai le premier, mais quand j'eus plongé ma torche vers l'intérieur je m'arrêtai brusquement et me retournai vers Anna Marie. Je pense que je devais avoir l'air terrible, car elle faillit crier.

— Sortons vite d'ici, dis-je, et je pris son bras pour l'entraîner vers la porte. Au début elle ne voulait pas partir mais je pense que je fis suffisamment d'impression sur elle pour qu'elle ne protestât plus, et elle me laissa la guider par les différentes portes vers l'escalier et la lumière du jour.

Dehors, elle se tourna vers moi, son visage plein de questions, mais avant qu'elle ne pût me dire quoi que ce soit je me précipitai vers le poste de téléphone le plus proche. J'eus la chance d'obtenir immédiatement le capitaine et la rue ne tarda pas à être envahie.

*
* *

Dès qu'il sortit de la pièce secrète, je dis au capitaine : « C'est toujours valable, n'est-ce pas ? »

Il me regarda d'un air vraiment étonné, puis fit un signe de la tête.

— Autant que je sache, oui. Je crois que c'est une de ces choses que les gens oublient.

J'étais ravi.

— Tant mieux, dis-je.

Il sortit, suivi de son équipe.

Il ne restait pas grand-chose de l'homme ou de la femme. Trente-cinq ans, c'est long pour un corps. Mais la cravate au monogramme *A.C.* rendait l'identification facile et les examens prouveraient certainement que le corps de la femme était celui d'Edna Balzer.

Quand on les enleva, je regardai de nouveau dans la pièce secrète où un des policiers ramassait des centaines de milliers de dollars répandus dans tous les coins. Ce qui était arrivé était maintenant évident.

Le coffre du bureau n'était là que pour la frime, pour tromper les gangs rivaux ou des cambrioleurs éventuels. L'argent se trouvait en fait dans cette pièce qui était construite comme une chambre forte. Tout le long d'une des parois il y avait de petits coffres-forts encastrés et sur le côté opposé des coffres portatifs étaient empilés. Tous étaient ouverts et vides, leur contenu répandu dans toute la pièce.

Edna et Al avaient pensé que la police n'était pas loin à leurs trousses. Leur seule chance de s'en tirer résidait dans le contenu de la chambre forte — assez d'argent pour jusqu'à la fin de leurs jours. Ils l'avaient donc ouverte en vitesse, s'y étaient précipités pour prendre l'argent sans s'occuper des précautions de sécurité et la porte s'était refermée sur eux. Personne ne pouvait les entendre appeler — même pas la police qu'ils croyaient si près. La chambre forte était devenue leur tombe.

Je surveillai de près les policiers tandis qu'ils ramassaient tout ce qu'il y avait là. Après tout, d'après mon contrat avec la ville, tout ce qui était à l'intérieur des murs m'appartenait.

Oui, tout ceci était très excitant. Mais, tandis que les policiers quittaient les lieux, il me vint une pensée ; si c'était vraiment ainsi que les choses s'étaient passées, qui donc avait fermé au cadenas la porte donnant sur le bureau de tabac ?

Je pensai alors à la bande de Foster. Vengeance ! Mais alors, pensai-je, s'ils avaient enfermé Edna et Cartelli, pourquoi ne s'étaient-ils pas emparés de l'argent ?

Du coin de l'œil, j'aperçus un billet de dix dollars que les policiers avaient oublié. Je le ramassai et l'examinai.

Je le laissai retomber par terre et m'appuyai au mur. Des centaines de milliers de dollars — tous à moi — et tous faux ! La bande de Foster n'était pas si folle après tout.

Eh bien, tant pis, pensai-je, il me reste au moins les 5 000 dollars de la mise à prix « mort ou vif » d'Al Cartelli. De quoi passer une sacrée lune de miel !

A.C. from E.B.
Traduction d'A. Decloux.

LA TROP PÉNIBLE VÉRITÉ

par Mary Linn Roby

C'est sur le chemin de l'école que Peter Douglas Morehead aperçut dans le fossé la tête de Miss Finch sortant de la buse d'écoulement que l'on venait de creuser sous Warren Road. Les yeux clos, son abondante chevelure blonde étalée au milieu des pâquerettes et des boutons d'or, Miss Finch semblait dormir d'un sommeil paisible. Bien qu'il n'eût que sept ans, Peter ne put s'empêcher de trouver étrange qu'une grande personne ait décidé de passer la nuit en pareil endroit.

Sa première idée fut de descendre dans le fossé pour réveiller la dormeuse. Mais comme il était en retard, il se dit que si d'aventure Miss Finch avait le sommeil aussi profond que son père à lui, il n'était pas sorti de l'auberge. Par ailleurs, Peter ne portait pas cette femme particulièrement dans son cœur. Elle avait au village la réputation de ne pas aimer les enfants. Mais surtout, le gamin n'était pas près d'oublier le jour où elle avait fait semblant de ne pas retrouver la balle de son copain Donald Allen qui avait par malheur atterri dans son jardin.

Examinant une seconde fois le blanc visage enfoui parmi les fleurs, Peter fut saisi d'un malaise diffus. Si encore ç'avait été l'un de ces après-midi d'été brûlants, il aurait compris. Lui-même, l'an dernier, il s'en était payé quelques-unes, des bonnes petites siestes dans l'herbe odorante. Il sourit au souvenir des gros nuages blancs et ventrus qui prenaient les formes les plus folles. Mais ce matin, par ce froid, c'était quand même une drôle d'idée. Miss Finch ne devait pas être réchauffée, d'autant qu'il avait plu pendant la nuit et que le sol était tout mouillé. Peter se demanda si elle était restée là toute la nuit.

Il se dirigea vers le fossé, mais s'arrêta net quand la cloche de l'école retentit. Jetant un regard inquiet vers le pied de la colline, il constata qu'il n'y avait déjà plus un seul élève dans la cour. Son cœur se serra. Comme il était déjà arrivé en retard une fois cette semaine, son père l'avait averti qu'il serait puni si cela se reproduisait. Il tourna les talons et se lança dans une course éperdue, de toute la vitesse dont ses grosses jambes étaient capables.

La matinée se déroula si bien que Peter ne pensa pas une seule fois à sa découverte du matin. Après la lecture, on passa aux travaux manuels et Peter confectionna à la pâte à modeler un éléphant si réussi que Miss Simpson elle-même ne put faire autrement que de reconnaître l'animal. L'enfant passa un long moment à doter son pachyderme d'une magnifique trompe qui lui tombait en tire-bouchon entre les pattes. Il n'avait pas tout à fait terminé quand vint l'heure de l'arithmétique.

Les additions n'étaient pas le fort de Peter qui avait encore l'esprit perdu dans un tourbillon de chiffres insaisissables lorsque Miss Simpson annonça l'expression orale.

— Susan, qu'as-tu à nous raconter aujourd'hui ?

demanda-t-elle de sa voix aiguë. Viens au tableau et articule un peu, je te prie.

La fillette se lança dans une interminable et filandreuse description de sa dernière visite à sa grand-mère qui habitait la ville voisine. L'attention de Peter ne tarda pas à se relâcher. Ce genre d'histoire n'intéressait personne. Il aurait fallu y mettre un peu plus d'animation et d'originalité. Le garçonnet se creusa la tête en quête de quelque chose à raconter pour le cas où Miss Simpson viendrait à l'interroger. Mardi par exemple, il avait chapardé une pomme à l'étalage de Mr. Rheardon. C'était autre chose que les fadaises débitées par Susan, mais il ne fallait surtout pas raconter des trucs pareils. Il y avait aussi l'histoire de Pam, sa grenouille, qui était morte la nuit dernière et que Peter avait retrouvée froide et raide dans sa boîte, ce matin. Il avait d'abord pensé qu'elle dormait, mais...

C'est alors qu'une idée lumineuse lui vint à l'esprit à l'instant même où Susan mettait un point final à son piteux récit. Enthousiasmé, il leva la main et se mit à l'agiter frénétiquement. Miss Simpson eut un sourire dans lequel se lisait la patience infinie du professionnel averti.

— Écoute, Peter. Tu sais pourtant bien qu'en expression orale je ne prends jamais les volontaires. Ce serait injuste, parce qu'il y en a qui parlent plus facilement que d'autres et qui monopoliseraient la parole.

La mine de la maîtresse ne laissa à Peter aucun doute quant à la catégorie dans laquelle elle l'avait classé. Il rougit jusqu'aux oreilles. Il détestait Miss Simpson. Mais elle ne l'empêcherait pas de parler.

— J'ai vu quelque chose d'incroyable ce matin, lâcha-t-il. C'est Miss Finch. Elle est allongée dans le fossé en haut de la côte de Warren Hill. Elle est morte.

Persuadé qu'il venait de lancer une vraie bombe, il regarda autour de lui pour en constater les effets sur le reste de la classe. Mais ses camarades, pas autrement émus, vaquaient tranquillement à leurs occupations habituelles, qui attachant solidement l'un à l'autre les lacets de ses souliers, qui testant la résistance de son crayon en l'appuyant de toutes ses forces sur son pupitre. Apparemment, il leur en fallait davantage.

— Parfaitement, conclut Peter, furieux. Ce matin, j'ai trouvé ma grenouille Pam morte dans sa boîte. Alors je le vois bien, quand quelqu'un est mort.

Il se retourna vers Miss Simpson pour découvrir que la réaction de cette dernière, au moins, était à la hauteur de ses espérances. La bouche ouverte, les yeux en bille de loto, elle fusilla du regard le jeune impertinent qui la fixait avec un sourire satisfait.

— Sale petit garnement, rugit-elle. Comment oses-tu inventer pareilles horreurs ?

Peter se rebiffa. Quand on la cherchait, Miss Simpson pouvait devenir mauvaise comme une teigne. Mais elle ne lui faisait pas peur.

— Parfaitement, reprit-il avec une belle assurance. Miss Finch est morte, dans le fossé. Je l'ai vue ce matin en venant à l'école !

Miss Simpson en perdit complètement les pédales. Peter, quant à lui, malgré sa fureur apparente, devint intérieurement aussi froid qu'un glaçon.

— Viens ici tout de suite ! hurla-t-elle. Au tableau, Peter Morehead ! Nous allons bien voir...

Elle sembla soudain s'étrangler et ne termina pas sa phrase. Avec un ensemble parfait, toutes les petites têtes blondes pivotèrent vers la droite. Mr. Payson, le directeur, venait de s'encadrer dans la porte, avec aux lèvres un sourire qui découvrait généreusement des dents éblouissantes.

— Eh bien, fit-il d'une voix feutrée qui ne trompa personne. Qu'est-ce qui se passe ici ?

— C'est Peter Morehead, monsieur Payson, accusa Miss Simpson. (Peter ne put s'empêcher de remarquer qu'elle était aussi haletante que si elle venait de piquer un sprint, et presque aussi livide que Miss Finch.) Il a essayé de faire peur à ses camarades en inventant une histoire à dormir debout.

L'air pensif, Mr. Payson contempla l'institutrice pendant un moment avant de se tourner vers Peter qui lui fit face hardiment, souriant lui aussi de toutes ses dents. Il se détendit immédiatement. Il connaissait le directeur, de réputation, mais aussi personnellement. Mr. Payson ne perdait jamais son sang-froid. Il restait toujours raisonnable. Et surtout, il s'intéressait beaucoup moins aux actes qu'à leurs motivations profondes. En conséquence, ses classes étaient de loin les plus chahutées de l'école.

— Pourquoi Peter aurait-il fait une chose pareille ? s'interrogea le directeur. (Il réfléchit un instant et produisit un étrange bruit de succion en inspirant de l'air entre les dents.) Si nous en parlions un peu tous les deux, jeune homme ?

D'un geste de la main, il indiqua la porte à Peter qui, fier comme Artaban, traversa la salle de classe, gratifiant au passage Miss Simpson d'un petit sourire de défi. Derrière lui, quelques ricanements fusèrent.

— Alors, qu'est-ce que c'était que cette histoire ? demanda Mr. Payson, une fois qu'ils furent tous deux installés dans le minuscule bureau rempli de livres et où régnait une étrange odeur de produits chimiques.

Peter se redressa sur sa chaise, les genoux serrés.

— Ben, ce matin, en venant à l'école, j'ai remarqué

quelque chose. Alors je l'ai raconté, fit-il de son air le plus innocent.

— Dans ce cas, ça ne doit pas être si terrible, commenta Mr. Payson, d'un ton jovial. Qu'est-ce que c'était ?

— Un cadavre, lâcha Peter. Dans le fossé.

Le sourire de Mr. Payson s'évanouit. Peter nota avec intérêt que bien que le directeur eût fermé la bouche, quelques dents étaient restées apparentes.

— Un cadavre ! s'exclama le directeur. Un chien ? Ou un petit chat égaré ? Pauvre Peter ! Tu as dû avoir peur !

Peter, furieux, dévisagea Mr. Payson. Mais qu'est-ce qu'ils avaient donc tous à le traiter comme un bébé ? Un petit chat égaré ! Et puis quoi, encore ?

— C'était une femme, siffla-t-il. Miss Finch, celle qui habite la maison de brique, près du pont. Elle était allongée dans le tuyau, avec la tête qui sortait dans le fossé. Et elle était morte. Comme Pam.

Le garçonnet ne se rendit pas compte que Mr. Payson était au bord de la crise de rage, comme Miss Simpson. Le directeur se pencha en avant sur sa chaise jusqu'à ce que son front touche presque celui de l'écolier.

— Pourrais-je savoir qui est Pam ? demanda-t-il d'un ton menaçant.

Peter se demanda s'il n'était pas allé un peu trop loin. Un cadavre d'accord, mais deux, c'était sans doute trop pour des personnes sensibles.

— Ma grenouille, fit-il en baissant les yeux. Ma petite rainette, monsieur.

Mr. Payson lâcha un énorme soupir de soulagement et se carra dans son fauteuil. Son visage se détendit et une ombre de sourire découvrit ses dents.

— Je commence à comprendre, fit-il en se frottant les mains. Quand cette malheureuse bestiole est-elle morte, Peter ?

— Hier soir, monsieur. Je voulais la faire sortir un peu de sa boîte, mais elle était toute raide et toute froide.

— Les grenouilles sont des animaux à sang froid, même quand elles sont vivantes, pontifia le directeur, incapable de résister au démon de la pédagogie. Mais laissons cela. L'important est que tu as perdu ta petite compagne. Tu as eu un gros chagrin.

Peter, stupéfait, secoua la tête.

— Non, monsieur. Derrière chez nous, il y a un étang. Je la remplacerai quand je voudrai !

— Tu es un grand garçon, commenta Mr. Payson en approuvant de la tête. Tu as du courage. Inutile d'étaler sa peine en public, n'est-ce pas ? Mais dis-moi tout de même. Pourquoi as-tu dit que Miss Finch était morte ? Pourquoi elle, plutôt que Miss Simpson ou moi, par exemple ?

— Mais parce que Miss Simpson et vous, vous n'êtes pas morts ! protesta Peter. C'est Miss Finch qui est morte. C'est elle que j'ai vue allongée dans le fossé.

Mr. Payson, qui en avait assez entendu, décida de faire preuve de fermeté.

— Bien, ça suffit comme ça, Peter. Mais dis-moi, Miss Finch, tu l'aimes bien, n'est-ce pas ?

— Pas tellement, répondit le garçonnet avec franchise. Une fois, elle a refusé de nous rendre une balle qui était tombée dans son jardin.

— Je vois, énonça Mr. Payson d'un ton satisfait. Ce sera tout pour aujourd'hui, Peter. J'expliquerai tout moi-même à Miss Simpson.

— Vous expliquerez quoi, monsieur ?

Le directeur se leva.

— Tu vois, Peter, dit-il, ton problème, c'est que tu ne sais pas t'arrêter à temps. Tu préférerais que

218

ce soit Miss Finch qui soit morte et non ta petite grenouille, je le comprends fort bien. Mais il ne s'agit que d'un petit transfert. Ça n'est pas bien méchant. Tu sais, cela arrive à tout le monde de refuser la réalité quand elle est trop dure. Mais tout ça est un peu compliqué pour toi... (Il fit une pause.) Ce que j'aimerais que tu comprennes, c'est que tu dois accepter la mort de ta grenouille. Après tout, comme tu l'as dit toi-même, tu n'auras aucun mal à la remplacer. Mais ça ne serait pas une mince affaire que de trouver une seconde Miss Finch, hein ?

Mr. Payson éclata d'un rire haut perché et raccompagna Peter à la porte.

— Maintenant, retourne en classe, mon garçon. Nous reparlerons de tout ça un de ces jours.

Peter passa devant le directeur, enfila le couloir, tourna le coin et déboucha dans la cour. Une fois dehors, il prit ses jambes à son cou et sortit de l'école, la rage au cœur.

Il ne s'arrêta qu'au sommet de Warren Hill, haletant. D'abord, il ne vit que fleurs et herbe dans le fossé. Puis, il fit un pas vers la droite, tendit le cou et aperçut Miss Finch, les yeux toujours clos, le visage toujours aussi livide. Mais cette fois-ci, Peter voulut en avoir le cœur net.

Il ramassa un caillou, le lança, et eut un sourire de satisfaction lorsque le projectile atteignit son but. Pas de doute, Miss Finch était bien morte. Car si elle n'avait été qu'endormie, la douleur n'aurait pas manqué de la réveiller.

Il dévala la route qui passait de l'autre côté de la colline. Persuadé d'avoir fait une découverte d'un intérêt capital, il entendait que crédit lui en fût donné. Mais un problème subsistait cependant : trouver quelqu'un qui voulût bien le croire.

Debout dans son jardin devant sa maison, Miss

Dewlap arborait d'énormes cuissardes en caoutchouc vermillon. Sa poitrine disparaissait dans une chemise d'homme à carreaux noirs et blancs deux fois trop grande pour elle, et ses cheveux gris étaient coupés ras. Un vieux mégot éteint collé à la lèvre inférieure, un bras en l'air pour ne pas perdre l'équilibre, elle lança habilement sa mouche qui alla atterrir dans un pot de géraniums situé à dix bons mètres de là.

Peter, admiratif, la regarda rembobiner sa ligne et en oublia Miss Finch. La voix bourrue de Miss Dewlap le fit descendre de son nuage.

— Alors, on fait l'école buissonnière ?

Brutalement ramené à la dure réalité, il fit oui de la tête.

— C'est Miss Finch, hoqueta-t-il.

Cette fois-ci, il avait décidé de soigner la présentation des faits. Un soupçon d'affolement rendrait peut-être son histoire plus crédible.

Miss Dewlap posa sa canne à pêche contre le mur de la maison et avança vers la haie tel un vieil éléphant, ses cuissardes couinant l'une contre l'autre à chaque pas.

— C'est ma voisine, déclara-t-elle, se débarrassant du mégot informe qui lui collait à la lippe. Qu'est-ce que tu lui veux ?

— Rien, glapit le gamin. Elle est morte !

Miss Dewlap lâcha un juron que Peter n'avait jamais entendu de sa vie.

— Je vous jure que c'est vrai ! continua-t-il en prenant soin de ne pas changer de ton. Elle est morte, là-haut sur la colline, dans le fossé !

Il eut un grand geste mélodramatique d'une main, se frotta les yeux de l'autre et fit mine d'éclater en sanglots.

Miss Dewlap resta de marbre.

— Arrête-moi cette comédie, ordonna-t-elle, se

penchant par-dessus la haie pour lui administrer une solide bourrade sur l'épaule.

Peter savait reconnaître l'autorité quand il la rencontrait, ce qui ne lui arrivait pas tous les jours. Il mit donc fin illico à son numéro.

— C'est vrai, répéta-t-il. Je vous jure ! Je l'ai trouvée comme ça en allant à l'école. Même que je l'ai dit à Miss Simpson. Seulement, elle m'a traité de menteur. Après, je l'ai dit à Mr. Payson, mais il a répondu que j'avais de la peine parce que Pam est morte. Mais c'est même pas vrai — que j'ai de la peine. Et elle est morte, ça c'est vrai. Miss Finch.

Miss Dewlap, intriguée, dévisagea le gamin.

— Dis donc, petit, il paraît que tu en as fait de belles, ces derniers temps. Mais je veux bien te croire quand même.

— Alors, vous allez appeler la police ? demanda Peter, plein d'espoir.

La grande femme à l'allure hommasse éclata d'un rire chevalin et frotta une allumette contre l'une de ses cuissardes afin d'allumer une autre cigarette.

— Sapristi ! Tu ne perds pas de temps, toi au moins. Allez, viens avec moi, je t'offre un bout de gâteau !

Cette fois-ci, les larmes de Peter ne furent pas feintes.

— Vous me croyez pas ! pleurnicha-t-il. Personne me croit !

Miss Dewlap ne répondit pas. Elle fit entrer devant elle le gamin qui fut immédiatement l'objet de l'assaut affectueux d'un petit chien surexcité.

— Au pied, Percy ! rugit-elle, poussant brutalement l'animal de côté. Peter n'aime pas le lèche-museau.

— Mais... protesta le garçonnet.

— Assieds-toi ici, intima Miss Dewlap, tirant une chaise de sous la table recouverte d'une toile cirée rouge. Voilà un couteau et le gâteau. Coupe-t'en un bon morceau et tiens compagnie à Percy. Moi, je vais faire un tour à côté. Peut-être que Miss Finch est chez elle.

— C'est pas possible, pleurnicha Peter. Elle est dans le...

— Je commence à le savoir, gronda Miss Dewlap. Elle est morte, là-haut dans le fossé. Mais si ça ne te dérange pas trop, je vais d'abord vérifier que tu ne me fais pas marcher. Tu permets ?

La porte claqua. Pendant quelques instants, Peter, amusé, se demanda qui pourrait bien réussir à faire marcher Miss Dewlap. Puis, il souleva le couvercle du plat et resta bouche bée devant le magma rosâtre qui faisait office de gâteau. Que ce fût le souvenir du visage livide au milieu des fleurs ou le bruit qui voulait que Miss Dewlap fut la cuisinière la plus exécrable du village, le gamin n'était pas en mesure de supporter un traumatisme gastronomique majeur. Il coupa un gros morceau de la substance infâme et le déposa sur le sol à la grande joie de Percy qui n'en demandait pas tant.

Le chien était occupé à lécher les dernières miettes du festin lorsque Miss Dewlap rentra, le visage blême et renfrogné. Elle prit une bouteille dans le placard et se versa dans un verre un fond de liquide brunâtre qu'elle avala d'un coup.

— Dis donc, c'est que tu m'aurais presque fait peur, garnement ! Tu mens comme un arracheur de dents !

— Mais je vous ai dit la vérité !

L'espace d'un instant, il se demanda si la grande bringue n'avait pas trouvé Miss Finch vaquant tranquillement à ses occupations dans sa cuisine. Mais c'était impossible. Il ne rêvait pas. Il avait bien vu le caillou rebondir sur le front blafard.

— Alors, comment se fait-il que sa grosse valise

222

de cuir — celle qui lui a coûté les yeux de la tête — et plus de la moitié de sa garde-robe aient disparu ? demanda Miss Dewlap. Elle a dû partir voir sa famille, dans le Maine. Percy !

Elle souleva le chien qui avait encore les babines barbouillées de rose et le serra contre son ample poitrine.

— Il ne doit pas manger de sucreries ! fit-elle d'un ton outragé. De plus, c'était à toi que j'avais offert un bout de gâteau. Les enfants normaux, ça aime la pâtisserie !

Le mensonge est un vilain défaut, Peter Morehead. Et petit menteur deviendra grand. Je vais devoir prendre des mesures.

Empoignant Peter par le col, elle sortit de la maison et descendit la rue. Miss Dewlap avait oublié d'ôter ses cuissardes, mais leur couinement cessait d'être amusant. Les manifestations de la colère des grandes personnes n'avaient plus de secrets pour Peter.

— Tiens, fit-elle, libérant le garçonnet devant chez lui, voilà justement ton père qui rentre déjeuner. Ne bouge pas, je vais lui faire un rapport.

Peter s'efforça de ne pas écouter, mais quelques expressions — « école buissonnière », « menteur », « méchant » — lui parvinrent aux oreilles. Peu après, Miss Dewlap remontait la rue et son père empoignait le petit par le bras.

La correction fut administrée de main de maître dans la grange, et au martinet. Peter pleura et hurla copieusement, suivant un rite établi de longue date. Mais il n'eut tout de même pas trop mal.

— Rentre déjeuner, lui ordonna son père, et retourne à l'école immédiatement après. Que je n'entende plus parler de Miss Finch. Je sais très bien pourquoi tu as inventé cette histoire. Tu avais une telle dent contre cette pauvre femme que tu t'es monté une comédie où tu imaginais qu'elle était morte. On appelle ça une rumeur malveillante, et tu ne te rends pas compte du mal que ça peut faire à tout le monde. A moi en premier lieu, lorsque ta Miss Finch m'intentera un procès pour calomnie !

Peter fit oui de la tête. Il déjeuna sans dire un mot, tandis que ses parents échangeaient par-dessus sa tête des regards entendus. Puis il reprit le chemin de l'école.

Comme les écoliers mangeaient à la cantine, il se retrouva seul à gravir la côte de Warren Hill, sous le soleil de midi. Quand il arriva au sommet, il essaya bien de se forcer à continuer, mais ses jambes refusèrent de lui obéir.

Le corps était plus difficile à voir. Les herbes folles, alourdies par la rosée du matin, avaient redressé la tête et si Peter n'avait pas su où Miss Finch se trouvait, il ne l'aurait certainement pas remarquée. De toute façon, elle n'était pas censée être là, tout le monde était d'accord là-dessus. Peter sentit cependant un picotement de satisfaction lui remonter l'échine. Il était sûr d'avoir raison au moins sur un point. Elle était bel et bien dans le fossé. Quant à savoir si elle avait rendu l'âme...

D'un pas allègre, il descendit dans le fossé, respirant le parfum enivrant des boutons d'or et des herbes chauffées par le soleil. Miss Finch avait les yeux clos. Peter s'agenouilla et lui toucha le visage. Qu'elle fût morte ou vivante, elle était en tout cas aussi froide que Pam.

Comme il était tout près d'elle, un détail attira son attention : elle avait un petit trou dans la tempe, avec du sang autour. Peter savait tout de même ce que c'était que le sang, de même qu'il savait que seule une balle avait pu faire un trou de cette taille.

Miss Finch avait été tuée dans le fossé !

Peter faillit hurler de joie. Il avait vu juste. Depuis le commencement. Mais si ce matin il avait trouvé indispensable que tout un chacun reconnût qu'il avait raison, il n'en était plus de même maintenant. Il avait pris une bonne leçon. Au fond, peu importait que les autres admettent la vérité ou pas, dès lors que lui la détenait. Puisque les gens voulaient à tout prix qu'elle soit partie, pensa Peter tout content, ils n'avaient qu'à continuer de le croire.

Sans se soucier de l'état de ses vêtements, Peter passa de l'autre côté de la buse d'écoulement. Il jeta au passage un coup d'œil vers l'école pour s'apercevoir que ses camarades jouaient encore dans la cour. Il aurait juste le temps de faire ce qu'il voulait.

A l'intérieur du gros tuyau, il faisait sombre et humide. Peter eut un frisson mêlé de peur. Il avança à quatre pattes, tâtonnant devant lui d'une main hésitante.

Soudain, il trouva ce qu'il cherchait : les pieds de Miss Finch, dans ses souliers de cuir verni ! Ses jambes étaient aussi raides que des pains de glace. Aussi lourdes, aussi. Ce fut plus difficile que Peter se l'était imaginé. Il la tira vers lui de toutes ses forces, centimètre par centimètre. Puis, quand il jugea que cela suffisait, il sortit du tuyau à reculons, et retrouva — à bout de souffle — la lumière du soleil.

Les enfants avaient disparu de la cour. La cloche avait dû sonner pendant qu'il était à l'intérieur. Maintenant, il ne restait plus aucun signe extérieur de Miss Finch, à l'exception de la belle valise de cuir mentionnée par Miss Dewlap, mais à laquelle Peter fit suivre le même chemin.

Le garçonnet éprouva la vive satisfaction du devoir accompli. Désormais, Mr. Payson, Miss Simpson et son père n'auraient plus à s'en faire. Ils n'entendraient plus jamais parler de Miss Finch. Dans quelques mois, il ne resterait plus rien d'elle. Peter était au courant de ces choses-là. Une fois, il avait trouvé un chat crevé dans les bois derrière chez lui. Et pendant l'été, il était retourné toutes les semaines voir ce qui se passait. Si Miss Finch était comme le chat — et il n'y avait aux yeux de Peter aucune raison qu'il en fût autrement —, il ne resterait pas grand-chose d'elle à l'automne.

Il redressa de la main les herbes et les fleurs jusqu'à ce que l'empreinte du corps eût disparu et regrimpa sur le bord de la route. Un ultime coup d'œil de contrôle et il se mit à dévaler la côte quatre à quatre.

Après déjeuner, il y avait toujours une leçon de lecture. Lorsque Peter fit irruption dans la classe, Miss Simpson était assise à son bureau, *Robinson Crusoë* à la main. Elle n'arrêtait pas de répéter combien l'aventure était chose extraordinaire, mais Peter savait maintenant qu'elle ne parlait que de l'aventure aseptisée qu'on trouvait dans les livres.

— Eh bien, monsieur Morehead, fit-elle d'une voix si douce que Peter en eut des frissons dans le dos, je suis très heureuse de vous revoir. Si nous passions tout de suite à l'expression orale ? Vous avez sans doute des choses extravagantes à nous raconter ?

Peter lui adressa un sourire si large qu'on eût dit que son visage était fendu en deux. Il était trop grand pour ces enfantillages stupides.

— Rien, laissa-t-il tomber, ravi. Rien du tout.

See and tell.
Traduction de Dominique Wattwiller.

MISE A L'ÉPREUVE

par James H. Schmitz

La main posée sur le tronc rugueux d'un sapin déraciné par une tempête, Jeff Clary examinait attentivement la maison au fond de la vallée en dessous de lui. C'était une vaste maison à deux étages, avec de chaque côté, des communs sur un seul niveau. Elle devait avoir au moins vingt-cinq ou trente pièces, estima Jeff. Une propriété qui avait un air bourgeois et cossu, sans affectation. Les pelouses et les allées étaient soigneusement entretenues, mais aucun parterre de fleurs ne les égayaient et seuls quelques rosiers donnaient une note de couleur à ce parc plutôt austère. Cela pouvait être aussi bien un sanatorium ou une maison de repos pour gens aisés qu'une résidence privée. D'où il était, rien ne lui permettait de déterminer exactement de quoi il s'agissait. Cela faisait un bon moment qu'il observait les lieux et, jusqu'à présent, il n'avait aperçu aucune présence humaine, ni remarqué aucun indice d'une quelconque activité.

Ce qui, dès le premier regard, avait capté son attention, ce n'était pas tant la maison elle-même que le petit avion bleu et blanc qui étincelait dans le soleil à quelques centaines de mètres des bâtiments, devant le hangar en tôle qui devait lui servir de garage. Un avion qui avait le nez pointé vers un pré dont l'herbe rase avait été tondue récemment. Cela semblait une piste bien courte, même pour un si petit avion, mais Jeff ne connaissait pas grand-chose aux avions. Et surtout — c'était cela qui importait pour lui en ce moment — il n'avait pas la moindre idée de la manière dont on pilotait un appareil de ce genre.

Une incapacité qui résumait la situation. Un grand nombre de gens, en civil et en uniforme, étaient engagés dans la battue que la justice avait lancée pour retrouver Jeff Clary ; cet avion bleu et blanc était le moyen idéal pour leur échapper et rejoindre en quelques heures l'endroit où il voulait aller. Cela d'une manière sûre et discrète. Ce qu'il lui fallait, c'était quelqu'un pour le piloter.

Ce quelqu'un était peut-être dans la maison. Sinon, il devait y avoir des voitures dans l'un des garages sur la droite. Une voiture, ce ne serait pas aussi bien qu'un avion, mais ce serait cent fois mieux que de devoir errer à pied au milieu d'une campagne pleine d'embûches. S'il réussissait à rejoindre une grande ville sans être arrêté, il se retrouverait dans un milieu qu'il connaissait et aurait alors beaucoup plus de chances de ne pas être repris. En outre, s'il parvenait là-bas avec un magot suffisant, ses chances de s'en tirer vraiment seraient considérablement augmentées.

Jeff se gratta le menton. Il ne s'était ni lavé, ni rasé depuis trois jours et il commençait réellement à avoir l'air d'un homme des bois. Il avait un revolver dans sa ceinture, mais il en avait utilisé la dernière balle huit heures plus tôt. Il avait également un couteau de chasse, accroché de l'autre côté de sa ceinture. Avec un couteau et un revolver — même un revolver vide — il pouvait agir. Prendre un otage, par exemple.

Par là où il arriverait, des arbres et des buissons épais dissimuleraient suffisamment son approche. Il ne devrait donc pas lui être trop difficile de pénétrer dans la maison sans que personne s'en aperçoive. Si, par hasard, il y avait des chiens et qu'ils se mettent à aboyer, il sortirait à découvert en faisant semblant d'être un randonneur égaré et épuisé par une nuit passée à errer dans le froid et l'humidité de la forêt. Une comédie qu'il jouerait jusqu'à ce que quelqu'un s'approche suffisamment pour lui parler. Ensuite, le scénario était le même.

Il jeta un dernier coup d'œil circulaire autour de lui et entreprit de descendre vers la vallée en restant soigneusement sous le couvert des arbres. Ses pieds lui faisaient mal. Les bottes qu'il portait étaient trop petites pour lui, comme, d'ailleurs, le reste de ses vêtements. Il les avait empruntés la veille à un pêcheur qui n'en aurait jamais plus besoin.

Quelques minutes plus tard, il atteignit le mur extérieur de la maison. Tout allait bien. Aucun chien n'avait aboyé pour donner l'alarme et il n'avait pas été à découvert plus de quelques instants. Il aurait même commencé à douter qu'il y eut quelqu'un dans la maison, si deux des fenêtres du dernier étage n'avaient été ouvertes. Si tous les occupants étaient partis, ils auraient sans doute pensé à les fermer avec un temps aussi incertain.

Trois ou quatre rapides enjambées lui suffirent pour parvenir à une porte de service. Puis, tenant d'une main son revolver vide, il tourna avec précaution la poignée de cuivre de la porte. Elle n'était pas fermée à clef. Il entrouvrit le battant de quelques centimètres et jeta un coup d'œil à l'intérieur. Toujours personne.

Un instant lui suffit pour s'introduire dans la place et refermer doucement la porte derrière lui. Il se trouvait dans un couloir carrelé, à demi plongé dans la pénombre, qu'il suivit à pas feutrés et l'oreille aux aguets. Toujours pas le moindre bruit. Au bout, le couloir donnait sur un large hall central d'où un grand escalier montait vers les étages. Il y avait plusieurs portes de part et d'autre de ce hall et elles étaient presque toutes ouvertes. D'après ce qu'il pouvait apercevoir, le mobilier à l'intérieur des pièces correspondait à l'extérieur de la maison — plutôt ancien, bourgeois, de bonne qualité et bien entretenu.

Alors qu'il hésitait, se demandant par où continuer, il entendit enfin du bruit, en provenance des étages. Prudemment, il recula dans le couloir et épia le haut de l'escalier. Personne n'apparut et au bout de quelques secondes le bruit de pas s'interrompit. Puis de la musique se fit entendre. Quelqu'un avait mis en marche une télévision ou une radio.

Cela simplifiait les choses.

Jeff traversa le hall et commença de monter lentement l'escalier. Lorsqu'il fut parvenu au deuxième étage, il s'arrêta et regarda autour de lui. La musique provenait du couloir de droite. L'une des portes était ouverte et c'était de là qu'elle venait, ainsi que la lumière du jour qui éclairait le couloir. Hormis la musique, aucun bruit ; il s'avança prudemment et jeta un coup d'œil à l'intérieur de la pièce.

Il s'agissait d'une grande chambre à coucher. Ses deux fenêtres étaient ouvertes, et devant celle de gauche, une jeune fille regardait le jardin.

Immobile, Jeff l'observa pendant quelques instants.

Elle était de taille moyenne, plutôt mince, avec

de long cheveux noirs qui lui tombaient sur les épaules. Elle était en jean, avec un chemisier blanc très ample. Un poste de télévision portatif était posé sur une table, dans un coin de la pièce.

Son revolver pointé devant lui, Jeff entra dans la chambre et referma la porte. Ce faisant, il y eut un grincement à peine perceptible et la jeune fille se retourna.

— Pas un mot, pas un cri, dit Jeff à voix basse. Je préférerais ne pas avoir à vous faire de mal. Compris ?

Pendant une seconde ou deux, elle le regarda sans bouger, la bouche ouverte. Puis elle déglutit avec peine et hocha la tête. Elle était plus jeune qu'il ne l'avait d'abord pensé. Quinze, seize ans tout au plus, un visage enfantin et de grands yeux bleus pleins d'innocence. Il ne devrait pas y avoir de problèmes avec elle.

Sans la quitter du regard, son revolver braqué sur elle, il alla jusqu'à la télévision et coupa le son.

— Venez par ici, ordonna-t-il ensuite. Loin de cette fenêtre. J'ai à vous parler.

Elle hocha de nouveau la tête et s'avança prudemment vers lui, les yeux braqués alternativement sur le revolver et sur son visage.

— Si vous vous montrez très coopérative, je n'aurai pas besoin de m'en servir, déclara Jeff. En dehors de vous, y a-t-il quelqu'un d'autre dans cette maison ?

— Personne en ce moment, répondit-elle d'une voix étonnamment calme. Ils arriveront plus tard, en fin d'après-midi.

— Qui ça, « ils » ?

Elle haussa les épaules.

— Oh, des gens de ma famille. Il doit y avoir une réunion, ce soir. Je ne sais qui viendra exactement cette fois-ci, mais ils seront probablement sept ou huit.

Elle jeta un rapide coup d'œil à sa montre, puis ajouta :

— Tracy, quant à elle, devrait être de retour dans une heure et demie à peu près — vers deux heures. Les autres ne commenceront pas à arriver avant cinq heures, je pense.

— Ah bon. Qui est cette Tracy ?

— Tracy Nichols. Une de mes cousines, en quelque sorte, puisqu'elle a épousé l'un de mes cousins.

— Vous habitez ici avec elle ?

La jeune fille secoua la tête.

— Personne n'habite ici de manière permanente en ce moment, répondit-elle. C'est mon oncle Georges qui est propriétaire de ce domaine. Du moins, je pense qu'il lui appartient. Il est utilisé pour des réunions, des soirées ou autres événements de ce genre.

— Il y a bien quelqu'un qui s'occupe des lieux ?

— Oui, acquiesça-t-elle. Un couple de gardiens. M. et Mme Wells. Ils sont partis hier après avoir tout préparé et ne seront pas de retour avant demain soir, quand nous-mêmes ne serons plus là.

— Pourquoi sont-ils partis ?

— Ils font toujours ainsi. La famille n'aime pas qu'il y ait des étrangers dans la maison quand nous tenons une réunion.

Jeff fronça les sourcils.

— Vous avez des secrets ?

La jeune fille sourit.

— Oh, vous savez ce que c'est quand on parle affaires. Un peu de discrétion n'est jamais inutile.

— Hum... Comment vous appelez-vous ?

— Brooke Cameron.

— Où habitez-vous en temps normal ?

— Dans une institution. Le collège Renfrew. C'est

à trois cents kilomètres d'ici. Vous êtes Jeff Clary, n'est-ce pas ?

Elle avait posé la question sans le moindre changement d'inflexion dans la voix et, sur le moment, Jeff fut tellement surpris qu'il ne trouva rien à répondre.

Elle le regarda, puis hocha la tête, comme si elle estimait que son silence était suffisant.

— Oui, murmura-t-elle, avec la barbe en moins, c'est bien vous. Il n'y a aucun doute possible !

Ses yeux s'étaient mis à briller, mais pas de peur, plutôt de curiosité.

— Il y a eu des photos de vous publiées dans la presse, vous savez. Mais la police pensait que vous aviez pris la direction du nord.

Jeff avait entendu la même chose sur une auto-radio, une dizaine d'heures plus tôt.

— Bravo pour la façon dont vous avez réussi à vous enfuir de ce quartier de haute sécurité ! poursuivit Brooke Cameron. Il paraît que cela n'était arrivé qu'une seule fois avant votre évasion.

— Vous ne croyez pas que vous parlez un peu trop ? déclara Jeff d'une voix grinçante. Si vous savez qui je suis, vous devriez avoir assez de bon sens pour ne pas essayer de jouer au plus malin avec moi.

Brooke haussa les épaules.

— Ce n'est pas du tout ce que j'essaie de faire, affirma-t-elle. J'aimerais simplement vous aider, et je sais que morte je ne vous serais plus d'aucune utilité.

— Ne me faites pas rire !

— Mais c'est vrai ! persista-t-elle. J'ai envie de vous aider. Je suis une « fan » de romans policiers et de faits divers ; or, comme criminel, vous êtes très intéressant. Comme individu aussi, d'ailleurs...

La jeune fille s'interrompit pendant une seconde

ou deux et lui sourit, d'un sourire plein de charme et de séduction.

— Bon, poursuivit-elle, de quoi avez-vous besoin en priorité ? L'avion est votre meilleure chance de vous en aller d'ici et son plein de kérosène a été fait ce matin. Êtes-vous capable de piloter ?

— Non, admit Jeff avec réticence. Et vous ?

— Moi non plus. On ne veut pas que je passe mon brevet avant deux ans. Mais Tracy, elle, sait piloter. C'est elle qui a sorti l'appareil ce matin pour faire le plein. Il vous faudra donc attendre qu'elle rentre.

— Je pourrais prendre votre voiture, fit observer Jeff sans cesser de la surveiller avec méfiance derrière ses yeux mi-clos.

— Il n'y a aucune voiture ici, affirma-t-elle. C'est Tracy qui m'a amenée tôt ce matin et elle est ensuite repartie en ville pour aller chercher des plats cuisinés qu'elle avait commandés chez un traiteur. Que vous désiriez partir par la route ou par la voie des airs, vous serez obligé de patienter jusqu'à son retour. La seule chose que vous trouverez dans le garage, c'est une vieille bicyclette et dont les pneus sont probablement à plat. Vous pouvez allez vérifier, si vous le désirez.

— Je n'y manquerai pas, répliqua Jeff en l'étudiant avec de plus en plus de curiosité. Vous avez envie de m'aider, dites-vous ? Eh bien, voyons ça... C'est une région qui ne doit pas être mauvaise pour la chasse. Y a-t-il des fusils quelque part dans cette maison ?

— Des fusils de chasse, non, répondit aussitôt Brooke. Mais, par contre, il devrait y avoir un pistolet chargé dans le bureau d'oncle Georges. Son bureau se trouve en bas, la dernière porte à droite, dans le hall. Il doit y avoir plusieurs chargeurs également, ajouta-t-elle en jetant un coup d'œil au revolver toujours braqué sur elle. Mais je ne pense pas que les balles soient du même calibre que les vôtres.

Jeff émit un grognement menaçant.

— Vous vous demandez si celui-ci est vide ?

— Cela pourrait bien être le cas, acquiesça-t-elle sans baisser les yeux. Vous avez mis deux balles dans le garde que vous avez abattu après lui avoir subtilisé son propre revolver. Ensuite, il y a eu d'autres coups de feu échangés avec vos poursuivants. Vous en avez blessé deux, ce qui veut dire quatre balles, au moins, utilisées. Donc, si ce revolver n'est pas une arme que vous avez trouvée dans la voiture du couple que vous avez pris en otage un peu plus tard, il pourrait bien être vide.

Jeff sourit sarcastiquement.

— Vous vous demandez peut-être où se trouve maintenant ce couple ?

Brooke secoua la tête.

— Non, je ne m'étais pas posé la question. Mais vous êtes ici tout seul et je ne pense pas que vous les ayez laissés rentrer tranquillement chez eux en prenant le risque qu'ils aillent dire à vos poursuivants dans quel secteur vous vous trouviez. Mais venez, allons plutôt voir s'il y a ce que vous cherchez dans le bureau d'oncle Georges.

Il y avait bien un pistolet dans l'un des tiroirs. Un magnifique 9 mm flambant neuf. Brooke regarda Jeff en vérifier le fonctionnement et mettre un chargeur de rechange dans la poche de sa veste.

— Bon, maintenant que vous avez ce que vous désiriez, vous avez peut-être envie de vous raser, de vous laver ou de manger ? suggéra-t-elle. Il y a du jambon dans le réfrigérateur.

— Chercheriez-vous à distraire mon attention ? questionna Jeff d'une voix sèche.

Brooke haussa les épaules.

— Si vous le préférez, remontons dans l'une des chambre du haut d'où vous pourrez surveiller la route par laquelle arrivera Tracy. Mais votre attente pourrait durer un moment et, de toute manière, Tracy doit me donner un coup de fil quand elle sera sur le point de revenir.

Jeff rit.

— Excellente précaution ! apprécia-t-il. S'il en est ainsi, je vais goûter à ce jambon.

Il ne s'était pas rendu compte à quel point il était affamé. Une fois dans la cuisine, il concentra son attention sur le jambon, le pain et le beurre, oubliant presque la présence de Brooke assise en face de lui. Quand il eut terminé, il leva la tête vers elle et découvrit qu'elle avait posé sur la table un vieux portefeuille marron. Immédiatement, il le reconnut et ses yeux s'élargirent de stupéfaction.

— Co... Comment... ? bredouilla-t-il.

— Je suis une assez bonne pickpocket, expliqua-t-elle d'un air absent, le regard fixé sur le portefeuille. Je vous ai dit que j'étais une « fan » de romans policiers, mais je ne suis pas intéressée seulement par la théorie. J'aime aussi les travaux pratiques.

Du bout du doigt elle indiqua trois taches sombres sur le cuir usé et craquelé, et poussa le portefeuille vers lui à travers la table.

— Je vous l'ai subtilisé pendant que nous allions au bureau d'oncle Georges, ajouta-t-elle. Ainsi, M. et Mme Rambow n'ont pas réussi à vous fausser compagnie, n'est-ce pas ?

— Non, ils n'y ont pas réussi, acquiesça-t-il d'une voix dure.

Il ne l'avait même pas sentie le toucher ou même seulement le frôler dans le couloir et l'idée qu'elle ait pu lui dérober ce portefeuille avec une telle

236

dextérité bien qu'il fût sur ses gardes le mettait terriblement mal à l'aise.

— Et ils n'auraient pas dû essayer, poursuivit-il. Le coup de l'accident. Un tournant pris un peu trop vite et, au bout de la course, un arbre avec un choc juste suffisant pour rendre la voiture inutilisable. Maintenant, elle est au fond d'un ravin, sous une telle végétation qu'on ne la retrouvera pas de sitôt. Ils sont tous les deux à l'intérieur. Vous voyez donc que je ne suis pas du genre à plaisanter.

Brooke repoussa ses cheveux en arrière.

— Je le savais déjà de toute façon, déclara-t-elle. Vous avez un joli palmarès à votre actif, Jeff.

Il sentit sa colère se transformer en curiosité.

— N'avez-vous donc pas peur ?

— Oh si, un peu, admit-elle. Mais je vous suis utile et je n'essaie pas de m'enfuir.

— J'aimerais bien savoir ce que vous cherchez à faire, murmura Jeff. En tout cas, ne vous amusez pas à recommencer un tour de ce genre. Cela pourrait vous être fatal.

— Je ne recommencerai pas, promit Brooke.

— Bon, pour cette fois, ça ira. Y a-t-il des vêtements quelque part dans cette baraque ? J'en ai assez d'avoir sur moi ces oripeaux qui, en plus, me serrent de tous les côtés.

La jeune fille hocha la tête.

— Oncle Jason doit être à peu près de votre taille. Il a une chambre en haut. Si vous le désirez, on peut aller voir.

Jeff se leva.

— Qu'est-ce que c'est que cette maison ? questionna-t-il avec un peu d'irritation. Un endroit où chacun d'entre vous vient quand il en a assez d'être chez lui ?

— Je suppose qu'elle sert à ça de temps à autre, effectivement, acquiesça Brooke. Je ne suis pas au courant des allées et venues de tout le monde dans la famille.

La chambre de l'oncle Jason était au premier étage, tout au bout du couloir. Elle ne contenait que le strict nécessaire et avait l'impersonnalité d'une chambre d'hôtel. Dans une armoire, plusieurs costumes étaient suspendus et une boîte en carton contenait une paire de chaussures presque neuves. Un peu grandes pour Jeff, mais c'est avec soulagement qu'il les échangerait contre les bottes qui l'avaient fait souffrir pendant toute la nuit. N'importe lequel des costumes lui conviendrait également et, dans la salle de bain, il trouva un rasoir électrique. Il jeta un coup d'œil dehors par l'une des fenêtres. Aucune voiture n'était en vue et, comme il n'y avait qu'une seule route d'accès, il serait facile de repérer tout nouvel arrivant plusieurs minutes à l'avance.

Il alla prendre une chaise dans un coin et la posa face à la fenêtre.

— Venez ici et asseyez-vous, ordonna-t-il à Brooke.

Pendant qu'il regardait dans l'armoire et faisait le tour de la pièce, la jeune fille était restée près de la porte à le suivre des yeux sans parler.

— Vous voulez que je surveille la route ? questionna-t-elle en s'approchant.

— Asseyez-vous, simplement.

Elle obéit et Jeff sortit de sa poche un bout de corde.

— Maintenant, mettez vos bras derrière votre dos.

— Vous n'avez pas besoin de faire ça ! protesta-t-elle.

— Si, répliqua-t-il. Je vais être occupé pendant un certain temps et je veux avoir l'esprit tranquille.

Brooke soupira et mit ses mains derrière le dossier de la chaise.

238

Jeff la regarda pendant quelques instants en hésitant. L'attitude de Brooke Cameron le tarabustait. Il y avait quelque chose d'anormal dans sa façon d'agir. Ce n'était pas seulement le coup du portefeuille, bien que, sur le moment, il ait été stupéfait. Au début, il avait cru que sa bonne volonté n'était qu'apparente et qu'elle cherchait simplement une occasion de le prendre en défaut. Mais, en ce cas, pourquoi lui aurait-elle dit où il y avait un pistolet chargé, alors qu'elle se doutait que son revolver était vide ? Peut-être espérait-elle que quelqu'un allait venir la délivrer ? Une telle éventualité n'était pas du genre à l'inquiéter. Depuis son évasion, il était le dos au mur et prêt à tout.

Il pouvait mettre un terme à tous les plans qu'elle mijotait en serrant la corde autour de son joli cou. Mais c'eût été stupide. Si quelque chose d'inattendu se produisait avant qu'il ait eu le temps de partir d'ici, un otage vivant constituerait un avantage inappréciable et, ensuite, elle pourrait lui être utile de bien d'autres façons.

Il lui attacha les poignets en serrant de façon à lui faire mal. Elle tortilla légèrement ses épaules, mais ne se plaignit pas. Pour finir, il noua la corde au barreau de la chaise.

— Ainsi, vous ne pourrez plus avoir de mauvaises tentations ! déclara-t-il avec un sourire en se redressant.

Il se lava les mains et le visage, puis se rasa soigneusement, avant d'enfiler l'un des costumes de l'oncle Jason et de mettre ses chaussures, s'interrompant plusieurs fois dans ce qu'il faisait pour aller vérifier à la fenêtre que la route était toujours déserte. Quand il eut terminé, il descendit au garage. Elle n'avait pas menti. Hormis une bicyclette, il ne contenait aucun véhicule, alors qu'il était assez grand pour que trois voitures y tiennent à l'aise. Ceci vérifié, il remonta à l'étage.

A son entrée dans la chambre, Brooke tourna la tête vers lui.

— Je suppose que vous avez l'intention d'aller au Mexique, déclara-t-elle.

Jeff grimaça. Une fois de plus, elle ne s'était pas trompée.

— Oui, concéda-t-il. Dans un premier temps, du moins.

Elle l'étudia pendant quelques instants en silence.

— Vous aurez besoin de faux papiers lorsque vous serez là-bas, fit-elle observer.

Un petit rire amusé s'échappa des lèvres de Jeff.

— Je connais quelqu'un, répondit-il. Un spécialiste. Un vrai.

— Vraiment ? Si c'est un professionnel, il ne travaillera pas gratuitement... Vous avez l'argent qu'il est susceptible de vous demander ?

— Pas encore, admit-il.

Il n'avait guère trouvé plus d'une centaine de dollars dans le portefeuille de cet imbécile de Rambow.

— Vous avez une suggestion à faire ?

— Vingt-huit mille dollars en liquide, répondit Brooke. Je n'arrête pas de vous dire que j'ai envie de vous aider.

Jeff Clary sursauta.

— Vingt... vingt-huit mille dollars ? bredouilla-t-il. Où cela ?

Elle secoua avec impatience la corde qui la retenait prisonnière.

— Délivrez-moi et je vous montrerai. C'est en bas.

Il n'arrivait pas à la croire et il sentit une bouffée de colère monter en lui. Si jamais elle mentait, elle s'en repentirait ! Néanmoins, il la détacha.

Brooke se leva en frottant ses poignets endoloris.

— Venez, dit-elle. Il faut d'abord que j'aille chercher des clefs dans ma chambre.

Suivie de Jeff, elle sortit dans le couloir et monta à l'étage au-dessus.

Jusqu'à sa chambre, il resta sur ses talons, le pistolet braqué, prêt à toute éventualité. Là, elle prit deux clefs dans un sac à main et ils redescendirent ensuite au rez-de-chaussée où elle le conduisit dans une pièce aux murs lambrissés de chêne ciré. Avec l'une des clefs, elle ouvrit un panneau secret, découvrant un coffre-fort dont elle composa rapidement la combinaison. A l'intérieur, il y avait une valise en cuir noir.

— L'argent est là-dedans, déclara-t-elle en tendant l'autre clef à Jeff. Vous pouvez l'ouvrir et vérifier.

Jeff secoua la tête.

— Nous allons d'abord remonter dans la chambre de votre oncle Jason, déclara-t-il. Et, pour plus de sûreté, c'est vous qui la porterez.

— Comme vous voudrez, accepta Brooke aimablement. C'est déjà moi qui l'ai apportée ici.

Elle sortit la valise, referma le coffre et le panneau, puis précéda Jeff dans le hall et l'escalier. A la façon dont elle portait la valise, il était visible qu'il y avait quelque chose à l'intérieur, mais quelque chose qui n'était pas très lourd. Cela pouvait être effectivement vingt-huit mille dollars en billets, mais aussi bien une infinité d'autres choses. Et si elle était piégée ? Une bombe allait-elle lui éclater à la figure au moment où il l'ouvrirait ? Il secoua la tête. Non, c'était improbable et ce n'était pas son genre de fabuler ainsi sur des hypothèses totalement invraisemblables.

Néanmoins, il recula de plusieurs pas avant d'ordonner à Brooke de poser la valise au milieu de la chambre et de l'ouvrir. Elle s'agenouilla à côté d'elle, inséra la clef dans la serrure, tourna et souleva le couvercle sans que rien d'extraordinaire ne se produise. A l'intérieur, il y avait une fourrure d'un vert chatoyant.

— Qu'est-ce que c'est que ça ? questionna Jeff.

— Ma cape en loutre du Canada, répondit-elle. L'argent est dessous.

Elle posa la cape par terre et retira également d'autres vêtements, tandis que Jeff surveillait avec attention chacun de ses gestes.

— Voici l'argent, déclara-t-elle finalement.

Jeff hocha la tête.

— Parfait, acquiesça-t-il. Prenez-le et posez-le sur la table.

Brooke leva la tête vers lui et un léger sourire erra sur ses lèvres.

— Vous n'avez toujours pas confiance en moi, n'est-ce pas ?

— A demi, seulement, admit-il.

— Vous avez tort, murmura-t-elle. C'est mon argent que je vous offre là.

— Votre argent ? Comment cela ?

— Euh... En quelque sorte. Je l'ai volé.

— Je veux bien vous croire car vous avez un don certain pour dévaliser les gens. Posez-le sur la table.

Brooke sortit les piles de billets verts de la valise, les aligna sur la table et recula d'un pas ou deux.

— Vous pouvez compter !

Jeff s'avança et examina les piles l'une après l'autre.

— Où avez-vous volé ce magot ? questionna-t-il.

— Chez Harold Brownley, un conseiller municipal très influent. Il a une luxueuse résidence dans la banlieue de la capitale de cet État. Vingt-cinq mille dollars proviennent d'un pot-de-vin qu'il a touché pour autoriser la construction d'un ensemble immobilier dans une zone protégée. Je ne sais d'où vient le reste — il s'agit sans doute d'une petite réserve que Brownley garde en permanence chez lui pour parer à toute éventualité. Beaucoup de gens conservent ainsi un pécule chez eux en liquide. Nous savions quand il devait toucher ce pot-de-vin et où il gardait ce genre de « petits profits annexes » avant d'aller les déposer dans un coffre à sa banque.

— Comment avez-vous su tout cela ?

Brooke haussa les épaules.

— Ma famille a des antennes un peu partout, répondit-elle. Mais, pour l'instant, on ne me tient pas encore au courant de toute cette phase de préparation. Cependant, on m'a autorisée à opérer chez Brownley toute seule — enfin, presque. Tracy avait insisté pour faire le guet devant la propriété des gens où les Brownley passaient la soirée. Elle m'aurait prévenue s'ils avaient décidé de rentrer plus tôt que prévu. Ce n'était pas nécessaire, ajouta-t-elle avec une trace de ressentiment dans la voix. Ils ne m'auraient pas surprise, même s'ils étaient revenus à l'improviste.

Jeff la regarda fixement. Une heure plus tôt, il n'aurait pas cru un mot d'une histoire aussi extravagante. Maintenant, il n'était plus aussi sûr. Il s'apprêtait à répliquer quelque chose, lorsqu'il y eut un bruit à peine perceptible, une sorte de sonnerie ou plutôt de carillon.

— Qu'est-ce que c'est ? demanda-t-il, retrouvant aussitôt toute sa vigilance.

— C'est seulement Tracy, répondit Brooke. Elle désire me parler. Je suppose qu'elle est sur le point de rentrer. C'est un émetteur-récepteur, expliqua-t-elle en lui indiquant sa montre bracelet. Tracy a la même. Vous voulez bien que je lui parle ?

A nouveau pris de court, Jeff hésita. Le carillon résonna à nouveau. Cette fois, il put déterminer d'où il provenait. C'était bien la montre de Brooke qui produisait ce bruit.

— Allez-y, répondez. Mais faites bien attention à ce que vous allez dire. C'est votre vie qui est en jeu.

Brooke sourit :

— Ne vous inquiétez pas ! le rassura-t-elle. Mais, venez plus près si vous voulez l'entendre. Cet appareil a été conçu pour échanger des messages le plus discrètement possible. Tracy ? appela-t-elle après avoir appuyé sur l'un des boutons de la montre et rapproché celle-ci de son oreille.

Jeff écouta.

— Je vais reprendre la route dans quelques minutes, murmura la montre. Y a-t-il eu des appels ?

— Non, affirma Brooke. Je ne savais pas que tu en attendais...

— Je n'en attendais pas vraiment, dit la petite voix fantomatique. Mais je me suis souvenue que Ricardo n'était pas certain de pouvoir venir ce soir. Il m'avait dit qu'il téléphonerait dans la matinée à la maison s'il n'arrivait pas à se libérer, afin que nous puissions trouver quelqu'un d'autre pour que le quorum soit atteint.

— Il n'a pas appelé, donc il devrait venir, répondit la jeune fille en adressant un clin d'œil à Jeff.

— Parfait, acquiesça Tracy. A tout à l'heure. Ciao !

— Ciao !

Brooke appuya deux fois sur le bouton de la montre et leva les yeux vers Jeff.

— Cela coupe la communication, expliqua-t-elle.

Jeff se gratta le menton.

— Hum... Combien de temps faudra-t-il à Tracy pour venir ici, maintenant ? demanda-t-il.

— Une quarantaine de minutes environ. Pas beaucoup plus. La route est bonne et elle roule vite.

— Quel âge a-t-elle ?

— Vingt-quatre ans. Sept de plus que moi. Pourquoi ?

— Oh, pour rien... Montrez-moi ce truc.

— L'émetteur-récepteur ? Bien sûr.

Brooke défit la montre de son poignet et la lui tendit.

— Ne le laissez pas tomber, surtout, recommanda-t-elle. Il a coûté une petite fortune.

— Cela ne m'étonne pas !

Jeff prit la montre dans sa main et l'examina attentivement. C'était un petit bijou très féminin, en or, avec un bracelet incrusté de brillants, et les aiguilles étaient à l'heure. Rien n'indiquait que ce pouvait être autre chose qu'une montre et pourtant il l'avait bien entendu fonctionner !

— Oui, une petite fortune ! murmura-t-il pensivement en la posant sur la table à côté des piles de billets. Vous avez une famille assez spéciale, on dirait. Vous m'avez raconté la vérité au sujet de Brownley et de ce cambriolage que vous auriez fait chez lui ?

Brooke sourit.

— Jetez donc un coup d'œil à ma cape en loutre, dit-elle. C'est mon vêtement de travail, en quelque sorte.

Jeff prit la cape, l'étendit sur un coin de la table et l'ouvrit. A l'intérieur, il découvrit plusieurs poches dont il sortit une série d'objets plus surprenants les uns que les autres, parmi lesquels des pinces, un diamant de vitrier et tout un attirail de parfait cambrioleur.

— Qu'est-ce que c'est que ça ? demanda-t-il en montrant une boîte en plastique de la taille d'une boîte d'allumettes.

— Une radio, expliqua-t-elle. Réceptrice seulement. Elle est préréglée sur les fréquences de la police locale.

— Pratique, apprécia-t-il. Et ces deux clefs ?

— Les doubles des clefs du coffre de Brownley.

— Ce qui a beaucoup facilité l'opération, n'est-ce pas ? fit-il remarquer en souriant. Et cet étui à cigarettes ? Contient-il vraiment des cigarettes ou est-il factice lui aussi ?

— Ouvrez-le, suggéra Brooke.

Jeff appuya sur le fermoir et souleva le couvercle de l'étui. À l'intérieur il y avait une dizaine de cigarettes d'une marque qu'il ne connaissait pas.

— D'où viennent-elles ? questionna-t-il.

— Regardez-les de plus près.

Il en prit une et huma le tabac blond.

— Je ne vois rien, avoua-t-il. Qu'ont-elles de particulier ?

— Rien, hormis leur longueur et le fait qu'elles ont un goût atroce, répondit-elle en tendant la main. Il y a un compartiment secret. Je vais vous montrer. Vous permettez...

— Non, refusa-t-il. Indiquez-moi seulement ce qu'il faut faire pour l'ouvrir.

Ouvrir ce compartiment secret s'avéra être une tâche beaucoup plus compliquée que la mise en œuvre de la montre radio émettrice-réceptrice, mais après quelques tâtonnements, il y parvint. A la vue de la série de petits crochets métalliques, il resta d'abord silencieux, puis émit un sifflement admiratif.

— Des rossignols, murmura-t-il. Vous savez vous en servir ?

— Bien sûr ! affirma-t-elle. Je suis même assez experte en la matière. Avec l'un ou l'autre de ces petits crochets, je suis capable d'ouvrir n'importe quelle serrure ordinaire.

— Ils ont l'air léger...

— Pas si léger que cela, Jeff. Ils sont en beryllium, un métal plus résistant et plus dur que l'acier.

— Vous savez, je suppose, que cela peut valoir dix ans simplement d'être trouvé en possession d'un jeu de rossignols comme celui-là ?

— C'est la raison pour laquelle ils sont dissimulés dans cet étui à cigarettes, acquiesça Brooke.

Jeff secoua la tête avec incrédulité.

— Où diable avez-vous trouvé un pareil matériel ?

— Tous ces objets ont été faits pour moi. Spécialement.

Jeff referma l'étui à cigarettes d'un geste sec et le posa sur la table.

— Votre famille doit avoir de l'argent !

— Beaucoup, même.

— Alors pourquoi vous laisse-t-on jouer avec des trucs pareils ? Seriez-vous du genre de ces cinglés qui volent pour le plaisir, pour l'excitation que cela procure ?

— Ce n'est pas du tout pour le plaisir, répliqua Brooke. Cela fait partie de la formation. Le job chez Brownley l'autre soir était un test. C'était une façon de déterminer si j'étais capable de participer aux activités un peu particulières de la famille — activités auxquelles s'adonnent certains membres de la famille, du moins.

— Quel genre d'activités ?

— Je ne sais pas encore exactement. La famille opère en se fondant sur une théorie...

— Alors, dites-moi au moins quelle est cette théorie.

— Oh, c'est assez simple. Si vous décidez de rester dans la légalité, vous êtes perpétuellement en état d'infériorité vis-à-vis des gens — et ils sont nombreux — qui n'ont aucun respect pour les lois. Mais, par ailleurs, si vous vivez en marge de la société et de ses lois, vous courez de très grands risques et vous en faites courir aux vôtres. Il faut avoir une sorte de don pour vivre dans l'illégalité et ne pas se faire prendre. Pour cette raison, seuls ceux qui ont fait leurs preuves sont autorisés à participer aux activités secrètes de la famille. Les autres restent dans le droit chemin et ne posent pas de questions, afin qu'il n'y ait aucun risque de fuites. La famille, de cette façon, s'enrichit chaque jour un peu plus, mais vues de l'extérieur toutes les affaires qu'elle fait sont parfaitement légales et honnêtes. La plupart d'entre elles, d'ailleurs, le sont.

Jeff secoua la tête à nouveau.

— Et quelle est donc cette fameuse famille ?

— Oh, les Cameron, les Achtel, les Wyler et les Nichol, répondit Brooke. Il est possible qu'il y en ait d'autres, mais je ne les connais pas. Les Wyler et les Nichol sont, relativement, des nouveaux venus, mais les Cameron et les Achtel travaillent ensemble depuis plusieurs générations.

Jeff grommela deux ou trois mots inaudibles entre ses dents.

— Et si vous vous étiez fait prendre en flagrant délit dans la maison des Brownley ?

Elle haussa les épaules.

— Cela aurait été terminé pour moi. Mais nous avons des amis bien placés un peu partout et l'affaire aurait été étouffée. Une adolescente manquant de maturité, qui a trouvé amusant de jouer au gendarme et au voleur. Les juges savent ce que c'est que la jeunesse dorée et pardonnent volontiers les bêtises de ce genre, surtout lorsque c'est la première fois. Mais, à cause de cet échec, je n'aurais plus jamais eu le droit de participer à une opération illégale. J'aurais montré que je n'avais pas les qualités requises.

— Et si vous aviez eu simplement de la malchance ?

— Avec eux, seul le résultat compte, la chance

ou la malchance est un critère d'appréciation aussi important que les autres, sinon plus.

Jeff hocha la tête et la regarda pendant un long moment d'un air perplexe.

— Bon, d'accord, déclara-t-il finalement en souriant. Mais, maintenant, je voudrais bien que vous me disiez pourquoi vous prétendez avoir envie de m'aider.

Brooke fronça les sourcils.

— Ne vous ai-je donc pas assez prouvé mes bonnes intentions ? s'étonna-t-elle. Aviez-vous une chance de trouver le pistolet de l'oncle Georges ou cet argent sans mon aide ?

— Peut-être, mais qu'avez-vous à gagner en agissant ainsi, sinon du temps ?

— Je veux que vous m'emmeniez avec vous au Mexique.

Jeff sursauta.

— Vous êtes folle ! D'après ce que vous m'avez dit, vous avez ici tout ce qu'il vous faut.

— C'est ce que vous pensez, répondit-elle en se penchant à nouveau sur la valise. Il y a quelque chose que vous n'avez pas encore vu.

— Stop ! l'arrêta Jeff. De quoi s'agit-il ?

— Vous pouvez garder votre pistolet braqué sur moi pendant que je le sors, déclara-t-elle avec un léger mépris dans la voix. J'ai pris autre chose que de l'argent dans la résidence des Brownley.

Jeff grommela, mais la laissa ouvrir l'une des poches latérales de la valise et en sortir un petit sac de cuir. Elle défit les lanières qui le fermaient et en versa le contenu sur la table.

— Que pensez-vous de ça ? demanda-t-elle avec une lueur de triomphe dans les yeux.

Jeff regarda le petit tas qui étincelait de mille feux et émit un sifflement admiratif.

— Jolie marchandise ! apprécia-t-il. Si ce n'est pas du toc.

— Du toc ! s'exclama Brooke en saisissant un collier de perles pour le lui mettre devant le nez. Si vous vous y connaissiez un tant soit peu en perles ou en pierres précieuses, vous n'auriez pas eu la moindre hésitation. Vous avez besoin de quelqu'un comme moi, Jeff. Moi, au moins, je sais discerner au premier coup d'œil un vrai bijou d'un cabochon de cristal. Ils se trouvaient avec l'argent dans le coffre et cela pour une excellente raison.

Elle reposa avec précaution le collier sur les autres joyaux, puis continua d'une voix sourde :

— Mais savez-vous ce qui se serait passé aujourd'hui si vous n'étiez pas arrivé aussi providentiellement ? Non, eh bien je vais vous le dire. A la réunion de ce soir, les membres influents de la famille devaient statuer sur mon destin. Ils devaient examiner la façon dont je me suis tirée de ce job chez les Brownley et décider si j'avais les qualités requises pour que l'on me confie des tâches un peu plus importantes. Certes, ce n'était pas un travail très difficile — il me suffisait d'entrer dans la maison et de suivre les instructions que l'on m'avait données pour trouver le coffre et l'ouvrir — mais je l'ai effectué sans la moindre anicroche. J'aurais donc probablement réussi mon examen. Et ensuite ? demanda-t-elle en montrant la table d'un geste large de la main. Eh bien, je ne reverrais rien de tout ça ! Oh, bien sûr, un tiers de la valeur de ce butin serait porté au compte de mes parents et lors de mon vingt et unième anniversaire j'aurais enfin mon mot à dire sur la gestion de ce compte. Ces magnifiques perles, ces émeraudes, ces diamants, tous ces merveilleux trésors quitteraient cette maison ce soir dans l'attaché-case de Ricardo Achtel, le joailler de la famille. Il dirige une société d'importation et d'exportation de pierres précieuses et possède des bijouteries un peu partout dans le monde. Et moi, dans cette affaire ? J'aurais simplement franchi un échelon dans la hiérarchie. Vous savez ce que cela voudrait dire ?

Elle rit et secoua la tête avec dérision.

— J'irais travailler dans un cirque pouilleux pendant au moins deux ans !

— Dans un cirque ? répéta Jeff avec stupéfaction.

Brooke hocha la tête.

— Oui, dans un cirque. Nous en avons un en Europe. Il n'est pas grand, certes, mais y faire un stage quand on est jeune fait partie de la tradition de la famille, du moins pour ceux qui sont appelés à participer à ses activités illégales. Cela remonte à des générations, ajouta-t-elle en grimaçant. D'après eux, on peut apprendre un tas de choses dans un cirque qui seront très utiles plus tard !

Jeff sourit.

— Ils n'ont peut-être pas tout à fait tort.

Brooke rejeta sa tête en arrière avec colère.

— Je n'ai pas besoin de tout cet apprentissage ridicule ! s'exclama-t-elle. Je veux vivre, moi, et je refuse de me plier à leurs absurdes traditions ! Ils sont tellement prudents, ils ont tellement peur de tout... Vous, au moins, vous n'hésitez pas à prendre un raccourci quand c'est nécessaire. Nous pourrions faire une merveilleuse équipe, Jeff.

Quoique un peu surpris, Jeff ne put s'empêcher d'éprouver une certaine satisfaction.

— Et Tracy ? questionna-t-il.

— Ce qu'il adviendra d'elle ? Elle nous emmènera au Mexique et, une fois là-bas, nous la laisserons repartir. Je l'aime bien, mais c'est une inconditionnelle de la famille. Cependant, elle ne nous causera pas d'ennuis par la suite et les autres non plus d'ailleurs, dans la mesure ou j'accepterai de me conformer à la loi du silence. Ils ont une peur du scandale quasi maladive. Vous savez où aller là-bas ?

Jeff hocha la tête.

— Oui, acquiesça-t-il, j'ai un vieux copain qui tient un ranch à une centaine de kilomètres de la frontière. Un endroit tranquille, sans un flic à des miles à la ronde. J'ai réfléchi avant de faire la belle, Brooke. Je ne suis pas du genre à me lancer dans une affaire sans avoir préparé mes arrières.

— Alors, vous m'emmenez avec vous ? questionna la jeune fille avec un regard suppliant.

— Pas si vite, murmura-t-il. J'ai envie, d'abord, de regarder d'un peu plus près tous ces gadgets miniaturisés. Cette petite lampe-stylo, par exemple. Elle a l'air aussi d'avoir été faire sur commande, comme la montre et l'étui à cigarettes. Vous n'allez pas me dire qu'elle sert uniquement à éclairer ?

Brooke battit des paupières, très fugitivement, mais assez pour que Jeff s'en aperçoive.

— C'est... c'est ce qu'il y a de mieux actuellement. Son faisceau est très puissant et très directif.

— Vraiment ? Il n'y a rien d'autre ? Pourtant, elle est plus large à cette extrémité qu'elle devrait l'être. Et puis, il y a ce petit trou-là, au-dessus du faisceau... A quoi sert-il ? Je ne vois pas non plus comment on l'ouvre. Vous pourriez me l'indiquer ?

— C'est également assez compliqué, éluda Brooke. Si vous voulez bien me permettre...

— Ce n'est pas la peine que vous vous donniez ce mal, répondit Jeff en souriant. Ici, je suppose que c'est le bouton de mise en marche — Oui, c'est cela, parfait ! C'est vrai qu'elle est puissante. A quoi sert donc cet anneau ? questionna-t-il en braquant avec une feinte innocence la lampe en direction de Brooke.

— Si vous le tournez vers la gauche, vous réduisez l'intensité, expliqua-t-elle visiblement à contre-cœur.

— Et vers la droite ?

— Cela l'augmente, bien sûr. Euh... bredouilla-t-elle, n'allez pas trop loin, Jeff.

— Pourquoi ?

— Ou sinon ne la pointez pas vers moi, dit-elle avec un sourire un peu contraint. Je vais vous expliquer...

— J'y compte bien, rétorqua-t-il sur un ton sarcastique en baissant la lampe.

— Je ne savais pas si vous accepteriez vraiment de m'emmener avec vous... murmura-t-elle.

— Oui, bien sûr, je comprends.

— C'est pour cela que je ne vous en avais pas encore parlé. C'est un pistolet anesthésiant.

Jeff fronça les sourcils.

— Il n'en a pas l'air, pourtant.

— Il injecte un anesthésique que l'on ne trouve pas dans le commerce. Je ne sais pas ce que c'est exactement, mais il serait sans doute possible de le faire analyser.

— Sans doute. Quelle est sa portée ?

— Il est préconisé de ne pas l'utiliser au-delà de huit ou neuf mètres. A l'intérieur de la plupart des maisons, c'est amplement suffisant.

— Vous vous en êtes déjà servi ?

— Non, avoua Brooke. Je l'ai vu utiliser une fois, mais il ne doit être employé qu'en cas d'absolue nécessité. La famille ne veut pas que l'on sache qu'il existe des pistolets de ce genre.

— Quels sont les effets ?

Brooke grimaça.

— Le produit agit si rapidement que cela m'a fait peur. L'homme ne s'est même pas rendu compte qu'il avait été touché et il est resté inconscient pendant plus de deux heures. Cependant, ce n'est pas une arme destinée à tuer et, d'après ce que je sais, il n'y a pas d'effets secondaires. C'est une petite aiguille creuse qui est projetée.

Jeff hocha la tête pensivement.

— Très intéressant, apprécia-t-il. Voilà donc la véritable raison de votre générosité et de votre prétendue bonne volonté à mon égard.

Brooke le regarda en écarquillant les yeux.

— Mais, je vous ai dit...

— Vous m'avez dit beaucoup de choses, l'interrompit-il sèchement. Je crois même que certaines d'entre elles étaient exactes. Par exemple, je suis convaincu que ceci est réellement un pistolet. Depuis le début, vous avez cherché à mettre la main dessus, n'est-ce pas ?

— J'aurais été plus tranquille si c'était moi qui l'avais eu, admit-elle à contrecœur. Mais...

— Je sais. Vous n'étiez pas certaine de pouvoir me faire totalement confiance. D'accord, mais, de mon côté, je ne suis pas non plus certain de pouvoir avoir confiance en vous. Alors, pourquoi ne testerais-je pas moi-même l'efficacité de cet anesthésique ? s'enquit-il ironiquement en braquant à nouveau la lampe-stylo sur elle.

Brooke secoua la tête.

— Ce serait absurde de faire ça, Jeff.

— Pourquoi donc ?

— A cause de Tracy. Vous pourriez avoir du fil à retordre avec elle. Elle a sept ans de plus que moi et beaucoup d'expérience. Alors que si je suis avec vous dans l'avion, je pourrai vous aider à contrecarrer ses tentatives pour vous glisser entre les doigts. Que vous le croyiez ou non, j'ai réellement envie d'aller au Mexique avec vous.

Jeff hésita, mais, finalement, il se détendit et mit la lampe-stylo dans sa poche.

— Bon, d'accord, vous avez gagné, déclara-t-il.

Allez vous asseoir sur la chaise où vous étiez tout à l'heure.

Il rattacha les poignets de Brooke derrière son dos, fixa l'extrémité de la corde au barreau du siège et vérifia la solidité de ses nœuds avant de se redresser. Puis il regarda l'heure à sa montre et ordonna :

— Dorénavant, ne dites plus un mot, sauf si je vous pose une question.

Brooke hocha la tête en silence. A son expression, il était visible qu'elle commençait à avoir peur.

Jeff s'approcha de la fenêtre et examina la route qui serpentait le long de la vallée. Aucun véhicule n'était encore en vue. Le vent d'ouest soufflait de gros nuages noirs menaçants, mais, pour le moment, le ciel était encore bleu au-dessus de la maison. Au loin, il y eut un roulement de tonnerre. Jeff quitta la chambre et revint quelques instants plus tard avec un foulard en soie qu'il posa sur le dossier d'une chaise. Ensuite, il remit dans la valise les liasses de billets verts, le sac de bijoux et le matériel de cambriolage de Brooke, à l'exception de la lampe-stylo et de la montre émettrice-réceptrice qu'il garda dans sa poche. Par dessus, il remit également la cape de la jeune fille en se disant que si elle contenait d'autres objets intéressants, il aurait tout le loisir d'en faire l'inventaire une fois qu'il serait en sécurité au Mexique. Puis il rabattit le couvercle de la valise, la ferma à clef et mit la clef dans sa poche. Cette tâche terminée, il retourna à la fenêtre. Il n'avait plus qu'à attendre. Il se sentait un peu tendu, juste assez pour rester sur ses gardes, ce qui ne le gênait pas. Au contraire. C'était quand il avait tous ses sens en éveil qu'il était le plus efficace. Il savait exactement ce qu'il avait à faire et tout, normalement, devait se passer comme il l'avait prévu. Même si, par extraordinaire, Brooke lui avait menti sur les capacités de Tracy à piloter un avion, cela n'affecterait pas vraiment ses projets. Dans ce cas, il les éliminerait toutes les deux, dissimulerait leurs cadavres de manière à ce qu'on ne les retrouve pas avant le lendemain et s'en irait avec la voiture de Tracy. Tout ce dont il avait besoin c'était de quelques heures d'avance. L'avion, bien entendu, serait préférable. Et puis il aurait ainsi deux précieux otages dont il pourrait monnayer la liberté contre beaucoup d'argent. Surtout en sachant ce que Brooke lui avait dit sur sa « famille ». Une véritable petite Mafia indépendante et d'une richesse insoupçonnable !

Pendant un moment, il avait eu envie d'attendre et de prendre au piège l'un après l'autre les honorables et trop prudents membres de cette confrérie de gangsters. Cela aurait été amusant, mais, finalement, il avait décidé qu'il valait mieux ne pas trop jouer avec le feu. Il avait déjà eu assez de chance comme cela en découvrant cette maison et réussissant à tirer parti de la situation d'une manière aussi avantageuse pour lui.

— De quelle couleur est la voiture de Tracy, questionna-t-il sans tourner la tête.

Brooke se passa la langue sur les lèvres avant de répondre.

— Rouge. C'est une petite voiture de sport. Elle arrive ?

— Je viens de l'apercevoir, acquiesça Jeff. Mais elle est encore loin. A plusieurs minutes d'ici, au moins. Je vais vous bâillonner, ajouta-t-il en allant prendre le foulard de soie. Ne vous inquiétez pas, c'est juste pour ma tranquillité. Je n'ai pas envie que vous essayiez de la prévenir avant que je n'aie la situation totalement en main.

S'approchant d'elle en souriant, il plia le foulard en deux, l'appliqua sur sa bouche et le noua solidement derrière sa tête, avant d'aller reprendre son guet devant la fenêtre. Par précaution, il se tenait un peu en arrière, bien qu'il y eût fort peu de chances qu'un œil, même très exercé, puisse le repérer depuis la route.

Tracy roulait vite et avec une réelle virtuosité. La petite voiture de sport s'enroulait littéralement autour des courbes et jaillissait comme une bombe à l'entrée de chaque ligne droite. Lorsque le bruit du moteur commença à devenir audible, Jeff put distinguer vaguement qui conduisait. C'était bien une jeune femme, avec une grande écharpe verte autour du cou, des grosses lunettes de coureur automobile et de longs cheveux blonds qui flottaient dans le vent. Elle venait à la maison, car la route ne conduisait nulle part ailleurs.

Satisfait, Jeff sortit de la chambre et descendit rapidement l'escalier. Depuis un bon moment déjà, il avait réfléchi à l'endroit où il se cacherait pour attendre l'arrivée de la jeune femme et il y parvint moins d'une minute plus tard. Une porte de service s'ouvrait vers le parc à l'extrémité des communs dans lesquels se trouvait le garage. Communs dont toute la façade était recouverte d'une épaisse vigne vierge. Dissimulé dans l'encoignure de la porte, il serait totalement invisible depuis le chemin. Il y avait de grandes chances pour que Tracy viennent directement au garage et, dans ce cas, il serait sur elle avant qu'elle ait eu le temps de mettre pied à terre. Si, par contre, elle continuait vers l'entrée principale de la maison, il rentrerait à l'intérieur, traverserait le garage et irait la surprendre dans le hall. Il ne lui faudrait pas plus d'une vingtaine de secondes pour y parvenir, car aucune porte n'était fermée à clef. Le reste serait un jeu d'enfant. Il ne devrait pas avoir beaucoup de peine à la convaincre que, dans son intérêt et celui de Brooke, il valait mieux qu'elle fasse exactement tout ce qu'il lui demanderait. D'ailleurs, il n'avait pas réellement besoin d'elle et si elle faisait des difficultés, il les tuerait toutes les deux puis s'en irait avec la voiture.

De l'endroit où il était caché, il vit la petite voiture de sport ralentir et franchir le portail du parc. Après le portail, l'allée pénétrait dans un petit bois de pins, le traversait et revenait vers la maison par une large courbe ombragée de tilleuls. Le cabriolet rouge disparut au milieu des pins et il s'attendait à le voir reparaître presque aussitôt quand, brusquement il y eut un coup de frein.

Jeff fronça les sourcils, l'oreille aux aguets, son pistolet à la main.

Le moteur continuait de tourner, mais visiblement Tracy s'était arrêtée. Cela ne changerait pas grand-chose, si elle laissait sa voiture là-bas, car elle devait de toute façon approcher de la maison, mais ce n'était pas ce qu'il avait prévu et cela le contrariait.

D'un coup d'œil, il évalua la distance qui le séparait du bois de pins. Une centaine de mètres tout au plus. S'il courait, il lui suffirait de quelques secondes pour aller voir ce qu'elle faisait. Cependant, une telle solution ne lui plaisait guère. Si Tracy redémarrait avant qu'il l'ait rejointe, il aurait vraiment un gros problème. Indécis, il fit un pas ou deux en avant.

A cet instant, il y eut un craquement très léger qu'il n'aurait sans doute pas entendu si tous ses sens n'avaient pas été sur le qui-vive. Il tourna la tête et sentit alors une piqûre à la base du cou. Saisi d'effroi, il resta paralysé pendant une fraction de seconde, puis pivota sur lui-même, mais trop tard... Ses jambes se dérobaient déjà sous lui et tout en tombant en arrière avec une lenteur irréelle il vit une main refermer tranquillement l'une des fenêtres du premier étage.

Dans un dernier sursaut, il appuya sur la détente de son pistolet et tira deux coups de feu, mais ses balles se perdirent dans le bleu du ciel ; l'instant d'après son arme lui échappa des doigts, tandis que son dos heurtait lourdement les gravillons de l'allée.

Une ultime pensée traversa son esprit déjà presque inconscient. Il était impossible que Brooke ait pu tirer sur lui ! Son gadget anesthésiant était dans sa poche et en outre...

Il ne termina pas sa pensée. Un voile noir passa devant ses yeux et il sombra dans le néant.

Quelques secondes plus tard, Tracy se penchait sur lui, tandis que Brooke sortait de la maison et la rejoignait.

— Je comprends pourquoi maintenant tu me faisais ces signes depuis la fenêtre, déclara Tracy en se redressant. Il n'est qu'endormi ?

— Non, répondit Brooke à contrecœur. Il avait deviné que ma lampe-stylo dissimulait quelque chose et me l'avait prise.

— Tu as donc utilisé l'« Ultime Recours » ?

— Oui.

Tracy grimaça.

— Je m'en doutais à la façon dont il est recroquevillé sur lui-même. Le curare... murmura-t-elle en secouant la tête. Ma chérie, tu connais le règlement. Tu vas devoir donner des explications.

— Je puis tout expliquer.

— Vraiment ? Alors, commence par me raconter tout ça à moi, lui suggéra Tracy. Une répétition ne sera pas de trop.

— Tu sais qui c'est ? Ou, plutôt, qui c'était ?

Tracy baissa à nouveau les yeux vers Jeff.

— Non. Je devrais ?

— Jeff Clary.

Tracy cligna des yeux.

— Clary ? répéta-t-elle. Le criminel évadé que toute la police de l'État recherche ? Tu en es sûre ?

— Absolument, affirma Brooke. Ils ont donné sa photo à la télévision et je l'ai tout de suite reconnu quand il s'est introduit dans la maison. D'ailleurs, il me l'a confirmé lui-même. Il a tué trois personnes au cours des dernières vingt-quatre heures et il avait sans doute l'intention de nous éliminer également après t'avoir obligée à lui faire passer la frontière en avion.

— Hum... Pour un début d'explication, ce n'est pas trop mal, concéda la jeune femme. Cependant...

— De toute manière, il aurait fallu nous débarrasser de lui, l'interrompit Brooke.

— Probablement, acquiesça Tracy. Mais ce n'était pas à toi d'en décider. Il t'avait pris ton pistolet anesthésiant, mais il restait encore le mien. Tu savais où il était, n'est-ce pas ? Dans mon sac-à-main, dans ma chambre.

— J'y ai pensé, répondit Brooke, mais je n'ai pas eu le temps d'aller le chercher. Il m'avait bâillonnée et attachée sur une chaise, et il est demeuré à côté de moi jusqu'au moment où ta voiture a été en vue. Il ne me restait donc que le curare.

Tracy se caressa le menton d'un air de doute.

— Hum... Effectivement, tu n'avais guère le choix et je pense qu'ils devraient t'absoudre. Ainsi, le vilain criminel t'avait attachée et bâillonnée sur une chaise ! ajouta-t-elle en souriant. Je suppose qu'aujourd'hui tu regrettes un peu moins les trois mois que tu as perdus au cirque l'été dernier ? Tu te souviens des cris que tu as poussés quand on t'avait annoncé que tu allais passer tes vacances sous un chapiteau au lieu d'aller te dorer sur les plages de Floride ?

— Oui, murmura Brooke. Que faisons-nous maintenant ? Une balle, peut-être ? Cela éviterait certaines questions embarrassantes...

Tracy baissa les yeux vers Clary et réfléchit pendant une seconde ou deux.

— Oui, tu as raison, acquiesça-t-elle finalement. Il n'est pas nécessaire qu'il y ait une enquête trop poussée sur la cause de sa mort.

Sur ces mots, elle pointa son pistolet vers Jeff et tira deux balles, dont une en plein cœur.

Avec les antécédents que possédait Jeff Clary, l'autopsie se limiterait aux constatations d'usage.

* * *

Pendant le reste de l'après-midi et une partie de la soirée, la maison avait été bruissante d'activités diverses, mais vers dix heures tout était redevenu à nouveau calme et silencieux. La pluie, après avoir hésité durant toute la journée, s'était enfin décidée à tomber et fouettait, à chaque rafale de vent, les fenêtres de la chambre de Tracy. Depuis une demi-heure, Brooke et Tracy jouaient aux cartes sur un guéridon. Ni l'une, ni l'autre n'était aussi concentrée que d'habitude.

Brusquement, Tracy leva la tête et regarda Brooke.

— Je viens d'entendre une porte s'ouvrir. Ils doivent avoir terminé.

Brooke écouta et, bientôt, des pas résonnèrent dans le couloir.

— Enfin ! murmura-t-elle. Je me demandais s'ils finiraient jamais.

Posant ses cartes, elle se leva et alla ouvrir la porte.

— Georges, nous sommes ici, appela-t-elle. Dans la chambre de Tracy.

Quelques secondes plus tard, elle s'effaça pour laisser entrer les membres du « Conseil Familial », qui, pour l'occasion, avaient tous revêtu leur smo-king.

Georges Cameron, le directeur du collège Ren-frew et l'un des plus grands spécialistes mondiaux en mythologie gréco-latine fit son entrée le premier, suivi par Ricardo Achtel, joailler et diamantaire dont la réputation s'étendait jusqu'à Londres et Amsterdam et, enfin, par Jason Cameron, bien connu dans certains milieux comme alpiniste et chasseur de gros gibier. Trois gros bonnets de la « Famille ». Tous les trois souriaient de façon ras-surante, ce que Brooke prit plutôt comme un mauvais présage.

— Alors, quel est le verdict ? demanda-t-elle en grimaçant un peu.

— Nous ne sommes pas un tribunal, Brooke, et il ne s'agissait nullement de t'acquitter ou te condamner, répondit Georges Cameron avec un léger reproche dans la voix. Mais assieds-toi. Nous avons à parler.

Il regarda autour de lui, remarqua qu'il n'y avait pas de chaises libres et demanda à Tracy :

— Cela t'ennuie si nous nous asseyons sur ton lit ?

— Pas du tout...

Georges et Jason prirent place sur le lit, tandis que Ricardo Achtel s'adossait au mur, les mains dans les poches de son pantalon.

— Il y a eu un flash spécial à la radio tout à l'heure, déclara Georges après un instant de silence. Je suppose que vous ne l'avez pas entendu ?

Brooke secoua la tête.

— Ils ont découvert les corps des Rambow, raconta Georges Cameron. Dans leur voiture. Les malheu-reux ont été abattus presque à bout portant. Une exécution délibérée. Comme il te l'a dit, Clary a ensuite précipité la voiture au fond d'un ravin. Deux policiers en patrouille ont été intrigués par les buissons écrasés. Ils ont descendu le talus et découvert l'épave avec les corps.

— A quelle distance de l'endroit où Clary a été retrouvé ? questionna Tracy.

— Moins de cinq kilomètres, répondit Georges. Nous ne nous étions pas trompés de beaucoup dans l'estimation du chemin qu'il avait pu parcourir. En tout cas, cela devrait clore l'affaire. La police pense qu'il a essayé d'arrêter une autre voiture, que le conducteur de celle-ci a eu la chance ou la dextérité de tirer le premier et préféré ne pas se faire connaître pour une raison ou pour une autre. Les deux balles qui l'ont touché étaient l'une et l'autre suffisantes pour donner la mort. Ils chercheront peut-être à retrouver l'arme, mais n'y mettront sans doute pas beaucoup de cœur. La routine, en somme.

Il y eut un bref silence et Brooke questionna :

— Et moi alors ? Je suis recalée ?

— Pas du tout, la rassura Georges. Dans l'ensemble, tu t'es très bien comportée. Tu étais confrontée à un tueur et tu as réussi à tergiverser jusqu'au moment où tu as trouvé l'occasion de mettre un terme à la menace qu'il faisait peser sur Tracy et sur toi. Nous ne pouvons donc, naturellement, que te féliciter pour ta présence d'esprit.

— Naturellement, acquiesça Tracy avec une légère ironie.

— Cependant, poursuivit Jason Cameron, nous avons été obligés de noter qu'il y avait eu une entorse plutôt sérieuse à la sacro-sainte règle du silence.

— Je vous l'ai déjà expliqué, se défendit Brooke. Il fallait que je raconte quelque chose à Clary pour gagner du temps et trouver l'opportunité de le prendre en défaut. Sur le moment, aucun mensonge suffisamment plausible ne m'est venu à l'esprit. Il n'avait pas l'air idiot et j'ai donc préféré lui dire la vérité ou presque. C'était plus facile.

Georges Cameron sourit.

— Justement, Brooke, c'était la solution de facilité. En la choisissant, tu prenais un risque. Mais, attention, cela n'a rien d'un blâme. S'il y a des coupables dans cette affaire, ce sont ceux qui ont été chargés de t'inculquer les rudiments de notre dur métier et je suis probablement le premier d'entre eux. Pour ce qui est de Clary, lorsque tu lui as dit la vérité, tu n'étais pas sûre que la police ne réussirait pas à le prendre vivant. Nous aurions pu probablement étouffer l'affaire, étant donné le passé de Clary, mais la Famille se serait trouvée dans une position difficile. En outre, de cette manière, tu rendais l'élimination de Clary obligatoire, réduisant ainsi tes options possibles, ce qui n'est jamais souhaitable.

Jason hocha la tête.

— Nous avons remarqué qu'il y avait dans ton caractère une instinctive ingénuité, Brooke. Ta première réaction est presque toujours de dire la vérité.

— Une tendance qui n'est pas en soi condamnable, fit observer Ricardo Achtel.

— Non, bien sûr, acquiesça Georges. Quoique, cependant, il y ait beaucoup à dire sur l'art de la dissimulation et son utilité. Ceux chez qui ce n'est pas une qualité innée — j'ai moi-même eu des difficultés de ce côté-là — doivent l'acquérir à force de travail et de patience. Nous avons trouvé que tu étais encore un peu inexpérimentée sur ce point, Brooke.

— En d'autres termes, murmura l'adolescente, je ne suis pas recalée, mais je n'ai pas non plus gravi d'échelon.

— C'est à peu près cela, acquiesça Georges. Nous pensons que tu as besoin d'encore un peu de temps.

264

Le sujet sera à nouveau étudié lors de ton prochain anniversaire.

— Encore sept mois ! s'exclama Brooke avec découragement.

— Ils passeront très vite pour toi, essaya de la rassurer Georges.

— En un sens, tu vois, fit remarquer Jason, les circonstances t'ont fait franchir un échelon aujourd'hui en te mettant face à un problème très difficile. Tu l'as résolu, ce qui est un bon point, mais pas d'une manière optimale. Il semble donc que ton acceptation dans notre cercle restreint ne soit plus qu'une question de temps et de maturité.

Georges hocha la tête.

— Exactement ! Tu poursuivras donc tes études classiques à Renfrew, mais, en plus, tu suivras les cours d'une école d'art dramatique.

— Une école d'art dramatique ? répéta Brooke avec surprise.

— La nôtre, confirma Georges. Ce que tu y apprendras sera un peu différent de ce qu'y apprennent les autres élèves, mais je suis sûr que tu trouveras cette expérience très intéressante. Tracy est passée par là également, voici quelques années.

Brooke se tourna vers Tracy d'un air interrogateur, mais celle-ci évita son regard.

— Euh... Oui, je suis passée par là également, acquiesça-t-elle à voix basse.

Pauvre Brooke ! ajouta-t-elle intérieurement en secouant la tête.

Crime Buff.
Traduction de L. de Pierrefeu.

S'EN SERVIR OU PAS

par Pauline C. Smith

C'était un après-midi chaud et engourdi, cuivré de soleil ; un après-midi écrasant qui engendrait une irrésistible envie de ne rien faire.

Appuyé contre le gros chêne, Joey, mine de rien, épiait son voisin. En réalité, ce n'était pas son voisin ; ce n'était qu'un inconnu dans le quartier, en visite chez sa grand-mère, à la porte d'à côté. En fait, un étranger.

Pendant que Joey faisait semblant d'enfoncer une bille dans le mastic ramolli qui colmatait une entaille de l'arbre, l'autre gamin s'absorbait dans la recherche d'un hypothétique objet qui se serait trouvé dans les hautes herbes de la palissade, et il se penchait de temps à autre comme s'il l'avait enfin déniché. Il arrivait parfois que les deux garçons lèvent les yeux ensemble et que leurs regards se rencontrent. Cela les mettait tous deux dans l'embarras.

Ce fut le garçon d'à côté qui parla le premier :

— Qu'est-ce que tu fais ?

— J'mets une bille dans l'arbre, répondit Joey, continuant laborieusement son ouvrage.

— Fais voir, dit l'autre. Et il se faufila à travers les herbes pour regarder de plus près.

Ils ne cherchaient plus à feindre l'indifférence ; la barrière des soupçons avait été franchie. Ils établirent immédiatement un statut d'égalité, se balançant sur les branches basses du chêne, ou shootant dans des ballons imaginaires. Ensuite ils rampèrent dans la jungle de la clôture, puis finalement allèrent tranquillement jusqu'au porche, derrière la maison.

— T'as un vélo ? demanda Rick.

— Ouais.

— Un ballon de basket ?

— Ouais.

— Moi, j'ai un punching-ball !

Devant une annonce aussi extraordinaire, Joey resta sans voix. Il se creusa la tête pour se souvenir de quelque chose d'aussi somptueux, mais avant qu'il eût trouvé sa mère vint à la porte.

— Hello, dit-elle à Rick. Tu es le petit-fils de madame Moran, non ?

— Oui, m'dame.

— Tu t'amuses bien, ici ?

— Oui m'dame.

— Bon. Voulez-vous un peu de limonade ?

Ils s'allongèrent sur le ventre, à l'ombre du porche, derrière la palissade, sirotant leur limonade sans mot dire, parce que tout avait déjà été dit.

Une rafale de vent chaud tourbillonna soudain, éparpillant les feuilles mortes. Une mouche réveillée s'envola et vint se poser à côté des garçons, qui la regardèrent comme si c'était la première mouche qu'ils voyaient de leur vie. Lentement, Rick s'agenouilla et fit glisser très doucement sa main, puis la rabattit vivement sur la mouche aveuglée par le soleil.

— Je l'écrase ? demanda-t-il à Joey.

L'idée ne plaisait pas à Joey.

— Non, dit-il.

Et il détourna son regard pour que Rick ne voie pas sa gêne.

— D'ac'. Alors je vais la noyer.

Habilement, Rick arrondit sa main de manière à former un petit dôme, puis ils versa ce qui lui restait de limonade tout autour, pour que le liquide s'insinue sous ses doigts et engloutisse la mouche dans son piège.

— Tu crois qu'elle est morte, maintenant ? demanda-t-il, curieusement calme.

— Oh oui, je crois.

Joey voulait voir, ses yeux ne pouvaient se détacher de la main qui retenait la mouche prisonnière. D'un geste rapide Rick releva le piège ; la terre sèche entourée de limonade formait comme une petite île circulaire, d'où la mouche s'envola gracieusement.

De contentement, Joey se roula sur le sol.

— Ha, ha ! Tu ne l'as même pas touchée. Tu voulais la noyer et tu ne l'as même pas mouillée !

Sous l'effet de la chaleur, la limonade s'était déjà évaporée, laissant une petite tache poisseuse. Rick se contenta de se lécher la main pour la nettoyer, puis il se rafraîchit le visage en tordant sa bouche pour y souffler. Enfin il se tourna vers Joey, feignant la mauvaise humeur.

— Alors, y'a rien d'autre à faire ici ? Tu t'assieds et tu restes à rien faire, comme ça ? Chez moi, y'a des tas de trucs...

— Mais ici aussi, on peut s'amuser. On pourrait monter tous les deux sur mon vélo, ou jouer au basket...

— Si seulement j'avais mon punching-ball, se lamenta Rick, la tête appuyée sur ses genoux bruns et pointus et le regard maussade.

Tout à coup, il pointa son index :

— Qu'est-ce que c'est ?

— Quoi ? demanda Joey, en regardant dans la direction indiquée.

— Là, cette petite colline avant la clôture du fond.

— Ça, c'est un abri.

Lentement, Rick dressa la tête et se tourna vers Joey. Ses yeux exprimaient l'incrédulité.

— Un abri contre les bombes ?

— Bien sûr ! (Joey avait repris l'avantage. Voilà quelque chose qui valait beaucoup plus qu'un vieux punching-ball. Sa victoire totale l'écrasait et il s'allongea par terre.) Tu n'as jamais vu un abri anti-atomique ?

— Hein... ? (Les yeux de Rick brillaient d'excitation.) Je peux aller dedans ? Hein ?... Je peux ?

Joey n'entendait plus sa mère. Elle avait dû aller dans les pièces qui donnaient sur la rue, là où il y avait l'air conditionné. Avant de répondre, il écouta attentivement, sachant que si sa mère avait entendu un mot à propos de l'abri elle leur crierait : « Attention les enfants, n'allez pas par là ! »... mais rien ne vint.

Maintenant qu'il était sûr de n'avoir pas été espionné, il réfléchit avant de répondre :

— Oui, je crois que je peux te laisser y entrer.

Il se leva négligemment, comme si tout cela lui était naturel, mais il respirait avec peine, parce que jusqu'à ce jour il n'était jamais descendu dans l'abri sans être accompagné de ses parents. Dans ces cas-là, il avait tout juste le droit de s'amuser en passant sa main dans le conduit d'air pulsé ; cela faisait comme un bruit de fusée, mais son père arrêtait le jeu en disant : « Tu sais fiston, ce n'est pas un endroit pour jouer. » Et sa mère renchérissait : « C'est une telle honte que des êtres humains soient obligés de s'enterrer pour pouvoir survivre. » A cause d'eux, le charme s'évanouissait.

— Viens, dit-il. Allons-y.

En traversant la pelouse, il sentit que ses pieds étaient humides dans ses espadrilles, mais il n'en continua pas moins à marcher dignement, tandis que Rick faisait des cabrioles à côté de lui.

— C'est ton père qui l'a construit ? Alors, si la bombe tombe, vous y courez, vous rentrez dedans et vous n'avez rien ?

— Ouais.

— Et puis vous pouvez manger et dormir dedans et sortir seulement quand tout le monde sera mort ?

— Oui.

L'abri était dominé par un eucalyptus dont les feuilles sèches frissonnaient dans le courant d'air brûlant, et la masse de terre couverte d'herbe avait glissé, occultant partiellement la trappe d'accès. Les garçons grimpèrent sur le tertre et empoignèrent l'anneau de fer de la porte. Joey jeta un coup d'œil prudent vers la maison endormie et éclaboussée de soleil. Il dirigea la manœuvre.

— Maintenant tire !

Lentement, la trappe se souleva, leur apportant une bouffée d'air frais qui sentait la terre. Soudain intimidé et visiblement impressionné, Rick se baissa et, se faufilant, descendit les marches de ciment brut.

— Il faut fermer, dit Joey. Il tira à lui la poignée intérieure d'un coup sec en baissant la tête, comme il avait vu son père le faire. La trappe claqua en se fermant.

— Hé, il fait nuit, cria Rick, tout en bas de l'escalier, d'une voix où perçait la peur.

— Naturellement. Qu'est-ce que tu crois ?

Joey se sentait aussi apeuré, mais le sentiment de son importance, ainsi qu'une certaine familiarité avec les lieux, lui donnèrent la force de feindre. Se guidant à tâtons sur les murs rugueux, il descendit et toucha le bras de Rick, moite de transpiration, puis il poussa la deuxième porte. Il avança en agitant les bras dans l'obscurité jusqu'à ce qu'il trouve sous sa main le cordon de l'interrupteur. Il le tira et la pièce s'éclaira d'une faible lueur.

Rick put enfin respirer.

— Hé, il y a même l'électricité !

— Ça, c'est juste pour le début, expliqua Joey. Quand il n'y en a plus, on se sert de ça. Et il désigna une rangée de lanternes alignées sur une planche basse.

Avec la lumière, la frayeur de Rick s'était petit à petit dissipée, et sa curiosité le poussa à bouger. Il essaya chacune des trois couchettes, s'accroupit pour regarder l'eau claire dans les réservoirs, étudia les boîtes de conserves empilées et les paquets de réserves alimentaires. Chaque nouvelle découverte était ponctuée d'un « Formidable ! ».

— Formidable, il y a même des cartes, des jeux, des puzzles et d'autres trucs pour jouer !

— Eh oui ; il faut pouvoir s'occuper, ici, répondit Joey d'un ton dégagé.

C'est alors que Rick remarqua le revolver sur une étagère. Il en resta muet pendant un bon moment. Les yeux écarquillés, il le contemplait ; finalement c'est d'une voix étouffée qu'il murmura :

— C'est un vrai ?

— Et comment que c'est un vrai ! Et même qu'il est chargé !

Rick ne put retenir son émotion, il finit par grogner :

— Un vrai revolver ! Un vrai revolver chargé ! Sa main rampa vers l'arme et hésita pour la prendre.

Sèchement, Joey ordonna :

— Laisse-le !

Rick retira sa main et recula pour s'étendre sur une couchette.

— Mais pourquoi vous avez un revolver ici ?

— Pourquoi c'est faire un revolver ? demanda Joey, doctoral. C'est pour tirer, voilà pour quoi c'est faire. C'est pour tirer sur les voisins.

Rick réfléchit laborieusement en silence pour admettre que cette explication était logique et intelligente.

— C'est vrai, reconnut-il. Si les voisins veulent venir, on leur fait sauter la tête. Hein, Joey ?

Cette perspective ne plaisait pas particulièrement à Joey.

— A tout le monde sauf nous, hein Joey ? Pour tous les autres, une balle entre les deux yeux. Bang, bang, bang et paf ; ils s'étalent par terre, morts, devant l'abri. Ils nous demandent de les laisser entrer, et nous, paf, on les descend. Hein, Joey, qu'on les descend ?

— Bon, on s'en va, dit Joey.

— Pourquoi veux-tu sortir ? On n'est pas bien ici ? Moi j'aime, parce qu'il y fait frais. On pourrait faire comme si la bombe était tombée et on tirerait sur les autres qui veulent entrer.

— Non. On va sortir. Maman va sûrement me chercher, et elle ne sera pas contente si elle sait qu'on est ici. (Sur ces mots, Joey s'avança vers la porte.) Viens. Si elle nous trouve dans l'abri, elle va se mettre en colère.

— Peut-être que non ? Peut-être qu'elle va nous chercher partout sauf ici, parce qu'elle sait qu'on a le revolver et qu'elle a peur qu'on la tue.

— Allons viens, Rick. Moi je sors et tu vas te retrouver tout seul dans le noir.

— O.K. J'arrive.

Joey essaya d'atteindre le cordon de l'interrupteur, qui s'était emmêlé et par le fait même considérablement raccourci. Le bras tendu, sur la pointe des pieds, il tenta de dénouer le fil du bout des doigts. Le filament incandescent de l'ampoule nue l'aveuglait littéralement. Tandis que Rick se déplaçait dans la pièce, il lui dit :

— Tu ferais mieux de venir par ici. Je vais éteindre dès que j'aurai attrapé le fil. (Il sauta et réussit à agripper la boucle qui pendait.) Je l'ai, Rick. J'éteins.

— Oui, d'accord.

La voix de Rick venait de l'endroit où se trouvaient les étagères.

Joey tira sur le cordon et aussitôt une obscurité compacte les entoura, bien que des petits points éblouissants fussent encore en train de tourbillonner devant les yeux de Joey.

— Bon, viens m'aider à trouver la poignée de la porte.

Soudain, alors qu'il tâtonnait dans le noir absolu, il ressentit une folle envie de sortir de cet endroit lugubre. Enfin sa main rencontra la poignée réconfortante, dont la chaleur contrastait avec le métal froid de la porte. Il la poussa et appela :

— Où es-tu ?

— Ici !

Rick semblait essoufflé comme s'il avait couru.

Ils grimpèrent les marches jusqu'à ce que Joey vienne buter contre la trappe d'accès. Il redescendit un peu pour s'arc-bouter et pousser.

— Eh bien, aide-moi, dit-il avec irritation. C'est vachement lourd.

— Je pousse, mais je n'ai qu'une main qui...

La trappe bascula facilement et les deux garçons furent aussitôt assaillis par l'éclat du soleil et la chaleur étouffante.

Joey s'éjecta de l'abri en criant de joie, referma la porte et jeta un coup d'œil inquiet vers la maison. Maintenant sa vue s'était accoutumée à la lumière et la maison retrouvait son allure familière ; calme, silencieuse, engourdie dans la chaleur de l'après-midi. Il pouvait enfin respirer.

Assoupie à côté du générateur d'air conditionné, sa mère allait s'inquiéter de lui, comme d'habitude, toujours aux mêmes heures, et l'appellerait. « Joey-y-y-y ! » crierait-elle, appuyée sur la balustrade du perron. Joey sentit monter en lui l'odeur douce de l'obéissance ; au premier « Joey-y-y », il s'empresserait de répondre : « J'suis ici, maman », comme s'il n'avait jamais bougé, et sa mère dirait : « Oh, très bien ! Je voulais simplement savoir. »

Il se laissa glisser sur l'herbe du talus et se trouva nez à nez avec le canon du revolver. De surprise il tomba en arrière en frissonnant. Le doigt de Rick, posé sur la détente de *son* revolver, lui sembla être l'image même de l'injustice. Il n'avait même pas le droit de toucher au revolver et pourtant, comme si tout lui avait été permis, il s'amusait à le mettre en joue. Le cri que Joey retenait dans sa gorge s'enfla, aigu, et déchira le chaud silence.

Une porte claqua.

— Joey-y-y-y !

Instinctivement, Rick cacha le revolver. Secouant sa tête, il demanda méchamment :

— C'est ta mère. Pourquoi cries-tu comme ça ?

— Joey-y-y-y ! C'est toi ?

— Vas-y. Réponds ! Tu veux qu'elle vienne ici ?

Non, il ne le voulait pas. L'idée de sa mère en colère lui fit oublier le vol du revolver et ses sentiments de culpabilité. Il se dressa.

— C'est moi, maman. On jouait, dit-il, jetant à Rick un regard furieux.

— Alors, ne jouez pas si fort, répondit sa mère. Il fait beaucoup trop chaud. Et pour l'amour du ciel, mettez-vous à l'ombre.

Elle releva les cheveux sur sa nuque, ouvrit la porte grillagée et rentra.

— Tu vois ? A force de crier comme ça, t'as failli la faire venir ici, lui reprocha Rick. Il ramena le revolver de derrière son dos et l'examina attentivement.

— Bon, qu'est-ce qu'on fait maintenant ? dit-il encore.

N'osant pas élever la voix, Joey murmura, comminatoire :

— Tu vas le reporter. Tu vas remettre ce revolver dans l'abri, là où tu l'as pris.

Faisant semblant de tirer, Rick se contenta d'un : « Bang ! »

— Mais il est chargé ! Je ne t'avais pas dit qu'il était chargé ?

Joey se souvenait pieusement d'un avertissement de son père : « Je te parle pour ton bien, ne touche pas à ce revolver. »

— Mais oui. Je sais bien qu'il est chargé. D'ailleurs, j'ai vérifié. Tiens, regarde, dit Rick en déverrouillant et en faisant tourner le barillet. Tu vois les six balles ?

Et il referma l'arme.

Joey se jeta sur le sol, le cœur fou d'angoisse.

— Fais attention ! Tu joues avec et il va partir.

Il se mit à genoux, les yeux agrandis par la peur. Il imaginait le claquement du coup de feu trouant la quiétude estivale.

— T'en fais pas, il y a le cran de sûreté, dit Rick. Tu vois ça ? Tu l'abaisses et le chien est bloqué. Le canon pointé sur la poitrine de Joey, il lui fit la démonstration.

— Franchement, tu peux me croire, ajouta-t-il, je connais tout là-dessus... sur le revolver et le cran de sûreté. D'ailleurs qui est-ce qui ne s'y connaît pas en revolvers ?

Joey, lui, n'y connaissait rien. Il essaya la persuasion.

— Écoute, reportons le revolver dans l'abri. Hein ? Il fait très chaud. C'est pas marrant de jouer avec un vieux revolver quand il fait si chaud.

Songeur, Rick soupesait le revolver tout en regardant Joey.

— Quoi ? Si tu étais chez moi, et même s'il faisait chaud, je te laisserais jouer avec mon punching-ball.

Joey dut admettre qu'il y avait dans le cas présent une différence d'hospitalité et en fut flatté mais, en considérant mieux les choses, il réalisa que le punching-ball appartenait réellement à Rick, tandis que le revolver appartenait à son père. Il allait exposer cet argument mais il se ravisa. Admettre que l'arme appartenait à son père et non à lui risquait de le diminuer aux yeux de Rick. Finalement, il décida d'être généreux.

— Très bien. Tu peux jouer avec un petit peu.

Immédiatement, Rick se jeta à plat ventre et tira sur trois Indiens qui étaient à l'affût. « Bang ! Bang ! Bang ! » Le soleil filtrait légèrement à travers le feuillage de l'eucalyptus, et les garçons embusqués derrière l'abri profitaient de l'ombre et de la fraîcheur. D'abord il y avait eu cette sombre histoire entre le grand McGraw Tire-Vite et le brigand qui l'attendait, tapi au sommet d'une dune surplombant la plaine desséchée. Heureusement qu'ils étaient arrivés à temps ! « Bang ! T'es mort ! ». Puis le

fameux Wyatt Earp, qui surveillait une salle de jeux.
« Bang ! On l'a eu ! »

Interrompant cette randonnée de justiciers, la mère de Joey, penchée sur la balustrade appela :

— Joey-y-y-y !

Joey se leva.

— Je suis ici, maman.

— Très bien. Est-ce que le petit-fils de madame Moran est encore avec toi ?

Rick posa le revolver par terre et se releva à son tour.

— Oui, m'dame.

— Soyez sages, dit-elle en pénétrant dans la maison.

De nouveau, les garçons se jetèrent sur le sol et reprirent leur reptation.

— On l'a échappé belle, dit Rick. (Il repoussa le cran de sûreté, visa le porche vide, puis leva le cran à nouveau, regardant Joey d'un air grave.) Elle n'a pas l'air très régulier. Un peu plus, et je la descendais.

L'ombre de l'eucalyptus s'allongeait tandis qu'une légère brise s'était levée sans pourtant réussir à rafraîchir l'air. Joey essaya d'évaluer, d'après la position du soleil, le temps qu'il leur restait avant le retour de son père, et suggéra :

— On ferait peut-être mieux de remettre le revolver dans l'abri.

Mais Rick avait repris sa chasse ; il était maintenant à Naked City, son regard acéré épiait la maison du coin de la rue, d'où le tueur allait certainement sortir.

— Toi, tu surveilles ce côté, ordonna-t-il. Moi, je m'occupe de celui-là. Ils rampèrent jusqu'à leurs positions respectives, de chaque côté de la pelouse. Le bourdonnement des insectes et le bruissement des feuilles emplissaient cette fin d'après-midi. Tout à coup, Rick rampa jusqu'à son compagnon.

— Tu vois ? murmura-t-il, la voix rauque d'excitation.

Joey lentement, détourna la tête.

— Oui, dit-il dans un souffle. Oui, un homme.

— Un homme... Surveille-le ! Je parie que c'est un tueur. Il doit chercher...

L'homme tourna l'allée et s'arrêta, l'air indécis. Il regarda d'abord la maison des Moran, que le soleil couchant illuminait encore, puis la maison de Joey, maintenant dans l'ombre du grand chêne. Joey haleta :

— Il va chez ta grand-mère.

A ses côtés, Rick tremblait.

— Non, il va chez toi. Ce type est un vrai tueur... Regarde-le...

Rick abaissa le cran de sûreté, les yeux étincelants, puis il pointa le revolver vers l'homme. D'un coup violent sur le bras, Joey fit dévier l'arme.

— Ne fais pas ça ! T'es fou ? C'est certainement le laitier. Relevant le revolver, Rick se tourna vers Joey, furieux et méprisant.

— Et alors, où sont ses bouteilles ? Et puis t'as déjà vu un laitier qui fait sa tournée l'après-midi ?

Là, il marquait un point. Surveillant l'homme qui se déplaçait le long des hautes herbes de la clôture, Joey essaya de percevoir la bosse sous le veston et la démarche insolente des truands. A côté de lui, à moitié fou, Rick haletait :

— Regarde, il essaie de se cacher, c'est visible. Regarde-le, il se faufile ! D'excitation, il postillonnait désagréablement dans le cou de Joey, qui le repoussa.

— Là-bas tout le monde marche comme ça. On ne peut pas faire autrement ; il n'y a pas de trottoir, c'est que de l'herbe et de la terre.

L'homme se retourna pour regarder derrière lui,

et les garçons piquèrent du nez. Entre ses dents, Rick glissa :

— Il regarde s'il y a quelqu'un.

— Non. Il regarde s'il n'a rien laissé tomber. C'est certainement le blanchisseur, dit Joey.

— D'accord, mon vieux ; et où il a mis le linge ?

— Il vient le chercher.

— Et où est son camion ?

Joey jeta un coup d'œil à travers les arbustes et les arbres qui bordaient l'allée.

— Il a dû le laisser dans l'allée.

— Je n'ai pas entendu le bruit du moteur. (L'air concentré, Rick arma le revolver, ferma un œil pour viser.) Ce type est louche, grogna-t-il. Je vais le descendre !

Quittant sa cachette derrière la clôture et l'ombre protectrice du chêne, l'homme marcha vivement sur la pelouse qui menait à la véranda derrière la propriété. Les muscles tendus, Rick referma son doigt sur la détente, tandis que Joey sentait un frisson de terreur lui parcourir l'échine. Un instant, il lut sur le visage de Rick une détermination farouche, qui l'emplit de panique. Il n'y avait pas l'ombre d'un doute : il allait tirer. D'un mouvement rapide, il roula sur lui-même et envoya un coup de pied sur le bras qui tenait l'arme. Rick chancela et laissa tomber le revolver. Grinçant des dents, le regard hébété, Rick bondit sur ses genoux, en position de combat.

— Pourquoi que tu as fait ça ? Puis il regarda vers la maison, l'air surpris.

— L'homme est parti. Il n'est plus là, ajouta-t-il en ramassant brusquement le revolver. Je parie qu'il est à l'intérieur.

Joey respira et se coucha sur le ventre.

— Maman a dû le laisser entrer. Remets le cran de sûreté !

Rick obéit en maugréant.

— Tu aurais dû me laisser le tuer. Maintenant, il est chez toi.

— Au moins, ça prouve que c'est bien le blanchisseur. Il attend pendant que maman ramasse le linge sale.

Rick lui jeta un regard de mépris.

— J'ai déjà vu des tas de blanchisseurs, mais jamais un comme ça !

— Moi aussi, j'en ai déjà vu, répondit Joey. Et ils avaient tous la même allure que lui.

Complètement écœuré, Rick rampa de l'autre côté du monticule. Les deux garçons restèrent ainsi étendus, se tournant le dos, entièrement absorbés dans la contemplation de la maison. Ils avaient oublié les voleurs de bétail, les policiers fédéraux et les tueurs, pour mieux écouter les petits bruits dans l'herbe, le gazouillis paresseux des oiseaux, pour mieux sentir les chauds rayons du soleil filtrant à travers les feuilles. Soudain Joey roula sur lui-même, s'assit et regarda fixement Rick.

— Qu'est-ce que tu viens de faire ? murmura-t-il.

Rick le regardait par-dessus son épaule.

— Moi ? J'ai rien fait.

— Ce bruit... On aurait dit que tu avais libéré à nouveau le cran de sûreté.

Rick s'assit et lui fit face l'air renfrogné.

— Ben non, je l'ai pas fait. Alors ce doit être quelque chose dans la maison.

— Pourquoi veux-tu que ce soit quelque chose dans la maison ?

Pour Joey, tout à coup, cet après-midi prenait d'étranges couleurs. Il n'avait apprécié ni Rick, ni le revolver, ni le blanchisseur. Même la chaleur et la poussière humide qui se collait à lui, lui devenaient insupportables. Il se releva et dit :

— Allons remettre le revolver dans l'abri.

Rick se leva à son tour.

— Bon ! D'accord, d'accord !... Allons remettre le revolver dans l'abri, c'est tout ce que tu sais dire. Très bien, allons-y. Allons le remettre...

La porte grillagée claqua dans leur dos. Les deux enfants se retournèrent vivement et regardèrent.

— Oh là là ! bondit Rick. T'as vu ce type partir ? Il avait vraiment l'air de foncer. Cette fois-ci il a fichu le camp par-devant.

— C'est parce que son camion devait être par là, dit Joey. Viens, on va reporter le revolver dans l'abri. Mon père va bientôt rentrer.

Rick posa le revolver sur le sol et les deux garçons empoignèrent l'anneau de la trappe.

— Ri-i-i-ck !

Penchés sur la trappe, tenant toujours la poignée, ils regardèrent de l'autre côté de la barrière vers madame Moran, qui se tenait sur le perron arrière de sa maison.

— Ri-i-i-ck !

— J'arrive, cria Rick en lâchant l'anneau. C'est grand-mère, expliqua-t-il. Il faut que je parte.

— Tu pourrais d'abord m'aider à remettre le revolver. Joey eut soudain envie de pleurer ; tout marchait vraiment de travers, et cela durait déjà depuis pas mal de temps. Il était incapable de le formuler, mais ce sentiment l'envahissait profondément.

— Je pense qu'avant de partir, tu devrais au moins venir avec moi remettre le revolver en place.

— C'est grand-mère, je te dis. Il faut que j'y aille, tout de suite.

Et Rick s'esquiva.

Désespéré, Joey regarda Rick partir en courant, en zigzag, autour des ombres des arbres et traverser la haie d'arbustes. Alors il regarda vers sa maison, à présent dans l'ombre et calme... Très, très calme,

op tranquille... inquiétante. Il pensa que sa mère
urait déjà dû l'appeler depuis longtemps. Pourquoi
n'était-elle pas sortie, et n'avait-elle pas crié : « Joey-
y-y-y ! Tout va bien ? Réponds-moi, Joey ! »

Noyée dans l'ombre, la maison restait calme...
tellement calme. Le soleil couchant se réfléchissant
dans les fenêtres les faisait ressembler à de gros
yeux oranges. Il se mit à courir vers la demeure, en
appelant :

— Maman, maman ! (Pourquoi ne répondait-elle
pas ?) Maman... Oh, maman !

Il courut plus vite, à en perdre l'équilibre.

— Maman ?

*
* *

Maintenant, ce sont d'autres personnes qui habi-
tent la maison, mais ils sont au courant de la
tragédie qui s'y est déroulée il y a cinq ans. C'est
madame Moran qui la leur a racontée ; « Ce jour-là,
je n'ai rien entendu. C'était un monstre, un monstre
à la recherche d'une victime. Il faisait une chaleur !
Si seulement les garçons avaient eu un revolver et
l'avait tué quand il est entré par l'allée ou quand il
est sorti par la cour !... »

A gun is to shoot.
Traduction de Michel Rivelin.

PROCESSUS D'ÉLIMINATION

par Max Van Derveer

Une jeune et jolie brune, vêtue d'un ensemble vert vif, fut la première personne à descendre du car transcontinental. Sa main gauche tenant avec aisance une valise et un sac en vernis noir coincé sous son bras droit, elle se dirigea vers la gare routière. Mettant presque ses pas dans les siens, un quinquagénaire à l'air tourmenté la suivait de près. Sous son feutre cabossé, il semblait n'avoir d'yeux que pour la fille. Je le comprenais mais je les chassai vite tous deux de mon esprit pour concentrer mon attention sur les autres voyageurs descendant du car.

Mais je dus me convaincre qu'Helen n'était pas du nombre quand le car se fut vidé. Helen m'avait téléphoné qu'elle arriverait par celui de 21 h 50 le vendredi soir, et c'était bien de celui-là qu'il s'agissait. Je m'en retournai vers la gare routière en me demandant ce qui avait pu amener Helen à annuler son voyage.

J'obliquai vers la rangée de cabines téléphoniques. En avant de moi, la fille en vert achetait un

283

magazine et, plus loin, à proximité des portes vitrées donnant sur le trottoir, se tenait l'homme qui en sus d'un feutre cabossé avait un costume gris tout froissé.

Mon intuition ne m'avait pas trompé. Quand la fille se détourna de l'éventaire du marchand de journaux pour gagner la rue, l'homme se remit à la suivre. Je balançai un court instant, puis continuai en direction d'une des cabines, la fille me semblant très capable de faire face toute seule à la situation.

Un cri perçant me figea sur place. Bien que provenant de l'extérieur, il était suffisamment net pour que je fusse certain qu'il avait été poussé par une femme. D'autres l'avaient entendu aussi et se tournèrent vers les portes vitrées, avant de courir rejoindre l'attroupement qui se formait sur le trottoir. En voulant les imiter, j'entrai en collision avec un homme brun et de belle taille, fort élégant. Il eut un haut-le-corps, mais ne dit rien, se contentant de passer nerveusement l'index sur son épaisse moustache brune. Enfin, je débouchai sur le trottoir et jouai des coudes pour me frayer un passage au milieu des badauds qui s'étaient massés devant un taxi.

L'homme au complet froissé gisait de côté sur le trottoir, près de la portière ouverte du taxi. Il avait perdu son chapeau et l'arme fichée derrière son cou m'avait tout l'air d'être un tournevis.

Les curieux s'écartèrent pour livrer passage à un agent de police en uniforme qui se pencha et examina l'homme sans le toucher. Finalement il se redressa en disant simplement « Mort ». Il me jeta un coup d'œil puis, par-dessus le cadavre, nos regards se portèrent vers le chauffeur du taxi.

Très excité, parlant beaucoup avec les mains, il nous dit :

— Le type m'a fait signe, je me suis arrêté et je

lui ai ouvert la portière... Et alors l'autre mec a foncé sur lui... J'ai cru d'abord qu'il l'avait seulement cogné et je suis vivement descendu, mais une dame a hurlé et... Qu'est-ce que c'est qu'il lui a planté dans le dos ?

— Êtes-vous en mesure de décrire l'agresseur ? questionnai-je.

— Ouais... (Le visage du chauffeur se plissa) Petit... trapu comme on dit... (Il s'interrompit, agita les mains.) Maintenant que vous me le demandez, je suis plus foutu de le décrire... C'est quelque chose !

Je fis un rapide inventaire des visages qui nous environnaient :

— Avez-vous remarqué une jeune femme en vert, avec une valise à la main ? Elle est sortie de la gare juste avant...

— Oui ! Elle, je m'en souviens ! s'exclama le chauffeur avec élan. Elle est monté dans le taxi qui me précédait... Celui que ce type (mouvement du menton en direction du mort) m'avait dit de suivre.

— Hé là, minute ! intervint le policier en me faisant face. Quelle fille en vert ?

Je lui relatai ce que j'avais observé. Du coup, il devint sceptique :

— Vous me dites que ce type la suivait ? Comment se fait-il que vous l'ayez remarqué ?

A regret, je lui dis :

— Je m'appelle Lincoln Taylor. Je suis détective privé. Oh ! de modeste envergure : au 1212 Crowly Street, mon appartement ne fait qu'un avec mon bureau. Mais mon boulot c'est d'observer les gens et cela vous explique...

— Je pense, monsieur Taylor, m'interrompit le flic, qu'il vous vaut mieux me suivre.

— C'est bien ce que je craignais, dis-je, soudain très las.

Le sergent se nommait Crocker. D'autres détectives s'agitaient dans le poste de police, mais de toute évidence, c'était Crocker qui commandait.

Il était carré dans un fauteuil à pivot qui n'arrêtait pas de grincer et assis sur une chaise dure, je lui faisais face de l'autre côté de son bureau. Il avait écouté mon histoire, qu'il était en train d'assimiler.

— Lincoln Taylor Investigations ? finit-il par dire.

— Oui, je suis dans les pages jaunes de l'annuaire, lui précisai-je. Y a près de douze ans que je fais ce métier. C'est l'année dernière que j'ai le mieux gagné ma vie : quatorze mille dollars environ. Le plus gros de mon boulot c'est le renseignement industriel et l'adultère. J'ai un permis de port d'arme mais la plupart du temps — comme ce soir — je ne suis pas armé. Le genre gros bras et violence, comme à la télé, c'est pas mon style. Je suis quelqu'un de très ordinaire qui s'intéresse au football, à la santé du Président, et qui, un jour, aimerait bien passer des vacances à Las Vegas sans avoir à se soucier de la dépense.

— Qu'est-ce que vous faisiez à la gare routière ? Vous y étiez pour votre boulot ?

Secouant la tête, je lui parlai d'Helen Amon, bibliothécaire à Bolton.

— Tout comme moi, Helen est divorcée. Nous sortons ensemble depuis quelque temps mais, au début de la semaine, nous nous sommes disputés à propos de rien, et on ne s'est pas revu. Tantôt, elle m'a téléphoné pour m'annoncer qu'elle venait ici ce soir. Je suis donc allé l'attendre à la gare routière, mais elle n'était pas dans le car. Je ne semble pas avoir beaucoup de succès avec les femmes, sergent.

— Z'êtes pas le seul.

Joignant les extrémités de ses doigts devant son menton, il dit en plissant le front :

286

— Vous pensez que cette fille en vert se savait suivie ?

J'acquiesçai.

— Qu'est-ce qui vous le donne à penser ?

J'eus un haussement d'épaules :

— Ce sont de ces choses qu'on sent instinctivement...

— Et l'achat du magazine avait pour but de lui permettre de repérer son suiveur ?

— C'est ce que je crois, oui, jusqu'à preuve du contraire.

Il demeura un instant pensif avant de déclarer :

— Je n'arrive pas à comprendre que des gens qui voient un type poignardé quasiment sous leurs yeux ne soient pas fichus ensuite de se rappeler de quoi avait l'air l'agresseur. Le chauffeur du taxi est le seul qui...

— Et l'arme ? Qu'est-ce que c'était au juste ?

Il eut une moue :

— Un tournevis qu'on avait aiguisé.

— Mmm... Et qui se balade dans les rues avec un tournevis aiguisé...

— Quelqu'un qui veut tuer.

— Un tueur professionnel ?

Crocker secoua la tête :

— Aucun pro n'aurait fait son coup dans un endroit pareil. Monsieur Taylor, êtes-vous bien franc avec moi ? Ne connaîtriez-vous pas la victime ? Ne se pourrait-il pas que vous ayez été tous les deux sur la même affaire ?

— Il s'appelle Beech ? m'enquis-je prudemment.

— Oui, monsieur Taylor : Harry Beech... et d'après le contenu de son portefeuille, c'était également un privé habitant cette ville, figurant lui aussi dans les pages jaunes de l'annuaire.

— Je ne le connaissais pas, dis-je en toute sincérité.

Crocker continua de river son regard sur moi tandis qu'un beau garçon s'approchait de son bureau. Crocker me le présenta comme étant le sergent Pierce. Celui-ci parut hésiter jusqu'à ce que Crocker lui dise :

— Alors qu'avez-vous appris ?

Pierce avait mené une enquête parmi les chauffeurs de taxi et découvert ainsi celui qui avait pris la fille en vert à la gare routière. Elle s'était fait conduire au coin de la Ve et d'Osage, le carrefour le plus enfièvré de la ville.

— En quittant le taxi, elle a remonté Osage, ajouta Pierce.

Crocker fronça les sourcils :

— Il n'y a ni hôtels ni pensions de famille dans ces parages.

— Elle a pu prendre un autre taxi, à moins que quelqu'un ne l'attendît en voiture, suggéra Pierce.

— Votre avis, monsieur Taylor ?

— Vous intéresse-t-il que j'émette une hypothèse ?

— Mais oui. Je vous écoute ?

— Cette jeune personne arrive en ville avec une valise et son sac à main. Sans chapeau ni manteau, ni même un magazine pour lire pendant le trajet... Cela signifie peut-être qu'elle venait d'une proche banlieue ou d'une des petites villes voisines : Bolton, Corrydon, Dexter. Beech, lui, n'avait pas de valise. Vous m'avez dit qu'il habitait ici ; alors peut-être était-il allé dans une de ces banlieues ou villes voisines, envoyé là-bas par un client, avec mission de prendre la fille en filature. J'ai le sentiment que la charmante enfant se savait suivie. Dans cette hypothèse, supposons que, s'attendant à faire l'objet d'une filature, elle ait eu un complice posté à la gare routière, ou bien alors que, ayant repéré son suiveur en cours de route, elle ait aussitôt téléphoné à un complice se trouvant ici. Je suis sûr qu'il y a eu plusieurs arrêts d'où il lui a été possible de donner un rapide coup de fil...

— Vous supposez vraiment beaucoup de choses, monsieur Taylor, m'interrompit Crocker.

— Ah oui ? fis-je poliment. Un détective privé est agressé et tué en pleine rue par quelqu'un utilisant une arme insolite. Vous avez par ailleurs une jeune personne qui arrive dans cette ville avec une valise, mais n'agit pas comme le ferait une voyageuse. Elle prend un taxi non pour se faire conduire à un hôtel ou une adresse donnée, mais pour qu'il la dépose à un carrefour débordant d'activité, dans le voisinage duquel il n'y a ni hôtel ni...

Le téléphone posé sur le bureau de Crocker venait de sonner, me contraignant au silence. Le policier porta le combiné à son oreille tout en se nommant. Tandis qu'il écoutait, son visage demeura inexpressif, puis il s'enquit.

— Comment le prend-elle ? (Il écouta de nouveau, se frotta le nez.) Je veux lui parler. Que quelqu'un me l'amène.

Sur quoi il raccrocha et dit à Pierce.

— La femme de Beech l'a identifié. Foncez à la compagnie des cars, tirez les gens du lit, s'il le faut, mais nous avons besoin du type qui conduisait celui de 21 h 50. Peut-être son service se terminait-il ici. Renseignez-vous et si vous pouvez le joindre, demandez-lui s'il se rappelle où est montée la fille en vert. Et Beech aussi. La fille, il a pu la remarquer. Beech, c'est moins probable.

Pierce parti, Crocker me fit de nouveau face :

— Monsieur Taylor, je ne retiens pas votre hypothèse. Mais je ne la rejette pas non plus complètement. Autant vous dire que je continue à me demander si Beech et vous ne travailliez pas de concert.

— Sergent, si vous me laissez téléphoner à Bolton, je vais faire d'une pierre deux coups.

Lorsque j'eus Helen au bout du fil, elle m'apprit que, au moment où elle s'apprêtait à aller prendre le car, on lui avait demandé de retourner à son travail, parce que la bibliothécaire de nuit était malade. Depuis, elle avait essayé à plusieurs reprises de me joindre tant à la gare routière qu'à mon appartement, mais en vain.

— Ma chérie, lui dis-je, veux-tu répéter ça à un monsieur soupçonneux.

Bien que déconcertée, elle parla à Crocker et quand celui-ci me repassa le combiné, je dis à Helen :

— Merci, mon petit. Demain soir, j'irai te voir. On pourrait dîner ensemble. Huit heures, ça te va ?

Je raccrochai et Crocker me lança :

— Je peux quand même douter encore, Taylor.

— Certes, mais je vous crois néanmoins convaincu.

Un type chauve entra dans la salle avec une grosse femme, qu'il aiguilla vers le bureau de Crocker. Elle devait avoir la quarantaine bien tassée, à en juger par les chairs affaissées de son visage. Elle était apparemment d'un calme stoïque, mais à la façon dont elle pinçait les lèvres en regardant Crocker, je la devinai prête à la bagarre.

— L'un de vous d'eux aurait-il une cigarette ? lança-t-elle d'emblée.

Je lui en offris une et lui donnai du feu, tout en me demandant pourquoi Crocker tenait à ce que je reste.

— Madame Beech, dit-il, nous sommes vraiment navrés de...

— Oh ! c'est le genre de trucs auxquels vous êtes habitués, non ? Je veux dire ça n'est pas le premier meurtre dont vous avez à vous occuper, hein ?

— Non, en effet, convint Crocker, momentanément déconcerté.

— Alors, laissez les condoléances de côté, sergent. Posez-moi les questions que vous avez à me poser, afin que je me taille au plus vite.

— Vous avez reconnu votre mari à la morgue ?

— Ouais, c'est bien Harry. Mais je leur ai déjà dit en bas. Vous ne m'avez quand même pas fait monter simplement pour que je vous le répète, si ? Je...

— Vous ne pleurez pas, madame Beech ?

— Pleurer ? (On eût pu croire qu'il l'avait insultée.) Allons, voyons, sergent : depuis des années, je répétais à Harry que ça lui arriverait un de ces quatre ! Je le sentais dans mes orteils. Mes orteils m'avertissent de tout : quand il va pleuvoir, quand on va venir nous réclamer le loyer, quand...

— Votre mari était un détective privé ?

— Ouais, c'est bien ça. Mais pas comme ceux qu'il y a dans les bouquins ou à la télé. Ainsi, Harry...

— Il travaillait seul ?

— Ouais.

— Il avait un bureau ?

— Si on peut appeler ça un bureau !

— Où ça ?

— 4220 Broad.

— Une secrétaire ?

— Vous rigolez, non ?

Crocker parut s'abstraire un instant dans ses pensées, puis demanda :

— Votre mari avait-il une spécialité, madame Beech ?

— Ouais : il était prêt à faire n'importe quoi pour de l'argent. Toujours en quête de l'affaire qui lui rapporterait plein de fric !

— De quoi s'occupait-il ce soir ?

— Je ne sais pas. I'm disait jamais rien. Mais il pensait avoir décroché le gros lot.

— Oh ? fit Crocker.

— Jamais encore Harry n'avait touché autant de pognon d'un coup. Hier quelqu'un lui avait donné cinq cents dollars.

— Pour faire quoi ?

— Sais pas.

— Pour prendre une fille en filature ?

Mme Beech eut des deux mains un geste expressif et Crocker se tourna vers moi d'un air interrogateur.

— Cinq cents dollars, c'est bien payé pour une filature, l'informai-je.

Pour la première fois depuis que je lui avais donné une cigarette, Mme Beech parut s'aviser que j'étais toujours là. Mais Pierce revenait dans la salle et elle n'eut plus d'yeux que pour lui. Crocker et lui allèrent à l'autre bout de la pièce, hors de portée d'oreille. Quand ils eurent fini de se parler, Crocker regagna son bureau et demanda à Mme Beech si son mari possédait une voiture.

— Bien sûr. Vous savez où qu'elle est ?

— Nous allons vous la rendre.

Je me demandai où Pierce l'avait retrouvée. A la gare routière ?

Crocker annonça à Mme Beech qu'il en avait terminé avec elle.

— Désirez-vous que quelqu'un vous raccompagne chez vous ?

— Oh ! je suis une grande fille maintenant, sergent !

Après son départ, Crocker exhala un profond soupir :

— Nous avons eu de la chance, monsieur Taylor. Le conducteur que nous recherchions habite ici. Pierce l'a eu au téléphone. Il se rappelle que la fille en vert est montée à Corrydon.

292

Corrydon est un bled d'environ deux mille âmes, situé sur la Nationale à quelque soixante-dix kilomètres au nord de la ville.

Crocker pousuivit :

— Le conducteur a aussi dit à Pierce qu'il avait pris un type tombé en panne vingt kilomètres plus loin. Le signalement qu'il en a donné correspond à celui de Beech. Il va venir procéder à une identification formelle.

— Entre-temps, suggérai-je, si vous voulez faire un saut jusqu'au bureau de Beech, j'irai avec vous. Il a sans doute des dossiers. Vous apprendriez peut-être ainsi qui lui avait versé ces cinq cents dollars.

— Et à vous, monsieur Taylor, qu'est-ce que ça pourrait vous apprendre ?

— La même chose, rétorquai-je en souriant. Je suis curieux de savoir qui est prêt à payer cinq cents dollars pour qu'on suive une fille. C'est le genre de client que j'aimerais avoir.

Le bureau de Beech consistait en une minuscule pièce située au troisième étage d'un immeuble ayant grand besoin de réparations. Crocker avait pris un trousseau de clefs en fouillant le mort, et l'une d'elles tourna dans la serrure. La fenêtre était ouverte en grand et dans le classeur proche d'elle, il y avait un vide qui sautait aux yeux.

Traversant la pièce, je vérifiai que la fenêtre donnait sur un escalier d'incendie. Je me portai ensuite vers le classeur, ouvris ensuite tous les tiroirs du bureau, puis regardai Crocker.

— Qu'est-ce qui vous manque ?

— Le répertoire, avec le nom des clients et le numéro des dossiers.

Décrochant le téléphone, Crocker appela un de ses subordonnés et ordonna que le bureau soit gardé. Nous attendîmes devant l'immeuble l'arrivée de flics en uniforme avant de regagner le poste, où je quittai la voiture banalisée pour reprendre place dans ma bagnole. Crocker se pencha vers la portière dont la glace était baissée.

— Repassez demain dans la matinée, Taylor. Jusqu'à présent, vous avez eu environ deux heures de retard dans vos cogitations, mais ça va peut-être s'améliorer.

J'émis un gloussement et démarrai. Crocker avait raison. Il était dur, soupçonneux et sarcastique, mais il me plaisait car il donnait l'impression de savoir toujours exactement ce qu'il faisait.

Mon appartement se situait en haut de l'escalier d'une petite maison de deux étages, qui abritait l'atelier de photo Otis Powerstone. Au début, Otis et sa femme habitaient l'appartement mais, cédant à l'insistance de son épouse, Otis avait déménagé pour s'installer dans un endroit avec des arbres et un jardin. Et c'est ainsi que j'avais été amené à occuper cet appartement. Normalement, à cette heure-ci, il y aurait dû y avoir une veilleuse allumée dans le studio d'Otis et pas la lumière dans l'escalier. Or c'était exactement le contraire qui s'offrait à mes yeux.

Je gravis l'escalier sur la pointe des pieds en écoutant avec attention. La porte de mon appartement était fermée. J'y collai mon oreille, mais aucun bruit ne me parvint de l'intérieur. Je tournai lentement le bouton de la porte qui ne devait pas tourner quand celle-ci était fermée à clef.

Poussant le battant avec précaution, je pénétrai dans la pièce obscure. L'attaque se produisit de façon soudaine : le type se rua sur moi, m'envoyant valdinguer à travers la pièce. La seconde d'après, il était derrière moi, les bras noués autour de ma poitrine, serrant de toutes ses forces.

Allais-je sentir ensuite un tournevis aiguisé me chatouiller la nuque avant de s'y enfoncer ? Me pliant brusquement en deux, je décochai un violent coup de coude en arrière. Mon agresseur émit un grognement étouffé et soudain je me sentis libéré, vacillant dans le noir. Le temps de me repérer, je sus que l'autre avait fui.

Je mis quelques secondes à recouvrer pleinement mon souffle, puis j'allumai. La pièce ne présentait aucun désordre. Tout semblait être à sa place. Je téléphonai au bureau central de la Police, et demandai le sergent Crocker. Il était rentré chez lui, où je l'appelai.

Il m'écouta en silence, puis dit :

— Ça pouvait être tout aussi bien un quelconque cambrioleur, Taylor.

— Oui... Tout aussi bien que le type qui est allé chez Beech.

Un silence.

— Soit, mais que pouvait-il vouloir ? Votre fichier ?

— Mon fichier est dans ma tête.

— Mais votre cambrioleur l'ignore. Si c'est le même qui est allé chez Beech, alors il lui fallait savoir que vous jouiez un rôle dans cette affaire et comment aurait-il pu le savoir ?

Puisant une cigarette dans la poche de ma veste, je la mis entre mes lèvres, mais ne l'allumai pas.

— A la gare routière, dis-je alors. Quand j'ai parlé avec le flic, je lui ai dit ce que je faisais, en lui donnant mon nom et mon adresse. Parmi les gens qui nous entouraient, n'importe qui a pu m'entendre.

— Moui... fit lentement Crocker.

— C'est sûrement ça, dis-je avec élan. Quelqu'un avait chargé Beech d'une mission. Quelqu'un se trouvait à la gare routière afin de s'assurer que Beech lui en donnait pour ses cinq cents dollars. Quelqu'un a vu mourir Beech. Quelqu'un, au milieu de la foule, m'entendant parler au flic, a pu penser que Beech m'avait mis dans le coup. Et ce quelqu'un a foncé chez Beech, puis chez moi.

— Une chose certaine, c'est que ce quelqu'un n'était pas l'assassin, sans quoi vous seriez mort.

— Oui, et de plus, je pense que l'individu que j'ai surpris chez moi tenait davantage à s'enfuir qu'à se battre.

— Bon, passez me voir dans la matinée, Taylor.

Ce samedi matin, du seuil de son studio, Otis Powerstone me fit un signe amical tandis que je m'installais au volant de ma guimbarde. Dans le bureau dont je commençais à avoir l'habitude, Crocker était en compagnie de Pierce. Celui-ci avait retrouvé la voiture de Beech la veille au soir, rangée sur le bord de la Nationale, au nord de la ville. Elle ne présentait aucun dérangement mécanique et le réservoir d'essence était encore à demi plein.

— Dès lors, une question se pose : pourquoi être aussi monté dans le car en stop ? Si Beech devait prendre la fille en filature, il pouvait aussi bien le faire quand elle arriverait à la gare routière.

— Sans doute ne l'avait-il encore jamais vue, hasardai-je. Il travaillait probablement à partir d'un signalement qu'on lui avait donné en précisant que la fille se trouverait dans le car. Là, c'était quand même plus facile de la repérer qu'à la gare routière. Sans compter que la fille pouvait très bien ne pas aller jusqu'au terminus mais descendre avant... Je crois qu'il existe un arrêt à la 100ᵉ Rue ?

— En effet, oui, un arrêt d'où elle a d'ailleurs donné un coup de fil. Le conducteur a dit qu'en la voyant descendre à la 100ᵉ Rue avec sa valise, il avait cru qu'elle était arrivée à destination, mais elle était simplement entrée dans une des cabines téléphoniques et était remontée aussitôt après. Le conducteur m'a dit avoir trouvé drôle qu'un voyageur s'embarrasse de sa valise pour une absence de quelques minutes. Il m'a aussi précisé que Beech était également descendu à cet arrêt, mais était remonté quand la fille avait regagné sa place.

— Elle aurait téléphoné à quelqu'un se trouvant ici ? dis-je tout en pesant la chose.

— Elle a téléphoné, c'est la seule chose dont nous soyons certains.

— Elle avait dû repérer Beech, continuai-je. Elle a eu la possibilité de téléphoner à un complice, lequel est allé les attendre à la gare routière. Elle a plus ou moins provoqué l'assassinat de Beech. Que contenait donc cette valise, sergent ? Il fallait que ce soit quelque chose de bien précieux, pour qu'elle ne veuille pas l'abandonner même le temps de donner un coup de fil.

— Taylor, un de mes supérieurs m'a posé les mêmes questions. Je vais me rendre à Corrydon. Accompagnez-moi donc.

J'eus le sentiment qu'il avait une arrière-pensée en me faisant cette proposition. Il ne devait pas être encore convaincu que c'était par hasard si je me trouvais à la gare routière lorsqu'un homme exerçant la même profession que moi y était assassiné. Mais tout ce qu'il me demanda chemin faisant fut :

— On ne vous a rien pris dans votre appartement ?

— Non.

Nous roulâmes en silence à travers la banlieue de Bolton. Je scrutais les trottoirs dans l'infime espoir d'y apercevoir Helen, mais j'en fus pour ma peine. Nous arrivâmes enfin à Croydon, où, vu l'importance du trafic, les gens aspirant à prendre le car achetaient leurs billets au kiosque à journaux.

— Hier soir ? fit le petit bonhomme qui rangeait les magazines. Oui, bien sûr que je me rappelle avoir vendu un billet à une fille en vert. C'était Miss Fuller. Elle était d'ailleurs la seule d'ici à prendre le car. Une fille extra, Miss Fuller. Ça va faire quelque deux ans qu'elle est prof ici. Il nous en faudrait beaucoup des comme elle. Pourquoi vous intéressez-vous à Miss...

— Où habite-t-elle ? l'interrompit Crocker.

Du coup le petit homme devint réticent, mais l'attitude de Crocker l'incita à répondre :

— Elle a un appartement chez Clara Mirror. Clara aussi c'est quelqu'un de très bien, mais qui n'a pas eu de chance. Voici près de deux ans que son mari a été tué dans un accident de voiture. Clara en est restée un temps complètement désemparée, mais...

— Et où se trouve la maison de Clara Mirror ? l'interrompit de nouveau Crocker, cette fois avec un rien d'impatience.

— Ben, voyons, fit le petit homme comme s'il s'adressait soudain à un demeuré, c'est l'ancien funérarium...

— Où est-ce ? le pressa Crocker.

L'autre le lui dit, puis ajouta :

— Mais je vous conseille de prendre des gants avec Clara, monsieur. Car c'est pas une femme qui s'en laisse imposer et elle sait se servir d'une arme !

— Intéressant, apprécia Crocker.

La maison était une grande bâtisse vétuste, située en retrait d'une pelouse bordée d'arbres. Une allée circulaire nous fit accéder à un parking, d'où une volée de marches conduisait à un porche soutenu par des colonnes qui s'étendait sur tout le devant de la maison. Une femme menue, aux traits fins, portant la quarantaine avec élégance, apparut sous le porche avant même que nous ayons quitté la voiture. Elle arborait un sourire d'accueil mais son regard se rivait durement sur nous tandis que nous gravissions les marches d'accès.

— M. Capper m'a téléphoné de son kiosque, dit-elle avec un petit rire. C'est un amour, cet homme ! Toujours prêt à protéger son prochain ! Je suppose qu'il vous a prévenus vous aussi que je maniais les armes à feu avec dextérité. Ça n'est pas tout à fait vrai. Un jour, j'ai dû faire feu sur un rôdeur et, par chance, je l'ai atteint aux jambes. Je dis "par chance" car j'avais tiré en fermant les yeux. Mais ça, personne à Corrydon ne voudra jamais le croire. Et me voilà qui bavarde au lieu de vous demander en quoi je puis vous être utile ? Je crois que vous êtes en quête d'informations concernant ma locataire et amie, Terryanne Fuller ?

Crocker s'enquit si nous ne pouvions pas poursuivre l'entretien à l'intérieur de la maison. Clara Mirror marqua une brève hésitation, puis sourit :

— Mais si, bien sûr ! Entrez, entrez !

Je me demandai si Crocker se rendait compte de tout ce que cette cordialité avait de factice, avant d'être frappé par l'immensité de la maison. La pièce où nous entrâmes était très vaste. Le mobilier en était quelconque et il flottait sur le tout une faible odeur que j'essayai d'identifier. Elle m'était familière, mais ne cadrait pas avec la maison.

La femme eut conscience de la curiosité que j'éprouvais et dit avec un grand geste :

— Ne vous laissez pas abuser, messieurs ! Je ne suis pas une riche veuve. Autrefois, c'était ici tout à la fois notre habitation et le funérarium... Avant que Larry, mon mari, ne soit tué. Il m'a laissé cette maison, un commerce et une petite assurance-vie. Le commerce, je ne pouvais continuer de l'exercer, mais j'ai réussi à garder la maison avec l'aide du petit chèque mensuel qui me vient de l'assurance. J'ai converti une partie du premier étage en appartement afin de pouvoir le louer. Ce qui nous ramène à Terryanne ?

Crocker se présenta et demanda :

— Savez-vous où Miss Fuller allait hier soir en ville ? Avec qui elle avait rendez-vous ? Est-elle coutumière de ce genre de sorties ?

La soudaine préoccupation de Clara Mirror parut sincère :

— Pourquoi me demandez-vous cela ? Est-il arrivé quelque chose à Terryanne ?

Avec une aisance volubile, Crocker lui expliqua qu'un meurtre avait été commis à la gare routière et il avait été établi que la victime, un homme, suivait Terryanne Fuller. Bien entendu, la police tenait à vérifier la moindre bribe d'information. Le conducteur du car avait déclaré que Terryanne était montée à Corrydon. Voilà pourquoi nous étions là ce matin, cherchant à retrouver Miss Fuller.

— La retrouver ? fit Clara Mirror.

— La joindre, dit Crocker. Nous avons un témoin qui a vu la victime suivre Miss Fuller quand celle-ci est descendue du car. Elle a pris un taxi. Je ne voudrais pas vous donner à croire que nous pensons que Miss Fuller est mêlée à ce meurtre, mais nous avons le sentiment qu'elle a pu voir ou entendre quelque chose, sans se rendre compte de ce que c'était. Il est donc important que nous arrivions à la joindre. Savez-vous où elle peut séjourner en ville ?

— Non, dit Clara dont le visage s'était maintenant rembruni. A mon grand regret, je ne pense pas pouvoir vous être de quelque secours. Tout ce dont je suis sûr, c'est qu'elle a pris le car hier soir, car je l'ai accompagnée jusqu'au kiosque. Mais j'ignore qu'elle était au juste sa destination et qui elle allait voir. Sur l'instant, j'ai pensé — et je continue à le croire — qu'elle allait rejoindre un amoureux, mais je n'en sais vraiment rien.

— Qu'est-ce qui vous incite à le croire, madame Mirror ? questionna Crocker.

Il s'était déplacé pour regarder une grande photographie encadrée qui était accrochée au mur, et il nous tournait le dos. La photo était un excellent cliché de la maison où nous venions d'entrer.

Clara Mirror esquissa un haussement d'épaules :

— Eh bien, ce n'est pas le premier week-end que Terryanne passe ainsi en ville. Cela lui arrive souvent. Ici, à Corrydon où elle est professeur, elle n'a pas de soupirant, mais en ville... Qui sait ? conclut-elle avec un geste évasif.

— Oui, bien sûr, fit Crocker en se détournant du cadre. Pourrions-nous voir son appartement ?

— Est-ce nécessaire ?

— Nous pourrions y trouver quelque indication de l'endroit où elle allait ou de la personne qu'elle fréquente.

— Vous vous rendez bien compte, objecta Mme Mirror, qu'elle a pu aller en ville uniquement pour passer un week-end hors de son environnement habituel. Rien ne dit qu'elle à un amoureux. C'est pure hypothèse de ma part.

— Certes, certes ! fit Crocker.

L'appartement de Terryanne Fuller était spacieux, aéré et parfaitement tenu. La seule découverte qui parut troubler Crocker fut un sac à main. Il l'examina avec attention après avoir inventorié son contenu, et demanda à Mme Mirror :

— Vous rappelez-vous si elle avait un autre sac hier soir ?

— J'en suis sûre et certaine.

Tout comme moi. Je le revoyais serré sous le bras droit de la jolie fille en vert.

— Bizarre..., fit Crocker. Celui-ci semble contenir toutes ses pièces d'identité, y compris permis de conduire et carte de la Sécurité sociale.

— Ça n'est pas forcément bizarre, rétorqua Mme

Mirror. Une femme n'emporte souvent que des cigarettes et de quoi se refaire une beauté.

Nous sortîmes de l'appartement, puis de la maison. Sous le porche, Mme Mirror demanda :

— Sergent, qui était l'homme qu'on a assassiné ? Est-ce celui dont j'ai entendu parler à la radio ce matin ? Un détective privé ou quelque chose comme ça ?

— Oui, répondit Crocker. Celui-là même.

— Et un détective privé suivait Terryanne ?

— Nous avons quelqu'un qui le pense, oui.

— Eh bien, ce quelqu'un me paraît avoir une imagination débordante.

— A votre avis, Taylor ? me lança Crocker quand nous eûmes démarré. Avez-vous une imagination débordante ?

— Si débordante qu'elle m'amène à me demander comment une femme peut vivre dans cette immense baraque avec juste un petit chèque mensuel de l'assurance.

— Tout dépend de ce qu'on entend par "petit", non ?

— Et il en va de même pour ce qui est d'une imagination *débordante*, sergent.

Nous nous arrêtâmes devant le lycée, où nous fûmes reçu par le directeur. Celui-ci déclara que Miss Fuller était un excellent professeur. Cela faisait le troisième trimestre qu'elle enseignait au lycée, et elle habitait un appartement, à la Résidence Clara Mirror. Miss Fuller et Mrs Mirror étaient amies pratiquement depuis que Miss Fuller était arrivée à Corrydon, ce qui remontait à la mort de M. Mirror. Miss Fuller n'était pas du tout le genre de personne qui puisse se trouver mêlée à quelque chose de louche. Alors pourquoi ces questions de la police la concernant ?

Crocker ne le lui dit pas. Mais il n'apprit rien non

plus de nouveau. En sortant il me confia : « Je n'aime pas ces gens qui parlent sur un ton emphatique ! »

Tandis que nous rentrions en ville, Crocker me parut soucieux. Il finit par me dire :

— Taylor, il est possible que cette petite Fuller ne soit pas dans le coup. Si nous l'avons rattachée au meurtre, c'est uniquement à cause de ce que des tiers pensent ou supposent. Vous, par exemple. Vous pensez que Beech l'avait prise en filature. Le conducteur de car pense...

— Vous oubliez le témoignage du chauffeur de taxi. Beech lui avait demandé de suivre l'autre taxi, celui dans lequel Miss Fuller était montée.

— Oui, c'est juste... dut convenir Crocker.

Au bureau central, du nouveau nous attendait. Dans la salle des inspecteurs l'un d'eux dit à Crocker :

— Le sergent Pierce vous demande de le joindre à l'hôtel Donner. Chambre 707. Une jeune femme vient d'y être assassinée.

Il s'agissait bien de Terryanne Fuller. Vêtue d'un pyjama et d'un déshabillé, elle était étendue sur le lit qui n'avait pas été défait. Deux oreillers étaient sous sa nuque, accotés à la tête du lit, mais un de ses bas de nylon était étroitement serré autour de son cou. L'autre bas était accroché au couvercle levé de la valise posée au pied du lit. L'ensemble vert était le seul vêtement de la penderie. Le drame avait été découvert par une femme de chambre.

Examinant le contenu de la valise, Crocker n'y trouva que des affaires personnelles, rien qui eût de la valeur. Et dans le sac à main, il y avait juste un nécessaire de beauté, un paquet de cigarettes et un étui d'allumettes, sans aucune pièce d'identité. Se plantant au pied du lit, Crocker considéra longuement la morte, avant d'aller jeter un coup d'œil aux bouts de cigarettes se trouvant dans un cendrier posé sur la table de chevet.

— Nous avons en bas le veilleur de nuit. Il se rappelle quand elle est arrivée. Après avoir signé le registre, elle lui avait demandé de la monnaie pour téléphoner d'une des cabines publiques se trouvant dans le hall. Apparemment, elle ne voulait pas qu'il restât trace de cet appel, comme c'eût été le cas si elle avait téléphoné de sa chambre.

— Avait-elle eu des visites ? s'enquit Crocker

— Il dit que, en tout cas, personne ne l'a demandée à la réception.

— De toute évidence, elle a reçu une visite et il s'agissait très probablement d'une visite qu'elle attendait, si l'on en juge par le lit qui n'est pas défait, les mégots dans le cendrier, les oreillers accotés à la tête du lit, le négligé par-dessus le pyjama. Elle a dû attendre cette visite un assez long moment. A-t-elle donné des coups de fil à partir de ce poste ?

— Non, aucun, répondit Pierce.

— Alors nous pouvons en inférer, je crois, que la seule personne à connaître le numéro de la chambre était celle à qui elle avait téléphoné d'en-bas.

Crocker se tourna vers moi :

— Qu'en pensez-vous ?

— Qu'il vous faut retrouver la personne qui s'était assuré le concours de Beech.

Le téléphone sonna. Crocker eut une moue, répondit, écouta. Son expression changea tandis que sa main se crispait sur le combiné, puis il dit :

— Ne bougez pas, j'arrive !

Tout en reposant le combiné sur son support, il lança à Pierce :

— Finissez ici ! Vous, Taylor, venez avec moi !

— Que se passe-t-il ? questionna Pierce.

— On a peut-être retrouvé le type qui a tué Beech.

Dans l'ascenseur, Crocker garda le silence tandis que je me demandais pourquoi il n'avait pas dit « Nous tenons peut-être l'assassin » mais seulement : « Le type qui a tué Beech. »

— Le gars qui m'a téléphoné est un inspecteur que je connais au district des entrepôts. Dans l'un de ceux-ci, qui est à l'abandon, deux jeunots ont trouvé, voici une heure, le corps d'un vagabond à l'intérieur d'un placard. Ce vagabond a un casier long comme le bras, rien que des broutilles mais il s'est fait épingler tant de fois qu'il n'y a pour ainsi dire pas un flic ici qui ne le connaisse. Son nom est Herman Andrew Fortney, mais tout le monde l'appelle Koko. Quand il travaille — ça lui arrive rarement — il est fossoyeur. La chose importante, c'est que Koko vivait dans un sous-sol près de cet entrepôt. Mon copain et ses gars y sont allés voir. Ils y ont découvert une petite liasse de billets et deux tournevis bien aiguisés. Par chance, mon copain lit les journaux, et ceux de ce matin lui avaient appris que j'étais à la recherche de quelqu'un ayant un faible pour les tournevis aiguisés.

Koko était un petit homme maigre, avec une vilaine peau. On lui avait tiré dans le dos, presque à bout portant, une balle de petit calibre. La police estimait qu'il avait dû être tué dans la nuit de vendredi, après minuit. Dans son sous-sol les enquêteurs avaient trouvé deux tournevis aiguisés et onze cents dollars. Crocker m'avait amené là pour que je lui dise si je me rappelais avoir vu Koko à la gare routière. Je n'en avais aucune souvenance. Puis, au début de l'après-midi, Crocker apprit que les empreintes de Koko correspondaient à celles relevées sur l'arme qui avait tué Beech.

— Donc, énonça-t-il lentement, tout ce qui nous

reste à établir, c'est si Koko et la fille Fuller étaient associés pour quelque chose et, dans l'affirmative, de quoi s'agissait-il ?

— Et si l'on envisageait la possibilité que Koko et la fille travaillaient avec ou pour une tierce personne ? suggérai-je.

Crocker me regarda fixement.

— Un trio, poursuivis-je. Alors, après le meurtre de Beech par Koko, ce tiers a pris peur et a supprimé tant Koko que la fille pour les empêcher de parler.

— Ouais, mais vous oubliez quelqu'un, me rétorqua Crocker. Qui avait fait appel à Beech ?

— Nous devrions opérer des recherches dans ce sens. Commençons par le bureau de Beech, dussions-nous tout y démolir !

Nous n'eûmes pas besoin d'en arriver à une telle extrémité. Quand je m'assis dans le fauteuil de Beech, derrière son bureau, pour bien me mettre à sa place, je pensai immédiatement à son répertoire téléphonique. Ne le voyant pas sur le meuble, je fouillai les tiroirs et le dénichai dans l'un d'eux. Il était ouvert à la page des B et l'on avait souligné au crayon le nom de *Baines, Arthur R.* Je feuilletai le répertoire. D'autres noms étaient pareillement soulignés. Je revins à Arthur Baines et dis à Crocker :

— Je pense que Beech avait l'habitude de souligner au crayon le nom de ceux qu'il appelait et nous pouvons raisonnablement supposer qu'une des dernières personnes à qui il a téléphoné était Arthur R. Baines.

— Supposons-le donc, fit Crocker en se penchant sur le répertoire pour noter l'adresse. Et allons-y !

— Cette adresse se situe dans un quartier très résidentiel, fis-je remarquer.

— Oui, et un type qui habite un quartier aussi

résidentiel peut se permettre de dépenser cinq cents dollars pour faire suivre une femme.

La maison était une très belle construction, tout en verre et pierre de taille. La femme qui nous ouvrit la porte était une jolie brune qui probablement n'avait jamais su ce qu'était manquer d'argent. Elle déclara être Mme Arthur R. Baines et que son mari se trouvait au Funérarium Baines car il avait un enterrement cet après-midi.

Arthur Baines venait tout juste de conclure la cérémonie lorsque nous arrivâmes à destination. C'était un homme brun de belle taille, avec une épaisse moustache ; d'emblée, nous nous reconnûmes. Je me rappelai être entré en collision avec lui en voulant sortir de la gare routière, et je suppose que, de son côté, il dut se remémorer l'instant où, dans la foule entourant un homme mort devant cette même gare, il m'avait entendu donner mon nom et mon adresse à un flic en uniforme. Je me demandai s'il revivait aussi notre affrontement dans mon appartement. Rien qu'à voir sa moustache, je me sentais comme une piqûre à la nuque.

Quand Crocker se fut présenté, il alluma une cigarette d'une main mal assurée, puis lâcha d'un trait :

— Je vous attendais plus ou moins, et votre venue me soulage car toute la journée je m'étais efforcé de trouver le courage d'aller tout vous raconter...

— Vous aviez eu recours aux services d'Harry Beech ? questionna Crocker.

— Oui... Voici deux jours... Je l'avais chargé de suivre Terryanne... Terryanne Fuller.

L'éternelle histoire. Deux ans auparavant, il était tombé amoureux de Terryanne Fuller. Ils s'étaient retrouvés plusieurs fois en ville, puis Terryanne lui avait montré des photos, qui avaient amorcé un chantage : mille dollars par mois qui devaient être remis durant la nuit du dernier samedi de chaque mois dans une chambre de l'hôtel Donner. Il avait cédé au chantage mais, las d'être ainsi saigné, il avait cherché à en terminer moyennant une somme pour solde définitif, ce que Terryanne avait refusé. C'est alors qu'il s'était avisé qu'il avait fallu qu'une troisième personne soit sur les lieux pour prendre ces photos, et donc que Terryanne devait avoir un complice. Du coup, il s'était assuré le concours de Beech pour suivre Terryanne Fuller pendant tout ce week-end, afin de voir qui elle rencontrait ou à quel endroit elle se rendait après avoir touché l'argent de la mensualité.

Des deux mains, Baines eut un geste expressif :

— Mais Beech a été assassiné.

— Pourquoi vous trouviez-vous à la gare routière ?

— Eh bien, je... Je voulais être sûr que Beech suivait bien Terryanne.

C'était ce que Crocker et moi avions supposé. Beech avait feint d'être en panne pour monter dans le car et prendre la fille en filature. Après le meurtre de Beech, Baines m'avait entendu parler avec l'agent de police. Il avait appris ainsi que j'étais moi aussi un détective privé. Plus tard, il s'était introduit dans le bureau de Beech, où il avait subtilisé son propre dossier afin que les enquêteurs ne trouvent pas trace de son nom. Puis l'idée lui était venue que Beech avait pu m'engager pour le seconder dans cette filature et il était allé chez moi, où je l'avais surpris.

— Terryanne est morte, Baines, lui dit Crocker. Je désire donc en savoir davantage sur vos relations, où vous l'avez connue, comment vous en êtes arrivé à avoir une liaison...

— C'était à un congrès... voici environ deux ans...

un congrès d'entrepreneurs de pompes funèbres. Elle s'y trouvait avec des amis, M. et Mme Lawrence Mirror, de Corrydon. Lauwrence est mort maintenant, tué dans...

— Oui, nous savons, l'interrompit Crocker avant de lui préciser comment nous l'avions appris.

— C'est exact, fit Baines avec un léger tremblement dans la voix. Terryanne habitait avec Clara. Je sais que Clara ne se doute absolument pas du genre de fille qu'est... qu'était Terryanne. J'ai souvent été tenté de la mettre au courant, mais là encore je n'en ai pas trouvé le courage. Je crois que je ne voulais pas me confier, même à quelqu'un d'aussi intime que Clara Mirror.

— Avez-vous entendu parler d'un traîne-savate nommé Koko ?

Baines fronça les sourcils :

— Non... Pourquoi me demandez-vous ça ?

— Parce que nous savons que c'est ce Koko qui a tué Beech.

Baines s'assit en secouant la tête, semblant n'y plus rien comprendre.

— Il était facile de s'assurer les services de Koko, continua Crocker. Nous pensons que c'est ce qu'a dû faire votre Miss Fuller ou quelqu'un d'autre. Nous supposons qu'il était chargé de veiller au grain quand Miss Fuller venait ici percevoir l'argent du chantage. Son boulot était d'intervenir si vous malmeniez la fille, ou de s'assurer qu'il n'y avait pas des flics dans les parages au cas où vous auriez décidé de tendre un piège à Terryanne... Les deux probablement... Koko était capable de repérer un flic même dans la foule d'un champ de courses.

« Nous pensons aussi que lorsque Beech est monté dans le car hier soir, la fille s'est douté de ce qu'il était. Nous savons qu'elle a donné un coup de fil au dernier arrêt avant le terminus. C'est sans doute

Koko qu'elle a appelé pour lui dire qu'elle était suivie. Et Koko qui n'avait pas plus de jugeote qu'un gosse de six ans, a tué Beech aussi sec. Seulement ça lui a valu d'être supprimé lui aussi. C'était idiot de sa part d'avoir tué avec le tournevis. Il l'avait laissé dans le dos de Beech avec ses empreintes dessus et quelqu'un a été assez malin pour comprendre que, s'agissant d'un type comme Koko, nous ne tarderions pas à identifier ces empreintes. Il fallait donc supprimer Koko, parce que lorsque nous lui mettrions la main dessus Koko parlerait.

Secouant de nouveau la tête, Baines balbutia :

— Mmmais Terryanne... Pourquoi elle aussi l'avoir...

— Sans doute parce qu'elle avait commis l'erreur de téléphoner à Koko et non à son complice. Je pense qu'elle l'a appelé ensuite, de l'hôtel, mais c'était trop tard. Parce qu'elle avait laissé Koko tuer, elle devait disparaître aussi.

Effondré, ne nous regardant même plus, Baines continuait à secouer lentement la tête.

Crocker me jeta un coup d'œil incisif avant de dire :

— Bien sûr, il est possible que je m'égare en avançant cette hypothèse. Tout s'effondre si ça n'est pas Koko qui a tué Beech. Et si quelqu'un ayant des raisons de vouloir tuer Beech avait volé un des tournevis de Koko ? Quelqu'un qui suivait peut-être Beech depuis plusieurs jours, guettant l'occasion d'en finir avec lui ? Et si ce quelqu'un, ayant les mains gantées, avait trouvé cette occasion hier soir à la gare routière ? Même en partie effacées, nous ne pouvions manquer d'identifier tôt ou tard les empreintes de Koko sur l'arme du crime. Et vu les antécédents de Koko, nous le tiendrions pour coupable. Et supposons maintenant que la mort de Koko soit aussi sans lien avec le reste ? Supposons que quelque autre malfrat en ait voulu à Koko au point de le tuer ? Vous voyez où je veux en venir, Baines ? Peut-être que la mort de Beech et celle de Koko n'ont aucun lien avec le chantage que la fille Fuller exerçait sur vous. Auquel cas, je pourrais être amené à penser que votre Terryanne avait tout bonnement utilisé un appareil avec déclencheur pour prendre ses photos et que lassé de vous faire saigner chaque mois par elle, vous avez fini par lui nouer un bas autour de cou.

Arthur Baines se leva d'un bond, le visage décomposé, le regard fou :

— Non ! haleta-t-il.

— Je me dois d'envisager toutes les possibilités, vous comprenez. Alors peut-être vous vaudrait-il mieux nous accompagner en ville... Après tout, vous avez à votre actif deux cambriolages et il serait utile que nous nous en reparlions posément.

C'est alors que Baines nous surprit.

Tremblant, il contourna son bureau comme s'il avait des boulets aux pieds. Mais plaquant soudain ses deux mains contre la poitrine de Crocker, il l'envoya bouler à la renverse puis son bras décrivant un arc de cercle, me plaqua sur le bureau dans un grand bruit de déchirure. Quand mes pieds reprirent contact avec le sol, Crocker achevait de se relever. Nous jaillîmes du funérarium juste à temps pour voir Baines démarrer sur les chapeaux de roue dans une voiture sport d'un bleu éclatant. Tout en mâchonnant des jurons, Crocker donna l'alerte sur la radio de sa bagnole et j'en profitai pour examiner mon pantalon : c'était la couture de derrière qui avait craqué.

Ne décolérant pas, Crocker repartit en direction du bureau central. J'aurais voulu lui demander pourquoi il avait infléchi le résultat de ses cogitations pour accuser Baines de meurtre, mais vu la rage qui le possédait, le moment ne me parut pas opportun. Quand il fut arrivé à destination, je repris ma voiture afin de rentrer chez moi changer de pantalon.

Tout en roulant, je me dis que Baines n'irait pas bien loin et que Crocker l'aurait probablement récupéré d'ici que je retourne au bureau central. Mais pourquoi diable avait-il éprouvé le besoin de l'accuser ?

Quand je descendis de voiture, Otis Powerstone m'adressa un signe amical en m'annonçant qu'il irait dans la journée réparer le robinet d'eau de mon évier qui fuyait. Je l'en remerciai par avance tout en plissant le nez à cause de l'odeur toujours présente des produits chimiques qu'il utilisait pour le développement des photos et le tirage des épreuves. En sortant de son atelier j'aspirai une grande bouffée d'air pur et me dirigeai vers l'escalier pour gagner mon appartement. Je m'immobilisai soudain avant d'avoir atteint le palier, tandis que tout semblait se mettre à cliqueter dans mon cerveau. Puis je gravis les dernières marches et, une fois chez moi, changeai rapidement de pantalon. Je me dis que je devrais faire part de mon hypothèse à Crocker ; mais je pouvais me tromper du tout au tout et, dans son humeur présente, Crocker n'apprécierait guère que je sois venu ajouter encore à ce qui lui compliquait la tâche.

Dans le soir qui tombait, je roulai vers Corrydon aussi vite que je le pouvais sans risquer un procès-verbal. En traversant Bolton, je me rappelai que j'avais rendez-vous avec Helen ce même soir à huit heures, faillis m'arrêter pour lui téléphoner mais continuai de rouler. A l'ancien funérarium, en réponse à mon coup de sonnette, Clara Mirror vint presque aussitôt ouvrir la porte, un tablier caoutchouté protégeant ses vêtements. Elle eut un hochement de tête interrogateur, qui fit brusquement place à un grand sourire quand elle me reconnut et m'invita à entrer. Je reniflai : la même odeur qui m'avait intrigué lors de ma précédente visite. Sur l'instant, je ne l'avais pas reconnue, mais à présent je savais que ça sentait comme dans le studio d'Otis Powerstone.

— Vous avez la passion de la photo, madame Mirror ? demandai-je poliment tout en regardant le cliché encadré qui, le matin, avait retenu l'attention de Crocker.

Un bref instant elle parut déconcertée, puis retrouva le sourire tout en ôtant son tablier :

— Oui ! Figurez-vous que j'ai même ma propre chambre noire. Je l'ai installée dans une salle que mon mari utilisait autrefois pour ses... préparatifs. Mais comment se fait-il que vous me posiez la question ? Serait-ce que vous êtes aussi photographe amateur et que ce matin vous avez...

— Reconnu l'odeur des produits chimiques, oui.

— Ah ! c'est ça ? Je ne me rendais pas compte que cela se sentait autant.

S'approchant d'une table, elle alluma une cigarette :

— Et c'est la raison pour laquelle vous êtes revenu ce soir ? Afin de discuter photo avec moi ?

— Non : pour vous parler de Terryanne Fuller.

Elle laissa paraître une vague surprise :

— Vous ne l'avez pas encore retrouvée ?

— Ignoreriez-vous qu'elle est morte ? ripostai-je. Assassinée.

— *Quoi ?*

Cette fois, Clara Mirror semblait vraiment avoir éprouvé un choc.

— Je suis sûr que la radio en a parlé lors des bulletins d'information.

— J'ai travaillé tout l'après-midi dans ma chambre

noire, loin de la radio et de la télé. Le téléphone n'a cessé de sonner, mais je ne réponds jamais quand je travaille. Je...

Elle secoua la tête :

— J'éprouve le besoin de boire un petit quelque chose. Vous aussi, monsieur Taylor ?

— Non, merci.

Je la suivis dans le hall, puis dans le couloir. Au passage, elle donna une petite tape sur une porte close en disant :

— Ma chambre noire. Si ça vous intéresse, je vous la montrerai.

Quand elle franchit le seuil d'une pièce située en vis-à-vis, j'eus la surprise d'y découvrir sur des tréteaux cinq cercueils dont les couvercles étaient ouverts.

— C'était le magasin de mon mari, m'expliqua Clara Mirror dans sa cuisine. Je n'ai pas encore réussi à vendre ces cercueils.

Me tournant le dos, elle prenait un verre dans un placard, et je commençais à éprouver quelque doute. Pourquoi se serait-elle laissée entraîner dans un chantage ?

Sans me regarder, elle se dirigea vers une porte close, sur sa gauche :

— C'est là que je range mes produits. L'ancienne office. Cette maison est vraiment une belle demeure d'autrefois avec une office, un cellier, d'immenses placards...

Quand elle ressortit de l'office, elle tenait un fusil de chasse entre ses mains et me lança, avec un sourire mauvais :

— Ça aussi, je l'ai hérité de mon mari !

La panique me saisit. Pourquoi n'étais-je pas allé trouver Crocker ? Même de mauvaise humeur, il m'aurait écouté. Je m'imaginai fuyant à toute vitesse dans le couloir... mais cela avait pour corollaire

Clara Mirror tirant dans mon dos. Clara Mirror qui avait déjà tué par deux fois.

— Terryanne avait une liaison avec Arthur Baines, dis-je en espérant que ma voix ne laisserait point paraître ce que je ressentais. Elle vous en a parlé et c'est ainsi que l'idée est née.

Je fus surpris par la fermeté de mon ton.

— Terryanne était prof stagiaire et moi je suis veuve. Nous avions toutes les deux besoin d'argent.

— Et Koko ?

— Comme fossoyeur, il avait autrefois travaillé pour mon mari, mais je savais le genre de type que c'était. Il recevait cent dollars à chaque encaissement. Il était formidable pour repérer les flics et il était capable de river son clou à Baines si celui-ci regimbait.

Un set pour Crocker.

— Mais hier soir, Terryanne a été suivie, insistai-je pour qu'elle continue de parler, chaque minute gagnée pouvait être celle qui me sauverait.

— Elle a commis l'erreur de téléphoner à Koko, au lieu de m'appeler moi. Je lui aurais dit de rentrer. Au lieu de quoi, Koko a tué. Or Koko avait des antécédents judiciaires, et si on l'identifiait comme étant l'assassin, il parlerait.

Deuxième set pour Crocker.

— Terryanne vous a bien téléphoné, mais quand c'était trop tard. Alors vous avez dû vous occuper d'elle et de Koko.

— Parfaitement raisonné, monsieur Taylor.

Trois à zéro pour Crocker

— Tournez-vous, monsieur Taylor, et marchez vers les cercueils.

Les battements de mon cœur s'accélérèrent.

— Crocker peut être dehors, vous savez...

Elle rit.

— Non. Vous êtes venu seul. Si le sergent Crocker vous avait accompagné il serait à côté de vous en ce moment. Marchez, monsieur Taylor. Il n'y a ici que vous et moi.

Si j'avais refusé d'avancer, elle m'aurait tué sur place. Et puisqu'elle semblait avoir une préférence pour la salle aux cercueils, cela me donnait quelques secondes de plus à vivre. Je marchai donc et elle me suivit en allumant une applique murale derrière nous. Elle alla droit à l'un des cercueils et me dit :

— Étendez-vous là-dedans, monsieur Taylor.

Ça, c'était au-dessus de mes forces.

— Non, dis-je.

Je vis se lever l'ombre des canons juxtaposés. Dans un instant, ils allaient s'abattre sur mon crâne, après quoi elle me mettrait dans le cercueil. Je me courbai brusquement en hurlant et, tournoyant sur moi-même, lui envoyai mon bras dans les côtes. Elle poussa un cri aigu et recula en trébuchant. Mais j'avais saisi les canons du fusil et le détournais de moi tandis que nous vacillions à travers la pièce. Nous allâmes donner en plein dans un autre cercueil, et de ma main libre je décochai un coup de poing qui atteignit Clara Mirror à la pointe du menton.

Tout se termina si vite que j'avais peine à en croire mes yeux tandis que, tenant toujours le fusil de chasse par ses canons, je respirais bruyamment en regardant la femme qui gisait par terre, sans connaissance.

Derrière moi, une voix mâle s'enquit :

— Taylor, comment vous y prenez-vous pour ne pas être tué ?

Je fis volte-face et, stupéfait, découvris derrière moi le sergent Crocker en compagnie de Pierce.

Clara Mirror n'avoua pas mais ne nia rien non plus. Elle garda le silence en se massant doucement le menton cependant qu'elle rivait sur moi un regard où la fureur le disputait à la haine.

Crocker dit finalement à Pierce de l'emmener dehors dans leur voiture. Comme je m'apprêtais à gagner la porte, il me retint en posant une main sur mon bras. Alors je lui dis comment, étant passé au studio d'Otis Powerstone, j'avais reconnu l'odeur. Puis je lui demandai :

— Mais vous, qu'est-ce qui vous a amené ici ? Vous aviez mis le paquet contre Baines et je croyais...

— C'était du cinéma, dit-il avec un haussement d'épaules. Il y en a qui ne se décident à parler que lorsqu'ils ont vraiment les chocottes. Je n'étais pas sûr qu'il nous ait tout avoué concernant ses relations avec la fille Fuller. Soit dit en passant, nous l'avons piqué chez lui, où il n'avait pu se retenir d'aller avant de prendre la fuite. Mais si je suis venu ici, c'est en procédant par élimination. Les morts de Beech, de Koko et de la fille ne présentaient plus aucun mystère, non plus que le rôle joué par Baines dans l'affaire, mais il me fallait encore un photographe.

Se détournant de moi, il alla considérer de nouveau l'agrandissement encadré qui ornait le mur. Le rejoignant, je vis moi aussi la signature griffonnée en bas, dans un coin de la photo : Clara Mirror.

— Je me suis souvenu de ça... et voilà.

Nous éteignîmes les lampes et sortîmes de la maison en fermant la porte à clef. Crocker me demanda alors :

— Pour ce soir, vous avez fini de jouer au détective ?

— Et même pour le week-end ou ce qu'il en reste, répondis-je en grimaçant un sourire.

Je consultai ma montre : neuf heures moins quelques minutes.

— En revenant, je vais m'arrêter à Bolton. J'y avais un rendez-vous... à huit heures.

— Bonne chance alors.

— Merci. Je vais en avoir grand besoin.

— Oh ! avec les femmes, on est tous dans ce cas, conclut-il en me saluant de la main.

Process of elimination.
Traduction de Maurice B. Endrèbe.

POKER MENTEUR

par Stephen Wasylyk

Dès que le ciel se fut assez éclairci pour qu'il puisse se déplacer dans les bois sans trop de difficulté, Peterson quitta le petit chalet de rondins et marcha en direction de la vallée qui était son terrain de chasse favori. La veille, il y avait aperçu un cerf de dix cors, qu'il comptait bien retrouver aujourd'hui. Depuis des années, il passait la plupart de ses week-ends dans ces montagnes sauvages avec l'espoir, un jour ou l'autre, de rapporter un trophée digne de ce nom et, cette fois-ci, il n'avait pas l'intention de laisser passer sa chance. Il ne reviendrait pas bredouille, même si pour cela il devait arpenter la forêt jusqu'à la tombée de la nuit ! En chasseur prévoyant, il s'était donc vêtu pour affronter une température inférieure à moins dix degrés et avait mis dans ses poches deux sandwiches au jambon, avec un thermos plein de thé bouillant largement additionné de rhum.

Sept ou huit centimètres de poudreuse étaient tombés pendant la nuit, recouvrant le paysage d'un manteau blanc, mais cela ne l'empêchait pas de marcher d'un bon pas, son fusil à la main. Il connaissait tous les chemins, tous les sentiers de la région pour les avoir parcourus mille fois et savait exactement où il allait. Au sommet d'une petite côte, il s'arrêta et jeta un rapide coup d'œil autour de lui. La forêt était plongée dans un silence presque total. Devant lui, parmi les buissons de l'autre côté d'un pré très en pente, il aperçut le toit couvert de neige d'une vieille berline noire qui, depuis des années, n'avait plus ni roues, ni vitres à ses portières.

Elle avait toujours été là, même du temps où il était enfant, et, à chaque printemps, elle émergeait de la neige, un peu plus mangée par la rouille, mais aussi immuable qu'un roc. Peterson s'était toujours demandé comment elle avait pu arriver à un endroit pareil. D'après son père, seul un chauffard ivre-mort, par une nuit sans lune, avait pu se fourvoyer aussi loin d'une route carrossable. Au village, toutes les hypothèses avaient été envisagées, depuis le gangster cherchant à se débarrasser d'un véhicule devenu encombrant jusqu'au citadin obstiné qui s'était perdu, avait passé la nuit tant bien que mal et était parti le lendemain matin à pied dans la neige sans se rendre compte qu'il n'avait pas la moindre chance de trouver de l'aide.

Peterson se remit en marche, puis, soudain, s'arrêta de nouveau. Non, il n'était pas le jouet de son imagination ! C'était bien de la fumée qui s'élevait de la voiture. Une mince colonne grise se détachait nettement sur le blanc du ciel et du givre qui recouvrait les arbres. Quelqu'un avait dû faire du feu à l'intérieur de la vieille carcasse rouillée. En soi, cela n'avait rien d'étrange. Ce ne serait pas la première fois qu'un chasseur égaré et surpris par la tombée de la nuit aurait eu la présence d'esprit de se mettre à l'abri dans cette épave. Quelques années plus tôt, l'un d'entre eux, un peu bricoleur sans doute, avait pratiqué une ouverture dans le toit et des petits trous dans le plancher pour pouvoir y allumer du feu sans risquer l'asphyxie. De cette manière, ce n'était pas un trop mauvais abri de fortune, du moins quand il n'y avait pas de vent, car lorsque le blizzard soufflait l'absence de vitres aux portières devait s'avérer un inconvénient majeur.

En approchant, Peterson vit qu'il y avait deux hommes à l'intérieur et que ce n'étaient pas des chasseurs. Ils étaient en pardessus et avaient un chapeau mou sur la tête. Le premier était recroque-villé dans un coin, sur ce qui avait été la banquette arrière, son chapeau sur les yeux, alors que son compagnon était penché au-dessus des dernières flammes d'un feu en train de mourir.

— Hello ! appela Peterson.

Celui qui était penché sur le feu, leva la tête et tourna vers lui un regard vide. Le visage était celui d'un adolescent imberbe. Un visage très pâle, rendu presque translucide par le froid, avec des lèvres gercées et violettes. En dépit du feu, il faisait froid dans l'épave et Peterson se rendit compte immédia-tement que le pauvre gosse devait être aux trois quarts gelé.

Il remplit une tasse de thé et la lui tendit.

— Buvez lentement, lui recommanda-t-il. Après, il faudra sortir de là et marcher. Pour faire circuler le sang. Et votre ami, qu'est-ce qu'il a ? Il dort ?

— Il est mort, murmura l'adolescent après avoir bu une gorgée de thé. Ah ! c'est bon, après une nuit pareille !

Peterson fit le tour de la voiture, ouvrit la portière et essaya de redresser le malheureux. Il était bien mort. Son corps était déjà raide, mais ce n'était pas à cause du froid. Sur son pardessus, au niveau du coude droit, il y avait un trou rond entouré d'une petite tache brune. Une tache que n'aurait peut-être même pas remarquée quelqu'un de moins observa-teur que Peterson. Immédiatement, il sut qui étaient les deux hommes. La veille au soir, il avait écouté les nouvelles à la radio et appris qu'il y avait eu un hold-up dans la petite ville à une trentaine de kilomètres au nord. Un fait divers plutôt rare dans la région. Les gangsters avaient attaqué l'un de ces grands magasins qui vendent de tout, depuis le petit outillage jusqu'aux tronçonneuses et aux magnétoscopes. D'après la police l'un des hommes avait été blessé par un vigile alors qu'il s'enfuyait avec un butin de près de huit mille dollars. Comment étaient-ils arrivés là, au milieu de cette forêt ? Peterson se releva et vit que l'adolescent avait les yeux fixés sur lui.

— Vous avez eu de la chance de ne pas mourir de froid vous aussi, déclara-t-il.

Mieux valait ne pas lui laisser voir qu'il était capable de reconnaître un trou fait par une balle quand il en voyait un. Il contourna de nouveau la voiture, ouvrit l'autre portière d'un geste sec et tendit la main.

— Venez. Il faut que vous marchiez.

Il fallut un bon moment avant que les jambes de l'adolescent se remettent à fonctionner normalement et que Peterson puisse le laisser marcher sans le soutenir.

— Comment vont vos pieds ? questionna-t-il.

— Je ne les sens même pas.

— Enlevez vos chaussures et vos chaussettes.

Peterson examina d'un œil critique les pieds blêmes et sans vie.

— Ils sont gelés, constata-t-il en secouant la tête. Prenez de la neige et frottez-les, très doucement, d'abord. Jusqu'à ce que vous sentiez quelque chose. Si vous ne réussissez pas à rétablir la circulation rapidement, vous courez droit à l'amputation.

Le cadavre dans la voiture avait une écharpe

autour du cou. Peterson alla la chercher et revint près de l'adolescent.

— Alors, vous commencez à sentir quelque chose ?

L'adolescent secoua la tête.

— Rien encore.

Peterson lui tendit l'écharpe et un grand mouchoir.

— Séchez vos pieds avec le mouchoir puis remettez vos chaussettes et vos chaussures, déclara-t-il. Ensuite, vous enroulerez l'écharpe autour de votre tête pour protéger vos oreilles. Il faut que nous partions d'ici. Vous êtes capable de marcher ?

— Je pense, oui.

— Comment vous appelez-vous ?

— Grogan. Joe Grogan.

— Parfait, Joe. Allons-y. Dès que nous aurons gagné un endroit civilisé, nous préviendrons les autorités pour qu'on vienne chercher ton ami.

Peterson jeta quelques poignées de neige sur le feu. Le cadavre n'en avait plus besoin. Quand il se redressa, Grogan était debout et braquait sur lui un pistolet.

Peterson éclata de rire.

— Qu'est-ce que tu as l'intention de faire avec ça, Joe ?

— Prendre vos vêtements chauds et sortir de cette maudite forêt, répondit l'adolescent.

Peterson haussa les épaules et descendit la fermeture à glissière de sa parka.

— D'accord, acquiesça-t-il. Tu veux mes vêtements ? Je te les donne. Mais si tu penses avoir simplement besoin de vêtements chauds pour échapper à cette forêt, tu te trompes, Joe. D'abord dans quelle direction, vas-tu aller ? Et puis, même si tu ne te perds pas, pendant combien de temps espères-tu marcher avec des pieds gelés ? Essaie au moins de te conduire en adulte, Joe ! Tu es un gosse des villes et pour survivre en hiver dans ces montagnes, il faut être né ici. Sans moi, jamais tu ne t'en sortiras. Pose donc cette arme et montre-toi raisonnable.

L'adolescent grimaça.

— Pas si vite, grommela-t-il. D'abord, je ne suis pas en si mauvaise forme que ça. Ensuite, vous êtes arrivé jusqu'ici, vous. Il me suffira donc de suivre vos traces.

Peterson sourit. L'autre n'était pas tellement idiot.

— Qu'est-ce qui te fait penser que je suis venu ici tout droit de quelque part ? répliqua-t-il. Je suis à la recherche d'un cerf, un beau dix cors, que j'ai vu hier ; alors, cela fait près de trois heures que je vais et viens en tous sens. Alors, mes traces... Et puis, regarde le ciel. Il commence déjà à tomber des flocons et ce n'est qu'un début, tu peux me croire. Bientôt, on ne verra pas à dix mètres devant soi.

— Si on faisait un marché ? suggéra Grogan. Vous m'aidez à sortir d'ici et je vous laisse la vie sauve.

Peterson remonta la fermeture à glissière de sa parka et tendit la main vers son fusil.

— Stop ! l'arrêta Grogan d'une voix sèche.

Peterson soupira.

— Écoute, Joe, il y a des ours dans la région et nous sommes en hiver. Si jamais on en rencontrait un vraiment affamé, il pourrait ne pas se montrer très aimable. Cela s'est déjà vu et ce n'est pas avec ton pistolet à bouchons que tu l'arrêteras. Il vaut donc mieux que nous emportions une arme réellement efficace. Sans compter que je tiens à ce fusil...

— D'accord, mais alors vous en enlevez les cartouches et vous les mettez dans votre poche. Mon pistolet à bouchons vous donnera le temps de recharger si nous faisons une mauvaise rencontre.

Côté pieds, Grogan n'était peut-être pas dans une forme extraordinaire, mais ses cellules grises fonctionnaient très normalement. Peterson vida son fusil et mit les cartouches dans sa poche.

— Je vais te dire quelque chose, Joe, déclara-t-il d'une voix grave. Je ne marche pas. Si tu veux venir avec moi, pas de problème. Si tu veux tirer, tire. On nous retrouvera peut-être tous les deux au printemps, quand la neige commencera à fondre. Mais, puisque tu parles de marché, je veux bien t'en proposer un. Si tu n'avais pas tiré ce pistolet de ta poche, je t'aurais fait sortir de cette forêt pour rien. Maintenant, je veux bien t'aider, mais en échange du butin que toi et ton copain vous avez ramassé la nuit dernière.

Grogan fit la moue.

— Je ne vois pas ce qu'un honnête citoyen comme vous pourrait faire avec de l'argent volé, répondit-il. Vous devriez avoir envie de m'aider par simple bonté d'âme. Au fait, comment avez-vous su ?

— La radio, dit Peterson en haussant les épaules. Ce qui risque de te poser un autre problème rapidement, Joe. Il n'y a guère qu'une demi-douzaine de routes que vous avez pu emprunter tous les deux ; et la police a dû mettre des barrages un peu partout. Seul, tu ne pourras guère les éviter, alors qu'avec mon aide tu aurais quelque chance de leur échapper. Réfléchis à cela et au reste pendant que nous marchons. Bon, maintenant, où est l'argent ? Moi aussi, j'ai des projets et ce fric m'aidera à les réaliser.

Grogan agita son pistolet d'un air menaçant.

— Avancez. Je vous suis.

— Comme tu voudras, fiston.

Peterson haussa de nouveau les épaules et, sans un regard derrière lui, reprit le chemin par lequel il était arrivé. Grogan ne lui avait pas donné l'impression d'être de la trempe des tueurs. S'il avait sorti son pistolet, ce n'était pas par plaisir, mais simplement parce qu'il n'avait pas vu d'autre moyen de s'en tirer. Il s'imaginait sans doute avoir ainsi un atout considérable en main, alors que dans ces montagnes, au milieu de cette forêt et de cette neige c'était une carte dérisoire. Lui-même, à sa place, aurait beaucoup plus insisté pour la parka et les vêtements chauds. C'était de cela dont il avait besoin avant tout. Des chaussures fourrées, bien chaudes, des gants et jusqu'à son chapeau doublé de laine, fussent-ils trop grands pour lui. Mais étant un gosse des villes, beaucoup plus effrayé qu'il ne le laissait paraître, Joe ne se rendait pas compte à quel point le froid est capable de saper l'énergie d'un homme et de le démoraliser. Pour affronter de telles conditions, il fallait être en bonne condition physique. Peterson était dans la force de l'âge, avait très bien dormi et n'avait encore marché qu'une toute petite heure, alors que Grogan avec son corps frêle d'adolescent, avait vécu un après-midi et une soirée mouvementés, puis une nuit abominable.

Peterson ne se sentait donc pas vraiment inquiet. Pas encore, du moins. Ce qui l'ennuyait, c'était qu'il allait lui falloir du temps pour se débarrasser de ce gosse et revenir. Des heures inappréciables, car, à la tombée de la nuit, la chasse serait fermée et ce magnifique dix cors auquel il rêvait tant lui échapperait définitivement. Des années peut-être s'écouleraient avant qu'il en revoie un aussi beau. La veille au soir, sa femme lui avait téléphoné et s'était étonnée qu'il s'attarde ainsi au chalet. Ne chassant pas, elle ne comprenait point la passion qui l'animait à l'idée d'un aussi beau coup de fusil. En ce moment, ce cerf avait plus d'importance pour lui que tout le reste.

326

Il soupira. Enfin, restait le magot de Grogan. S'il le récupérait, sa journée ne serait pas entièrement perdue.

Grogan tira une balle qui souleva une gerbe de neige devant lui.

— Vous allez trop vite, expliqua-t-il en grommelant.

Déjà en colère à l'idée que ses projets étaient quasiment gâchés, Peterson se retourna brusquement, les yeux étincelant de fureur.

— Ne t'amuse pas à recommencer une plaisanterie de ce genre, Joe, déclara-t-il d'une voix sèche. Je pourrais me fâcher, et si je me fâche, cela ira très mal pour toi. Si je te laisse ton petit pistolet ridicule, c'est parce que je n'ai pas envie qu'il t'arrive un accident au cours de la bagarre.

Grogan ouvrit la bouche pour répondre, mais en voyant la lueur qui brillait dans le regard de Peterson, il se ravisa et se contenta, avec son pistolet, de lui faire signe de continuer d'avancer.

Il va falloir que je lui enlève ce jouet à un moment ou à l'autre, songea Peterson. Dès l'instant où il se croira capable de se débrouiller tout seul, il s'en servira, ne serait-ce que pour me mettre dans l'impossibilité d'aller prévenir les flics.

Il ralentit le pas, en déviant légèrement de la route par laquelle il était venu. La neige s'était mise à tomber abondamment et il grinça des dents. C'en était fini pour cette année. Il n'aurait pas ce vieux dix cors. D'après la météo, il n'aurait pas dû neiger ainsi avant la nuit.

Pendant près d'une heure, il promena Grogan, puis, avisant un tronc d'arbre abattu, il chassa la neige qui le recouvrait, appuya son fusil contre un autre arbre et fit signe à Grogan de s'asseoir.

— Pourquoi nous arrêtons-nous ? questionna Grogan, sans cesser de braquer son pistolet sur lui.

— La vieille technique, fiston, répondit Peterson. On marche pendant cinquante minutes et on s'arrête pendant une dizaine de minutes. Quand on a une longue route devant soi, on gagne du temps en ménageant ses forces.

— Êtes-vous fou ? cria Grogan. Il fait froid, mes pieds sont gelés, il neige et vous voulez faire une pause ?

— Assieds-toi, rétorqua Peterson calmement. Et ne t'excite pas en me voyant mettre ma main dans ma parka. J'ai deux sandwiches à l'intérieur, pas un pistolet. D'ailleurs, je ne vois pas très bien ce que je ferais par ici avec un pistolet.

Prenant l'un des sandwiches, il le lui jeta et Grogan l'attrapa au vol de la main gauche.

— Vous avez dit que vous en aviez deux. Donnez-moi l'autre aussi, j'ai faim.

Peterson sourit, lui jeta le deuxième sandwich et tira le thermos de thé de sa poche.

— Tiens, bois également, lui proposa-t-il. Il est chaud et cela te fera du bien.

— Merci, murmura l'adolescent en mordant dans son sandwich. Vous êtes bien généreux, tout d'un coup.

— Ce n'est pas gratuit, rétorqua Peterson. Je compte bien te faire payer chaque bouchée et chaque gorgée. Cher. Très cher. Si je ne me trompe, tu dois avoir près de huit mille dollars dans tes poches.

Grogan s'arrêta de mâcher.

— Vous rêvez, ou, plutôt, vous radotez. Cet argent m'a coûté beaucoup trop pour que je vous le donne sans me battre.

— Pourtant, il faudra bien que tu passes à la caisse, Joe. Rester en vie à ce prix-là, c'est un cadeau. A propos, comment, toi et ton ami, avez-vous réussi à parvenir jusqu'à cette épave, hier soir ?

— C'était Lefty qui conduisait. Il roulait vite, car nous voulions franchir la frontière de l'État le plus rapidement possible. Dans un tournant, il a dérapé sur une plaque de verglas et la voiture a terminé sa course contre un arbre. Pendant un moment, nous sommes restés au bord de la route dans l'espoir d'arrêter une autre voiture et de nous en emparer, mais la seule qui s'est présentée a failli m'écraser. Pensant que son chauffeur allait prévenir les flics, nous avons pris une lampe de poche et nous sommes enfoncés dans les bois à la recherche d'une maison ou au moins d'une grange pour nous planquer. Sa blessure faisait souffrir Lefty et nous ne pouvions rester plantés là, au bord de la route, à attendre que les flics viennent nous cueillir.

Peterson étouffa un rire amusé.

— Il faut vraiment être des loulous de banlieue pour pousser l'inconscience à ce point ! Tu ne sais pas quelle chance tu as eu de t'en tirer. Personne n'habite aussi haut dans ces montagnes. Je suppose que c'est par hasard que vous êtes tombés sur cette vieille carcasse de voiture ?

Grogan finit le thermos de thé avant de répondre.

— Oui, acquiesça-t-il. Et il était temps. Lefty était à bout, il s'était mis à neiger et la lampe n'éclairait presque plus. J'ai trouvé assez de bois sec pour faire un feu et après j'ai dû m'endormir, car quand je suis revenu à moi il faisait jour, quelques instants seulement plus tard, vous êtes arrivé.

Peterson secoua la tête avec incrédulité.

— Sais-tu que tu devrais être mort, Joe ? En une seule nuit, tu as épuisé le potentiel chance qu'un homme est en droit d'espérer pour une vie entière.

— Assez parlé ! répliqua Grogan. Continuons.

Peterson se pencha en arrière et le regarda en souriant.

— D'accord, accepta-t-il, mais d'abord il faut que tu paies, Joe. Pas d'argent, pas de suisse.

L'adolescent braqua le canon de son pistolet et prit un air menaçant.

— T'arrive-t-il de jouer au poker, Joe ? questionna Peterson en levant une main apaisante. J'ai un jeu en or, alors que toi tu n'arrêtes pas de demander des cartes. A ton avis, qui gagnera à la fin ? Si tu me tues, tu erreras dans la forêt jusqu'à épuisement ou, s'il te reste encore un peu de chance, tu atteindras une route ou une maison. Mais, même dans ce cas-là, qui est de toute manière improbable, tes pieds devront être amputés et tu finiras ta vie avec des béquilles, à moins que la justice se montre sévère et te condamne à la chaise électrique. Les juges ne sont pas très enclins à la clémence en ce moment dans la région. Je peux aussi te promener dans la forêt jusqu'à ce que tu aies si froid et que tes pieds te fassent si mal que tu me supplies de te porter. A ce moment-là, je n'aurai qu'à prendre l'argent et te laisser crever. Il vaudrait donc mieux que tu me remettes l'argent maintenant et rengaines ce pistolet ridicule. De cette façon, nous nous en sortirons tous les deux. Tes pieds et ta vie ne valent-ils donc pas huit mille dollars ?

— Supposez que je vous donne l'argent. Combien de temps vous faudra-t-il pour me sortir d'ici ?

Peterson haussa les épaules.

— Une bonne heure, peut-être.

Grogan tira une balle dans l'arbre au-dessus de la tête de Peterson, faisant tomber ainsi sur lui une averse de neige.

— Je vais vous suivre pendant encore une heure, déclara-t-il d'une voix blanche. Si, à ce moment-là, nous ne sommes pas parvenus à une maison, je vous abattrai comme un chien. Et si vous ne vous mettez pas en route tout de suite, je vous descends immédiatement, car je suis persuadé que nous sommes beaucoup plus près que vous ne le dites d'un endroit civilisé.

Peterson soupira et prit son fusil. Il avait poussé l'adolescent assez loin. En dépit des sandwiches et du thé, Grogan était sans doute encore à demi gelé et il suffisait d'un rien pour qu'il perde sa maîtrise de soi. Mieux valait donc ne pas trop le provoquer.

Empruntant un sentier à peine discernable tant il était enfoui sous la neige, il conduisit Grogan jusqu'à un muret qui surplombait un chemin creux. Le muret n'était pas haut, mais de l'autre côté le chemin était à au moins deux mètres en contrebas. Pour Peterson, cela ne présentait pas de problème. Il lui suffisait d'enjamber et de sauter. Ce ne serait pas aussi simple pour Grogan avec ses jambes engourdies par le froid et ses pieds à demi gelés, mais il n'y avait pas d'autre moyen pour parvenir jusqu'à la route.

— Ce sera plus facile pour marcher, expliqua Peterson.

— De quel côté allons-nous ? demanda Grogan.

Peterson secoua la tête en souriant.

— Si je te le dis, tu n'auras plus besoin de moi. Alors, maintenant, je ne vais pas plus loin sans être payé.

Grogan regarda à droite, puis à gauche. Les arbres et la neige, qui tombait de plus en plus dru, limitaient son champ de vision à une centaine de mètres à peine, et rien n'indiquait de quel côté il fallait aller pour rejoindre la civilisation.

Peterson chassa la neige du dessus du mur et s'assit.

— Alors, Joe, tu es prêt à parler affaires sérieusement ?

Les paupières mi-closes, Grogan pointa sur lui le canon de son pistolet.

— Je suis prêt à te descendre, vieux grigou, et, crois-moi, je n'aurai pas le moindre remords. Je ne te laisserai pas me promener dans cette forêt jusqu'à ce que je crève de froid et que tu me délestes de mon argent. J'ai bien envie de te tuer tout de suite et de tenter ma chance.

— Avant de tirer, répondit Peterson, songe que si tu te trompes de direction, tu es foutu. Quand tu t'apercevras que tu t'es trompé, il sera trop tard pour faire demi-tour. D'ailleurs, même si tu connaissais la direction à prendre, tu ne réussirais pas forcément à rejoindre la maison habitée la plus proche et là-bas, il te faudrait encore échapper à la police. Mon chalet est un peu à l'écart de ce chemin, et sans moi tu n'as aucune chance de le trouver. Dans le garage de ce chalet, il y a une voiture et, avant longtemps, tu auras grand besoin d'une voiture.

Tremblant de froid, Grogan le maudit.

— Maintenant, donne-moi l'argent, Joe, ordonna Peterson d'une voix sèche. Nous avons assez perdu de temps. A quoi cela te servira-t-il si tu ne réussis à t'en sortir qu'avec deux pieds en moins ? C'est le moment d'abattre tes cartes, fiston. Montre ce que tu as. Alors, tu relances ou tu abats ?

Grogan regarda à nouveau le chemin, à droite puis à gauche.

— J'abats, vieux grigou, murmura-t-il avec amertume. Vous avez gagné. Vous autres, les honnêtes citoyens, vous êtes tous les mêmes. Vous n'avez pas assez de tripe pour aller braquer une banque, mais une fois l'argent dans votre poche, vous vous moquez bien qu'il ait été volé. Et quand vous tenez un pauvre type comme moi, vous n'hésitez pas à le mettre à genoux.

Il déboutonna son pardessus et jeta une épaisse enveloppe marron à Peterson.

— Vous croyez peut-être que je ne dirai pas aux flics que je vous ai donné le magot, s'ils me rattrapent ?

— Aucune importance, répliqua Peterson. Ils ne te croieront pas. Ce sera ta parole contre la mienne et j'ai bonne réputation. Ils penseront que tu as caché ton butin quelque part dans la forêt et que tu cherches à les égarer. Il n'y a pas huit mille dollars, là-dedans, ajouta-t-il en soupesant le paquet.

Il n'était pas étonné, car, dès le départ, le chiffre lui avait semblé démesuré.

— Non, acquiesça Grogan. Deux mille, peut-être. Le directeur de ce magasin a sans doute essayé de gonfler le montant du vol pour l'assurance.

— Tu ne cherches pas à me doubler, au moins, Joe ? Il n'y avait vraiment que deux mille dollars dans ce coffre ?

L'adolescent écarta les bras.

— En petites coupures, cela fait un gros paquet, six mille dollars. Vous voyez une bosse quelque part sous mon manteau ? Vous avez tout le butin, hormis deux ou trois billets de cent dollars qui m'ont servi à allumer le feu hier soir. Je n'avais rien d'autre et je n'ai pas éprouvé le moindre regret en les brûlant.

Peterson rit.

— Comme cela t'a sans doute sauvé la vie, ce n'était pas cher, concéda-t-il en mettant l'enveloppe dans sa poche. Bon, maintenant, nous pouvons continuer, fiston. Tu viens de te payer quelques semaines ou quelques mois de liberté, jusqu'à ce que tes mauvaises fréquentations ou ton impulsivité te conduisent pour de bon derrière les barreaux ou à la morgue. En attendant, range ce pistolet. Tu ne crains rien de ma part. Tu as payé et je te sortirai d'ici.

Il attendit que Grogan ait remis son arme dans sa poche, puis il pivota et sauta sur le chemin en contrebas. Il savait que Grogan ne jouait pas franc jeu. Il avait toujours le pistolet et attendait simplement qu'il lui indique la bonne direction pour lui reprendre l'argent et lui régler son compte. C'était un malin, mais il commettait une grosse erreur en le prenant pour un imbécile.

— Alors, tu viens ? appela-t-il d'une voix impatiente.

Grogan s'assit sur le mur, passa ses jambes de l'autre côté et hésita. C'était haut pour un adolescent à demi gelé qui ne sentait plus ses pieds tellement ils étaient engourdis. Cela allait lui faire mal à l'arrivée, malgré la couche de neige. Néanmoins, par fierté sans doute, il n'osa pas demander de l'aide. Il sauta, heurta le talus au passage, perdit l'équilibre et s'étala en travers du chemin. L'instant d'après, un genou le plaquait brutalement au sol. Rapidement, Peterson fouilla dans sa poche, lui prit son pistolet et l'aida à se relever sans trop d'aménité.

Cinq minutes plus tard, Grogan réchauffait ses pieds gelés au feu de bois qui pétillait dans la cheminée du chalet de Peterson. Puis, dans l'heure suivante, deux voitures de police arrivèrent au chalet. Tandis qu'une équipe allait chercher le cadavre de Lefty, Grogan fut allongé à l'arrière d'une des deux voitures pour être conduit à l'hôpital. Peterson, pour sa part, monta dans sa Chevrolet et démarra pour les suivre.

Sur sa couchette, Grogan se redressa légèrement et le regarda manœuvrer. Rien n'était gratuit dans ce monde, lui avait dit ce vieux grigou...

— Si vous voulez savoir où se trouve notre butin, vous n'avez qu'à demander à ce type, déclara-t-il au policier assis à côté de lui en lui indiquant Peterson d'un geste de la main. Il m'a forcé à le lui donner.

— Ne te tracasse pas, fiston, répondit le policier avec ironie. Pete m'a déjà dit qu'il avait l'argent. Nous nous en occuperons après t'avoir déposé à l'hôpital.

— Qu'allez-vous en faire ? Partager entre vous ?

— Une autre réflexion de ce genre et tu pourrais en pâtir, même dans ton état, répliqua le policier d'une voix qui ne plaisantait pas. Peterson n'a jamais eu l'intention de garder cet argent, bien qu'il lui appartienne.

— Comment cela ? s'étonna Grogan.

Le policier s'esclaffa.

— Il se trouve que c'est Peterson qui est le propriétaire du magasin que vous avez braqué hier soir. Tu n'as donc fait que lui rendre son bien.

Les yeux de Grogan s'élargirent de stupéfaction.

— Ce n'est pas possible, il doit être dingue alors ! Si je ne lui avais pas donné cet argent, il m'aurait promené dans la forêt jusqu'à ce que j'en crève !

Le policier sourit.

— Connaissant Pete, je ne suis pas surpris qu'il ait réussi à te faire croire que vous étiez à des heures de marche du chalet alors que vous n'en étiez qu'à quelques centaines de mètres. C'est pour cela que dans la région personne n'accepte de jouer au poker avec lui sans avoir, au préalable, fixé des limites précises. On ne sait jamais quelles cartes il a dans sa main. Combien de temps vous a-t-il fallu pour revenir ?

— Un peu plus d'une heure.

— C'est bien ce que je pensais. Vous avez pris le chemin le plus court. Peterson t'a ramené directement et c'est la raison pour laquelle tes pieds ne devraient te poser des problèmes que pendant quelques jours. S'il t'avait réellement "promené", tu aurais droit à des béquilles pour le restant de ta vie. Tu pourras donc lui dire merci. Et plutôt deux fois qu'une.

Dans la voiture derrière eux, Peterson sifflait joyeusement. Sa partie de chasse était gâchée, mais jamais il ne s'était autant amusé depuis des années. Arriver à convaincre ce gosse de lui donner son argent, alors qu'il avait toujours son pistolet braqué sur lui, était le plus beau coup de bluff qu'il ait jamais réussi !

Puis il songea au gérant de son magasin et s'arrêta brusquement de siffler. Huit mille dollars ! Ce n'était pas les assurances que cette crapule avait cherché à berner ! Depuis des années, il se doutait qu'il rognait les bénéfices à son profit, mais jusqu'à présent son comptable n'avait pas réussi à le pincer. Après le hold-up, il avait tout de suite compris qu'il pouvait sans risque empocher la différence entre ce que les gangsters avaient pris et ce que contenait réellement le coffre. Si c'était quelqu'un d'autre que lui qui avait appréhendé Grogan, cela aurait été sa parole contre celle de l'adolescent et personne n'aurait jamais su ce qu'étaient devenus les six mille dollars manquants. Dès qu'ils auraient déposé Joe, il irait rendre visite à cette crapule et, cette fois, c'est lui-même qui éplucherait ses livres de comptes.

Cette année encore, il devrait renoncer à ce trophée auquel il rêvait depuis qu'il était en âge de porter un fusil, mais il aurait au moins la satisfaction d'avoir eu la tête de cette fripouille, même s'il ne lui était pas possible de la suspendre au-dessus de la cheminée du chalet.

The Trophy.
Traduction de L. de Pierrefeu.

© 1968 by H.S.D. Publications.

LA FAÇON DE FAIRE

par Donald E. Westlake

A l'époque où Drusilla Meerschaum épousa Rick Tandem, elle se trouvait dans les affres d'une passion bouleversante. Drusilla — une grande fille souple — avait franchi gracieusement et avec le sourire les épreuves terminales des collèges secondaires et universitaires, ainsi que ses examens de sortie. Choyée par des parents très fortunés, elle figurait en quelque sorte l'aboutissement glorieux d'une lignée dont les origines se perdaient dans un passé plutôt flou fait de contrebande, de commerce d'esclaves, de piraterie et de spéculation. Présentement, l'univers de Drusilla était tranquille, serein, heureux, aseptique, immuable, paré contre tous les risques et assuré d'une température constante.

Depuis sa plus tendre enfance, on l'avait considérée comme une future « débutante » — ce qui constitue un sujet de préoccupation très suffisant pour une jeune fille. Puis vint un jour où, dans le vacarme des bouchons de champagne, Drusilla fut sacrée « débutante ». Mais le lendemain, la mousse retombée et les lampions éteints, Drusilla prit conscience qu'elle n'était pas grand-chose.

Un changement insidieux s'opérait dans son existence. Ses compagnes de classe, ses camarades de toujours s'envolaient comme des papillons : elles se mariaient toutes. Dans les salons de l'Astor, il n'y avait plus que des inconnus, des indésirables. Drusilla se sentit brusquement toute seule.

Sans doute ne manquait-elle pas de soupirants. Il y avait même pléthore de jeunes gens très « comme il faut » autour d'elle. Ils semblaient exister dans un monde de sonneries — sonneries de la porte ou du téléphone. Lorsque Drusilla entendait sonner quelque part, elle savait qu'il y avait à peu de distance un jeune homme bredouillant qui n'allait pas tarder à paraître devant elle en lui présentant un bouquet de fleurs.

Mais ce genre de vie l'importunait : tout cela était faux, tout cela était assommant. Ces sonneries lui portaient sur les nerfs. Les fleurs étaient adorables, mais ne servaient à rien. Tous ces jeunes gens ne savaient parler que de leurs voyages et de leurs perspectives d'avenir.

Drusilla annonça à sa mère — qui en fut horrifiée — qu'elle avait l'intention de chercher un emploi rémunéré. De mémoire d'homme, sa mère n'avait jamais entendu parler d'une ancienne « débutante » — d'un standing comparable à celui de Drusilla — qui se soit préoccupée de trouver une situation. Son père se montra plus compréhensif. Il déclara :

— Je vais en parler autour de moi, Drusilla. Je vais voir si je peux vous trouver quelque chose de convenable.

Ce quelque chose de convenable fut trouvé avant la fin de la semaine. Le père de Drusilla avait, pour des raisons d'ordre fiscal, investi une somme d'argent assez importante dans le lancement prochain d'une pièce de théâtre à Broadway, pièce dont il espérait bien qu'elle ferait un « four » dès la représentation d'ouverture — et, si possible, avant que le rideau ne se lève sur le deuxième acte. Le producteur de cette comédie sans prétention — une pièce sans relief à propos du déclin de la culture dans le Sud des États-Unis — avait besoin d'une seconde dactylographe. Drusilla avait eu l'occasion, par le plus grand des hasards, d'étudier, au cours de ses études, la dactylographie. Elle avait pensé que c'était la seule part de son éducation qui resterait sûrement sans application pratique ; et pourtant... Elle se mit immédiatement au travail pour ce producteur, qui était un homme chauve, aux yeux saillants, et qui transpirait en toutes circonstances. Il s'appelait Finkerwald.

C'est en travaillant pour le compte de M. Finkerwald que Drusilla eut l'occasion de rencontrer Rick Tandem — la seule véritable passion de son existence. Le garçon passa fortuitement au bureau — c'était le troisième jour de présence de Drusilla — et bredouilla quelque chose à propos d'un rendez-vous qu'il avait avec M. Finkerwald. Drusilla le considéra, subjuguée. Il ne mesurait guère qu'un mètre soixante-cinq — mais sa chevelure très noire, graisseuse était coiffée avec un soin particulier : une frange masquait son front bas jusqu'aux sourcils en bataille. Il était vêtu d'un blue-jeans très collant, d'un T-shirt déchiré et d'un blouson de cuir noir pourvu de 53 fermetures éclair différentes. Selon sa propre définition, il était yé-yé.

En fin de compte, Rick n'avait pas de rendez-vous. Et M. Finkerwald, qui en avait par-dessus la tête de toutes les associations théâtrales et qui venait d'essuyer trois échecs successifs, ordonna à Drusilla de jeter ce fainéant sur le trottoir.

Elle l'invita donc à déjeuner. Elle ne put se rappeler ensuite de quelle façon les choses s'étaient enchaînées. Tout ce dont elle se souvint, c'est qu'ils avaient déjeuné ensemble et qu'elle avait réglé l'addition.

Mais c'était sans importance. L'essentiel, c'est que Rick s'abstînt de parler de ses perspectives d'avenir. Pour autant que Drusilla put s'en rendre compte, il n'avait aucune perspective. Il ne parla pas non plus de ses voyages — mentionnant tout au plus une expédition faite en métro hors de Greenwich Village, ce qui ne pouvait être réellement considéré comme une expédition au long cours.

En réalité, il était quand même assez malaisé de comprendre ce dont Rick voulait parler. La langue dans laquelle il s'exprimait ressemblait à de l'anglais, mais un anglais assez fantaisiste. Drusilla eut besoin de trois rencontres (toutes les trois à ses frais) pour mettre au point le vocabulaire indispensable à la conduite d'une conversation — sans intérêt — avec Rick. Mais, passé ce délai, Drusilla était totalement envoûtée. Rick était si complètement différent de tous ces jeunes gens éthérés, aux jointures blanchies, qu'elle avait connus jusqu'alors que Drusilla ne pouvait qu'être conquise.

Une fois de plus sa mère fut horrifiée. Son père le fut aussi. Tous les deux écoutèrent la description que Drusilla leur fit de son yé-yé, et les plans qu'elle formait pour l'épouser ; dans les trois heures, trois billets furent pris pour le Boeing de nuit en direction de Paris.

Mais Drusilla n'était pas une héroïne d'Henry James. Elle se fit une valise de week-end. En l'espace de deux secondes, elle dit adieu à tout ce qu'elle avait connu jusqu'alors et elle s'embarqua à la plus proche station de métro pour Greenwich Village.

Le jeune couple n'eut pas de lune de miel en ce sens qu'il n'alla pas visiter les Chutes du Niagara, les Bermudes, Cap Cod ou quelque autre site renommé. Ils se contentèrent de l'appartement de deux pièces (procuré à Rick par l'Armée du Salut), sans confort et infesté de cloportes : ce fut dans ce décor sordide que Drusilla connut l'éblouissement de l'amour.

Pour Drusilla, en effet, rien n'était triste ou sordide tant qu'elle était auprès de Rick. Pour elle, ce minuscule logement était devenu le Paradis. Leurs repas (haricots secs, soupe à la tomate et gros rouge) étaient absorbés dans un état d'extase. Drusilla allait travailler chaque jour, pleine d'entrain et sans une plainte, dans une confiserie voisine.

La seule ombre au tableau — une ombre réellement légère — c'était les relations de Rick. Rick était en effet à peu près le seul dans sa bande à avoir un domicile fixe. Résultat : son petit appartement était de façon habituelle encombré d'une foule de jeunes gens barbus jouant de la guitare et de jeunes femmes vêtues de noir au regard sentimental. Jusqu'au matin, les jeunes gens régalaient d'airs nostalgiques les langoureuses filles : Drusilla s'échappait alors pour retrouver un peu de silence derrière le comptoir de la boutique.

Si Rick remarqua la fraîcheur avec laquelle Drusilla accueillait parfois ses amis, il n'en laissa rien paraître ; peut-être, pensa-t-il, ce manque d'enthousiasme provenait-il de la différence d'âge, car Drusilla était sensiblement plus âgée que la plupart de ses copains.

Au bout de cinq semaines, papa et maman capitulèrent — lorsqu'une mère de famille de leurs relations, à la fois rosse et imbue de sa personne, mentionna devant eux sans avoir l'air d'y toucher les modestes fonctions de Drusilla dans la boutique de sucreries... Le domaine de Long Island fut immédiatement mis à la disposition du jeune couple avec voiture, chauffeur... et mensualité en rapport.

Le bonheur de Drusilla était parfait. Aucun copain de Rick n'était assez riche pour se payer le chemin de fer jusqu'à leur nouveau domicile. Enfin, ils allaient être tranquilles.

Ce domaine au sein duquel ils allaient retrouver le calme, avait été décrit peu de temps auparavant dans la Revue « Luxueuses Demeures » : un rédacteur en mal d'inspiration et peu consciencieux l'avait décrit comme un ensemble de bâtiments répandus dans une émouvante verdure. C'était un véritable contresens. Le domaine de Long Island comprenait une maison en pierre de deux étages, solidement assise et d'allure imposante : son aspect était beaucoup trop digne pour qu'on puisse prétendre qu'elle se répandait dans la verdure. Elle se dressait fièrement au sommet d'une petite colline ; un chemin privé, tout en virages, conduisait à l'autoroute qui passait à un mille plus bas, dans la campagne. A l'entrée de ce chemin, il y avait un pavillon de gardien — bien qu'aucune grille ne barrât le passage. De tous côtés s'offrait un paysage verdoyant, parsemé d'arbres. Dans un tel cadre, on aurait volontiers imaginé de grandes chasses au renard — mais il n'y avait pas de renards dans le voisinage.

Toutes les philosophies enseignent que l'argent corrompt les mœurs ; il semble qu'elles aient raison. La fortune apparaissait pour la première fois dans la vie de Rick Tandem ; elle lui fit perdre la tête. Le vent était semé, on ne tarda pas à récolter la tempête.

Au début, il y eut l'affaire des tambours bongo.

Rick acheta cette paire de tambours, vida l'une des vingt-sept pièces de la maison, s'assit au milieu du plancher et s'essaya à jouer. Il ne fut pas le moins du monde découragé en constatant son manque absolu de sens rythmique.

Les domestiques se plaignirent. Drusilla fronça le sourcil. Lorsqu'ils se retrouvèrent tête à tête dans leurs appartements, elle se permit de demander à son mari de limiter ses expériences à des heures raisonnables ; il répondit qu'il n'était inspiré, qu'il ne sentait « le souffle » que vers 3 ou 4 heures du matin. Drusilla passa la nuit suivante à réfléchir.

La motocyclette fut la passion n° 2. Rick transforma le chemin privé en piste de vitesse ; chevauchant un énorme monstre, qu'il ne savait d'ailleurs ni diriger, ni arrêter, il ne tarda pas à se faire éjecter de la selle et à rouler au milieu des plates-bandes, tandis que la moto, sans conducteur, essayait d'escalader le mur de clôture. Mais Rick était persévérant. Il sillonna Long Island, de long en large, affolant les cultivateurs des environs, jusqu'à ce qu'il acquît le tour de main pour maîtriser son engin. Mais il se refusa formellement à munir celui-ci d'un silencieux, comme Drusilla l'en avait prié à plusieurs reprises.

Le vin fut la troisième lubie. Un camion à semi-remorque parvint un jour au domaine et deux grands gaillards se mirent à décharger les meilleurs vins du monde en cruchons de cinq litres qu'ils déposèrent dans la cave, tandis que Rick se frottait les mains en songeant aux formidables cuites qu'il allait prendre. Voyant cela, la dernière équipe de domestiques fit en hâte ses bagages, emportant par la même occasion la totalité de l'argenterie.

En dernier lieu, ce fut la folie du léopard. Rick affirma à Drusilla que ce léopard était dressé, qu'il ne mordait jamais, qu'il ne griffait jamais, qu'il ne

343

faisait de mal à personne. Un nouveau ménage de domestiques prit cependant la poudre d'escampette en direction des agences de placement. Mais l'amour étant capable de vaincre tous les obstacles, Drusilla était toujours éprise de son Tandem bantou.

C'est alors que s'ouvrit la Saison. Les surprise-parties et les bals, tourbillon et chatoiement de la fortune, guettaient les membres de la bonne société, et les Tandem, à cause de Drusilla, reçurent leur contingent d'invitations.

Les quelques heures qui précédèrent la première soirée virent s'élever quelques difficultés. Tout d'abord Rick se refusa formellement à endosser un smoking, déclarant qu'il aurait l'air d'un singe. Drusilla, qui n'était plus qu'à demi aveuglée par l'amour, ne voyait pourtant pas arriver son mari au milieu d'un salon avec son blue-jeans, son T-shirt froissé et son blouson de cuir aux 53 fermetures éclair. En outre, Rick insistait pour emmener ses tambours bongo, persuadé qu'ils ne pourraient que mettre de l'animation dans la réunion... En prenant place auprès de lui sur les sièges arrière de leur longue voiture, Drusilla se dit que, si elle avait dû céder sur deux points, elle avait au moins une double satisfaction : elle avait réussi à le dissuader d'aller à la réunion sur sa moto, elle l'avait empêché d'emporter une guitare et un recueil de chansons populaires.

Au cours de cette soirée, les yeux de Drusilla commencèrent à s'ouvrir, lentement, douloureusement. Elle regardait ces garçons distingués, élégants, brillants d'intelligence — tous liés d'amitié les uns aux autres — qui étaient les époux de ses amies, qui tenaient leurs femmes par le cou. Puis elle regardait Rick. Pour la première fois depuis des mois, elle se mit à réfléchir.

Le mot de divorce lui vint à l'esprit, mais elle le

repoussa immédiatement. Son mariage avait été la fable de la ville. Divorcer d'avec Rick, c'était avouer son échec, c'était admettre son erreur. Elle ne pouvait l'envisager. Peu à peu, les tentations d'une lourde hérédité venant l'assaillir, elle résolut de faire disparaître son mari. Mais elle agirait avec toutes les précautions possibles. Drusilla n'avait aucunement l'intention de scandaliser encore la haute société en allant s'asseoir sur la chaise électrique. Rentrée chez elle, elle s'enferma dans sa chambre et se mit à faire des plans.

Le lendemain, l'idée germa alors que Rick faisait du tapage autour de la maison en écrasant les parterres de fleurs sur son horrible moto. Une idée toute simple : celle d'un pseudo-accident. Dans tout le pays, Rick était connu pour ses folles randonnées à motocyclette. Il suffisait de trafiquer quelque chose à la mécanique — et Drusilla serait à tout jamais débarrassée de Tandem.

Le surlendemain, tandis que Rick était couché dans un état comateux à la suite d'une cure anormalement forte de vins généreux, Drusilla, armée d'une clef anglaise, se glissa dans le garage. Pendant quelque temps, elle demeura à étudier l'engin ; puis elle desserra un écrou ici, une vis là, démonta une ou deux pièces. Puis elle remonta dans la maison, tira Rick du lit et lui demanda de filer jusqu'à la ville voisine pour acheter un journal. L'autoroute suivait une corniche dominant l'océan avant d'atteindre les premières maisons de la ville. Avec un peu de chance, Rick partirait avec le flot.

Drusilla consentit à son mari un tendre baiser, lui adressa encore un joyeux « au revoir » de la main en le voyant descendre à grande vitesse le chemin privé où il manqua de peu d'écraser le facteur... Deux heures plus tard, un appel téléphonique de la police locale lui apprenait que son mari, moto comprise, était tombé dans le « bouillon », conformément au plan. Drusilla s'effondra, pleura, se lamenta. Rick aurait été sidéré s'il avait pu constater le talent de comédienne de son épouse.

Tandis que Drusilla prenait seule son déjeuner dans sa chambre, Rick fit son entrée, trempé comme une soupe.

— Ma moto y est restée, déclara-t-il avant d'aller se sécher.

Drusilla expédia son assiette de potage au poulet contre le mur. Dans la chambre voisine, elle entendait déjà Rick célébrer dans le vin sa miraculeuse aventure. Drusilla comprit immédiatement ce qui lui restait à faire.

Une exploration discrète de la cabane du jardinier permit à Drusilla de mettre la main sur une gentille petite bouteille de mort-aux-rats. Drusilla en vida une bonne quantité dans le cruchon à demi-plein de vin qui se trouvait sur la table de la salle à manger — puis remit la petite bouteille là où elle l'avait prise. Elle revint ensuite reprendre sa place en face des œufs et du jambon.

Quelques minutes plus tard, Rick fit son apparition. Il but une forte gorgée, après quoi il s'assit et commença à remuer ses œufs.

Drusilla le surveillait. Elle attendait. Rien ne se produisit. Elle finit par s'enquérir :

— Rick, comment vous sentez-vous ?

— Fort bien ! répondit-il en caressant le pichet de vin. Le pinard, ça noie les poisons, ça tue les microbes !

Drusilla comprit alors : la mort-aux-rats du jardinier et l'alcool contenu dans le vin se neutralisaient... Elle quitta précipitamment la table pour qu'il ne voie pas ses larmes.

Quelques minutes plus tard, toute la maison résonnait à nouveau du vacarme des tambours bongo. Drusilla put résister à l'envie qu'elle avait de hurler. Elle serra les poings et les mâchoires, ferma les yeux : lentement le calme lui revint — un calme d'acier — et un plan diabolique.

Un rapide aller et retour jusqu'à New York, une brève conversation avec deux ou trois personnages dans un quartier peu reluisant de la grande ville (elle avait fait leur connaissance à l'époque où elle travaillait dans la confiserie) — et Drusilla revint chez elle en portant précieusement un petit paquet enveloppé de papier brun.

Rick dormait. Drusilla trouva les tambours bongo. Elle sortit de ses emballages de papier la petite bombe miniature, la fixa à l'intérieur de l'un des tambours, attacha les fils de la manière qui lui avait été prescrite et alla se cacher à l'autre bout de la maison.

Lorsque Rick s'éveilla, il commença par perdre un peu de temps à jouer avec son léopard, puis, sentant l'inspiration de la Muse, s'enferma dans sa « salle de musique » et se mit à jouer du tambour bongo.

L'explosion se fit entendre à vingt lieues à la ronde. Drusilla sauta en l'air — et pourtant elle s'y attendait ! Elle se précipita devant la porte fermée de la salle de musique. La fumée filtrait sous la porte et par le trou de la serrure.

Comme elle restait là, hésitante, cette porte s'ouvrit et Rick sortit de la pièce. Son T-shirt était un peu plus déchiré que d'habitude, ses sourcils étaient presque complètement roussis. A part cela, il avait l'air de se bien porter. Il jeta un œil sur Drusilla et grogna en passant :

— Mon bongo m'a pété à la gueule.

Drusilla demeura trop secouée, pendant plusieurs jours, pour pouvoir réfléchir. Enfin elle put se précipiter jusqu'à une bibliothèque et lire plusieurs livres sur les explosions. En particulier elle trouva un récit où il était question d'un casse-cou qui s'enfermait dans une enceinte limitée avec une forte charge de dynamite, qui la faisait exploser et reparaissait devant le public, noirci mais satisfait, pour recueillir des applaudissements très mérités. Cette espèce d'acrobate faisait cela pour gagner sa vie, c'est-à-dire qu'il accomplissait le miracle deux fois par jour et même trois fois le dimanche. Drusilla lut aussi l'explication du phénomène, à savoir qu'une personne placée très près du lieu de l'explosion a beaucoup plus de chance d'en réchapper qu'une autre placée à deux ou trois mètres, parce que l'explosion est surtout rendue dangereuse du fait des objets qui sont brutalement déplacés par la déflagration.

Drusilla était au bout du rouleau. Elle imagina bien d'affamer le léopard pendant un certain nombre de semaines, puis de le mettre brusquement en présence de Rick ; mais elle eut peur que ce ne soit Rick qui dévore le léopard. Elle avait le dessous, elle le savait.

Du jour au lendemain, elle se sentit en meilleure forme qu'elle n'avait été depuis longtemps ; elle réalisa, en effet, que tous les efforts qu'elle faisait pour se débarrasser de son mari n'étaient pas tellement provoqués par la haine qu'elle pouvait avoir de lui : c'était seulement la conséquence du jugement impitoyable que la bonne société avait dû porter sur lui.

De fait, elle n'avait pas été chic pour ce pauvre Rick. Elle l'avait épousé pour la seule raison qu'il n'était pas comme les autres, — parce qu'il était différent de tous les jeunes gens pâles, cultivés, supérieurement corrects et anémiques qu'elle avait toujours connus. N'était-il pas gentil avec elle ? Ne lui offrait-il pas de l'emmener promener sur le tansad de la motocyclette ? Ne lui avait-il pas proposé de lui apprendre le tambour bongo ? N'avaient-ils pas, à leur façon un peu spéciale, de bons moments ensemble ?

Drusilla vit l'erreur de sa tactique. Elle résolut d'être à l'avenir une bonne et fidèle épouse et de réparer dans la mesure du possible le tort et les ennuis qu'elle avait causés à ce pauvre Rick. La première chose à faire, pensa-t-elle, était de lui offrir une guitare et une belle collection de chansons populaires. Elle était même décidée à chanter tandis qu'il l'accompagnerait.

Elle était en train de ruminer toutes ces pensées lorsque Rick bondit dans la pièce en agitant un télégramme.

— Regarde ! criait-il. Regarde !

Elle lut. Le télégramme provenait d'un copain de Rick qui était parti dernièrement pour Hollywood et qui était en train de monter sa propre société de production de films. Il avait besoin de Rick. Il lui demandait d'arriver tout de suite : il voulait lui donner un bon rôle dans sa plus prochaine réalisation à grand spectacle. Pas encore un rôle de premier plan, sans doute ; mais Drusilla et Rick voyaient déjà la gloire incendier l'horizon...

— Oh Rick ! s'écria Drusilla en l'entourant de ses bras et en se penchant un peu pour l'embrasser. Oh, mon chéri ! Je suis si heureuse pour vous !

— Il n'y a plus qu'à faire nos bagages, répondit Rick

Déjà Drusilla s'affairait autour de la chambre, attrapant des vêtements qu'elle jetait dans une valise. Rick la considérait pensivement. Il se souvint de Greenwich Village et de l'attitude réservée de Drusilla vis-à-vis des copains barbus et des jeunes filles sentimentales qui formaient le cercle de ses amis. Il considérait Drusilla en pensant à Hollywood. Était-il certain qu'Hollywood soit bien le cadre qu'il lui fallait ?

The method.
Traduction de Gersaint.

Table

Le Livre de Poche

Au catalogue du Livre de Poche policier, de œuvres de :

Bachellerie, Borniche, Agatha Christie, Jean-François Coatmeur, Peter Dickinson, Conan Doyle, Exbrayat, David Goodis, William Irish, P.D. James, Maurice Leblanc, Alexis Lecaye, Elmore Leonard, Gaston Leroux, Peter Lovesey, Gregory Mcdonald, McGivern, Ruth Rendell, René Réouven, Francis Ryck, Pierre Siniac, Stanislas-André Steeman, Jim Thompson, June Thomson, Andrew Vachss, Roy Vickers, et la série **« Alfred Hitchcock présente »**.

Composition réalisée par C.M.L., Montrouge

IMPRIMÉ EN FRANCE PAR BRODARD ET TAUPIN
Usine de La Flèche (Sarthe).
Librairie Générale Française - 6, rue Pierre-Sarrazin - 75006 Paris.
ISBN : 2 - 253 - 05338 - 4 30/6786/5